NOTRE ÉPOQUE
Collection dirigée par Georges Liébert

YAO MING-LE

ENQUÊTE
SUR
LA MORT DE LIN BIAO

Traduction française de Jean-Pierre Galante

Préface de Simon Leys

ÉDITIONS ROBERT LAFFONT
PARIS

Pour la transcription des noms en chinois, les auteurs ont recouru au système phonétique officiel de la République populaire de Chine, le système « pinyin ». Moins accessible que le système « Wade-Giles », pour les non-spécialistes, il offre cependant l'avantage d'être plus précis quand les règles phonétiques sont connues. Le « pinyin » est par ailleurs de plus en plus couramment employé dans la presse.

Titre original : THE CONSPIRACY AND DEATH OF LIN BIAO
© Alfred A. Knopf, 1983
Traduction française : Éditions Robert Laffont, S.A., Paris, 1983

ISBN 2-221-01147-3
(édition originale :
ISBN 0-394-52543-4 Alfred A. Knopf, Inc., New York)

PRÉFACE

Notre époque qui tire vanité de l'ampleur, de la rapidité et de la complexité de son information, restera probablement connue dans l'histoire comme l'âge de la crédulité. Ceci n'est un paradoxe qu'en apparence : en fait, l'éclipse de la raison est une conséquence logique de la chasse aux nouvelles sensationnelles et exclusives, qui obsède notre société.

Un évêque italien avait remarqué naguère : « Un miracle vrai en vaut deux. » On pourrait aujourd'hui paraphraser ce propos : « Une information vraie en vaut deux. » L'affaire Lin Biao fournit une bonne illustration de ce principe : la principale raison pour laquelle, il y a onze ans, l'opinion publique occidentale avala aussi facilement les absurdes contes grossièrement et hâtivement fabriqués par la propagande chinoise, est simplement que, faute d'information véridique, une information mensongère apparaîtra toujours comme le meilleur substitut.

Chen Yi, un membre influent de la vieille clique dirigeante du communisme chinois, déclara quelques années avant la mystérieuse chute de Lin Biao (et il savait de quoi il parlait) : « Le camarade Lin Biao est vraiment un grand homme. Il est le seul de nous tous qui ne se soit jamais opposé au président Mao. » A l'époque, ce jugement était rigoureusement exact, et l'on aurait facilement imaginé qu'il aurait pu servir un jour d'épitaphe à Lin Biao.

Lin Biao était un personnage secret, chétif et terne qui ne

7

s'était vraiment signalé que par deux traits : 1. une fidélité inconditionnelle, absolue et inébranlable à Mao Zedong ; 2. un génie militaire que les spécialistes ont souvent comparé à celui de Napoléon (quelques-unes de ses batailles sont d'ailleurs enseignées dans les cours de tactique de certaines écoles militaires occidentales).

Le slogan officiel qui émergea durant la Révolution culturelle : « Le camarade Lin Biao est le plus intime compagnon d'armes du président Mao », pour quelque peu simpliste qu'il fût, n'en recouvrait pas moins une vérité essentielle. Le fait est que, sans l'aide de Lin Biao, il aurait été impossible à Mao de jamais lancer sa Révolution culturelle. Mais pour pleinement apprécier ce point, il nous faut d'abord effectuer un retour en arrière, jusqu'à la conférence de Lushan, en 1959[1].

Cette conférence d'importance historique avait été convoquée pour tenter de remettre un peu d'ordre dans le chaos qui avait résulté de l'échec catastrophique du « Grand bond en avant » de Mao. Les conséquences de cette initiative délirante que le président avait prise l'année d'avant apparaissaient déjà dans toute leur horreur : la famine commençait à menacer les campagnes — elle allait y faire des dizaines de millions de victimes durant les trois années suivantes — et l'économie du pays entier était en ruine. Mao, dont l'autorité n'avait jamais été mise en question jusqu'alors, se trouva soudain confronté à une mutinerie organisée dans les échelons supérieurs du Parti. Cette mutinerie était dirigée par une personnalité prestigieuse et haute en couleur, le ministre de la Défense Peng Dehuai, un maréchal couvert de gloire à qui son honnêteté, son franc-parler, son style de vie simple et frugal valaient une immense popularité. Sur la base d'enquêtes approfondies qu'il avait personnellement menées dans les campagnes où il avait enregistré la détresse et le désespoir des paysans, Peng attaqua Mao, dénonçant son « exaltation petite-bourgeoise », sa mégalomanie, son égocentrisme, son subjectivisme idéaliste, et l'accusant d'avoir perdu le

---

1. Ne pas confondre avec la conférence de Lushan de 1970 (2e cession plénière du 9e Comité central) dont il est question dans ce livre, et qui marqua pour Lin Biao le commencement de la fin : c'est là que Mao lui infligea pour la première fois un camouflet en public.

contact avec la réalité. Comme un nombre croissant de membres du Comité central commençaient à rallier la rébellion de Peng, un troisième larron, Liu Shaoqi, vint retirer les marrons du feu. Liu fit valoir qu'une querelle ouverte nuirait gravement à l'autorité du Parti. Pour sauvegarder l'ordre et l'unité du pays, il était essentiel de protéger le prestige de Mao, au moins en apparence. On épargnerait donc tout affront public au président; Peng serait officiellement réprimandé et déchargé de ses fonctions. Mais cette solution qui le débarrassait de son adversaire immédiat allait coûter très cher à Mao : il dut en contrepartie abandonner la réalité du pouvoir à Liu Shaoqi (qui vint le remplacer à la tête de l'État) et à Deng Xiaoping (secrétaire général du Parti).

En conséquence, après la conférence de Lushan, Mao se trouva confiné dans une position largement honorifique : comme dit l'expression populaire, il fut « mis sur une voie de garage ». Sa qualité de président du Parti lui fournissait encore, de temps à autre, l'occasion de prononcer quelques discours, mais ses harangues tombaient dans le vide : les pouvoirs de décision et d'exécution étaient maintenant entièrement aux mains de Liu et de Deng. Pourtant, Mao n'avait pas tout perdu à Lushan; il avait au moins obtenu qu'en remplacement de Peng Dehuai, on nommât un homme de son choix comme ministre de la Défense : Lin Biao. A l'époque, cette nomination de Lin Biao n'avait pas suscité d'objections. Apprécié pour ses compétences militaires, ce personnage par ailleurs effacé et discret, dépourvu d'éloquence et de magnétisme personnel, n'était pas fait pour attirer l'attention ou provoquer la controverse. Et pourtant, en réussissant à faire désigner Lin à la Défense, Mao avait en fait établi la tête de pont qui allait au bout du compte lui permettre de regagner le pouvoir; avec Lin Biao dans cette position clé, Mao était comme le joueur d'échecs qui, par le déplacement apparemment anodin d'un simple pion en début de partie, s'assure la victoire finale.

Pour Mao, les années qui suivirent Lushan furent une traversée du désert. Liu Shaoqi et Deng Xiaoping, qui tenaient toutes les activités du Parti sous leur étroite supervision, désamorcèrent sans peine les tentatives répétées qu'il fit pour reprendre le pouvoir. Ce n'est qu'en 1965, après une longue série d'échecs, qu'il réussit enfin à tromper leur vigilance : en faisant un détour par Shanghai et en ayant recours à un prétexte « culturel » assez incongru, il parvint à allumer la mèche qui allait conduire à la gigantesque explosion de la Révolution culturelle. Liu et Deng crurent d'abord qu'ils allaient pouvoir, une fois de plus, neutraliser et manipuler ce nouveau mouvement si lourd de menaces. Et effectivement, sur leurs instructions, le Comité central chargea immédiatement un « groupe restreint », composé d'hommes sûrs, d'organiser et de diriger la Révolution culturelle. Le premier rapport d'activités soumis par ce « groupe restreint » fut officiellement approuvé par le Comité central en février 1966 : en fait d'activités, le groupe s'était essentiellement employé à débarrasser la Révolution culturelle de tout ce qu'elle pouvait présenter de potentiellement subversif. Mais c'est à ce point précis que Lin Biao fit son entrée en scène, et retourna entièrement la situation en faveur de Mao.

Avec les troupes qu'il avait politiquement préparées depuis six ans pour cette tâche particulière, il effectua un coup qui fit basculer toute la région militaire de Pékin sous le contrôle maoïste. Sous la menace des fusils, le Comité central fut reconvoqué et, en mai, il abrogea docilement le rapport qu'il venait d'approuver deux mois plus tôt ! Maintenant, la vraie Révolution culturelle de Mao était bel et bien commencée ; plus personne n'allait être à même d'éteindre cet incendie avant qu'il n'ait entièrement détruit l'appareil du Parti. La Chine allait être mise à feu et à sang, des millions de victimes allaient périr — qu'importe ? Au milieu de toute cette fureur, de cette terreur et de cette dévastation, Mao trouverait un chemin qui le mènerait à la victoire. La ruine du pays ne lui paraissait pas un prix trop lourd, du moment que cette démence sauvage pouvait lui permettre d'anéantir ses rivaux et de récupérer le pouvoir qu'il avait été forcé d'abandonner en 1959.

Tout d'abord, la meute des Gardes rouges fut lâchée sur les adversaires politiques de Mao, qui se trouvèrent impitoyablement traqués, mis au pilori, torturés et assassinés. Cette opération une fois achevée, ce fut au tour de l'armée d'intervenir pour rétablir l'ordre et remplacer le Parti qui s'était englouti dans la tempête. Les troupes de Lin Biao ramenèrent les Gardes rouges au chenil (en certains endroits, elles les massacrèrent tout simplement) et imposèrent leur discipline rigide sur la Chine entière. La victoire complète de Mao fut célébrée au IXe Congrès du Parti, en 1969. Son triomphe ne comportait qu'une ombre : ce congrès, qui aurait dû marquer l'établissement d'un parti maoïste purifié, tourna en fait en une apothéose personnelle de Lin Biao : Lin y fut solennellement sacré Dauphin. Ses armées gouvernaient déjà tout le pays ; c'était à lui que l'avenir appartenait désormais.

Deux ans plus tard — en septembre 1971 —, tout à coup, Lin Biao disparut. Après un silence embarrassé, Pékin produisit les bribes et morceaux d'une incroyable histoire. Suivant cette version officielle, Lin Biao avait organisé ce qui apparaissait, à lire les documents publiés par les organes de la propagande, un complot d'une incompétence absolument burlesque, afin d'assassiner Mao et de s'emparer du pouvoir ; ayant échoué dans sa tentative, pris de panique, il aurait alors cherché à se réfugier en Union soviétique, mais en cours de route, pour des raisons obscures, son avion se serait écrasé en Mongolie. Il serait mort dans cet accident, trouvant ainsi la juste récompense de sa lâcheté et de sa traîtrise.

Inutile de dire que les mailles logiques de cette histoire étaient criblées de trous : un troupeau d'éléphants aurait pu aisément galoper au travers. Au moment où Lin Biao était censé conspirer, il était en fait déjà l'homme le plus puissant de Chine. Pourquoi aurait-il comploté pour s'emparer d'un pouvoir qu'il possédait déjà ? Sa qualité d'héritier présomptif venait tout juste d'être consacrée par la nouvelle constitution du Parti ; il n'avait qu'à s'armer d'un tout petit peu de patience ; tôt ou tard, la mort de Mao allait le mettre en possession de la panoplie complète des honneurs impériaux. Et il pourrait attendre en toute tranquillité : c'était lui qui commandait aux fusils, et l'on sait — Mao l'avait bien dit — que c'est de leur gueule que sort le pouvoir politique. Supposant même qu'il eût voulu devancer son heure et qu'il eût activement conspiré contre Mao (qu'il avait pourtant servi avec une indéfectible loyauté durant toute sa carrière), il serait encore plus difficile de comprendre pourquoi son coup d'État aurait pu échouer. Comment, avec une aussi rare combinaison d'atouts décisifs — son génie tactique, sa puissance militaire, ses ressources politiques —, aurait-il pu finir de façon aussi lamentable, avant même d'avoir esquissé le moindre mouvement, sans même avoir tiré un seul coup de feu ? Comment se pourrait-il qu'un complot organisé par un tel homme, placé dans une position aussi favorable, se volatilisât comme une bulle de savon qui crève, sans causer la moindre commotion, sans laisser la moindre trace ? Un coup d'État machiné par un Lin Biao, même s'il avait échoué, aurait du moins secoué le pays entier — sinon déclenché une guerre civile. Dans ses campagnes militaires, Lin Biao s'était rendu légendaire pour sa prudence froide et calculatrice : son principe était de ne jamais engager le combat à moins d'être sûr à cent pour cent de la victoire. Et maintenant il se serait lancé dans l'action la plus importante de toute sa carrière sans même avoir assuré ses arrières, ni disposer d'un plan de rechange en cas d'accroc ? Plusieurs régions militaires étaient commandées par ses hommes de confiance; il aurait aisément pu transformer Guangzhou en une forteresse imprenable.

Quel besoin aurait-il eu de fuir vers une Union soviétique hostile et lointaine (à laquelle il s'était d'ailleurs publiquement opposé tout récemment encore avec une vigueur particulière) ? Pourquoi ne pas se réfugier plutôt en Chine méridionale, parmi ses troupes fidèles ?

Les organes officiels de la propagande de Pékin publièrent une série de documents qui, censément, auraient dû prouver la culpabilité de Lin. Il y eut d'abord le fameux « Projet 571 » (résumé d'un projet d'insurrection armée) : nous pouvons facilement admettre que Lin Biao n'ait eu aucune espèce de principes moraux (après tout, il avait été toute sa vie un communiste pratiquant), mais s'il nous fallait croire qu'il eût vraiment rédigé cet absurde document dont le niveau intellectuel ne remplirait même pas les exigences d'un grand jeu pour une sortie dominicale de boy-scouts, nous devrions alors lui dénier non seulement l'intelligence que même ses ennemis lui concédaient, mais encore le plus élémentaire bon sens. Dans la suite, des photos lourdement truquées de son cadavre et de celui de sa femme, prétendument prises au milieu des débris de leur avion, ne contribuèrent guère à améliorer la crédibilité de la version présentée par Pékin : des corps calcinés dans un accident d'avion supersonique conservent rarement des traits aussi *aisément reconnaissables ; de plus, la Mongolie-Extérieure constitue à toutes fins pratiques une zone militaire soviétique. La région frontière où s'écrasa l'avion des fuyards est précisément un de ces territoires névralgiques où les Russes ont massé leur machine militaire contre la Chine. Pour des bureaucrates chinois, il doit être aussi commode de prendre des photos dans ce coin-là, que pour vous et moi d'aller faire une petite promenade d'après-dîner sur la lune[1].*

Les mensonges bizarres et maladroits que Pékin fabriquait précipitamment en guise d'explication soulignèrent de façon encore plus manifeste la falsification essentielle du dossier. L'affaire Lin Biao dans la version maoïste n'était en fait qu'un rideau de fumée derrière lequel se cachait mal une réalité encore plus atroce : Lin Biao avait été assassiné en Chine, sur les ordres de Mao.

Après avoir réussi dans la mission que lui avait originellement assignée Mao, Lin avait cessé de lui être utile ; son succès et sa puissance étaient devenus excessifs au goût du président. Son assassinat, décidé et organisé par Mao, et survenant quelques années à peine après l'élimination également impitoyable du Dauphin précédent, Liu Shaoqi, ne faisait que correspondre à une routine établie : Mao s'était servi des Gardes rouges pour anéantir Liu, puis il s'était servi de Lin Biao pour anéantir les Gardes rouges. Maintenant, avec l'aide discrète et efficace de Zhou Enlai, il s'était débarrassé de Lin Biao. Quant à Zhou lui-même, un sort similaire devait lui être préparé quelques années plus tard : s'il lui fut finalement épargné, c'est simplement parce que le cancer dont il était atteint se développa plus vite que les machinations du Président. (Il y a des gens qui ont de la chance.)

L'assassinat de Lin Biao jeta son fils — un voyou doré et

---

1. Comme je l'ai déjà souligné dans *Ombres chinoises,* les Russes qui ont eu un accès direct au site de l'accident ont pu établir d'emblée que *Lin Biao n'était pas à bord.* Lin Biao avait précédemment été soigné en URSS durant une longue période, et les Russes disposent donc à son sujet d'une information médicale approfondie qui leur aurait permis d'identifier son corps avec certitude s'il avait été du nombre des passagers. A l'époque, les Russes n'ont fait nul mystère de cette information, mais ils ne lui ont pas donné de publicité particulière non plus, ne sachant trop quelle version de l'épisode servirait le mieux leurs intérêts.

dénué de cervelle — dans une panique fort compréhensible. Avec une poignée de clients et de copains, il chercha à fuir la Chine en avion (il était lui-même officier dans l'aviation), mais son appareil s'écrasa en Mongolie. Il est fort possible que, précédemment, ce médiocre petit aventurier ait effectivement rédigé le ridicule et puéril « Projet 571 » — il était suffisamment sot et téméraire pour concevoir un tel projet. Comme il était essentiel pour la bonne réputation de Mao que son dernier crime fût gardé secret, les services de la propagande décidèrent tout simplement de prêter à Lin les cogitations et l'évasion manquée de son fils. Dans la pratique toutefois, ce tour de passe-passe se montra d'une utilité limitée. Pour le public chinois, dorénavant, il importait peu de savoir si le président Mao avait réussi à assassiner le vice-président Lin, ou si le vice-président Lin avait échoué à assassiner le président Mao ; une seule chose était certaine : le peu de crédit dont le Parti communiste chinois disposait encore après tant de crises, et surtout après les démences meurtrières de la Révolution culturelle, n'avait pas résisté à ce dernier choc et s'était englouti pour jamais.

Le manuscrit de ce livre a atterri sur ma table il y a quelques semaines. Je n'en connais pas l'auteur. Les éditeurs ont seulement pu me dire qu'il s'agit d'un Chinois à qui ils ont de sérieuses raisons de faire confiance, et qu'il avait eu accès à des informations secrètes, de première main. Pour des raisons évidentes, son anonymat doit être absolument protégé.

Ne connaissant pas l'auteur et n'ayant pas la possibilité de vérifier ses sources, je ne puis naturellement pas tirer de conclusions en ce qui concerne la véracité de son récit. En outre, j'ignore quelles sont ses motivations. Son intention est-elle seulement se servir la vérité historique ? Quels autres intérêts cette publication peut-elle encore servir ? Est-ce pure coïncidence si ce manuscrit qui met à nu la perfidie de Mao et qui montre que la conspiration de Lin présentait au moins un aspect d'autodéfense, a fait surface ici exactement au moment où, à Pékin, les principaux membres du complot de Lin Biao se sont vu soudain remettre en liberté un an à peine après leur condamnation à de longues peines de prison ? (Il s'agissait théoriquement d'une mesure de clémence justifiée par leur grand âge et leur mauvaise santé ; mais aucun membre du gang maoïste n'a bénéficié d'une semblable indulgence!) Il faut également remarquer que l'Union soviétique, qui avait longtemps affecté d'ignorer l'affaire, s'est mise soudain à organiser des fuites d'informations en direction de la presse occidentale, pour nous remettre en mémoire que Lin Biao ne se trouvait pas dans le Trident qui s'était écrasé en Mongolie. Qui aide qui dans cette affaire, et dans quel but?

Tout en gardant à l'esprit ces diverses réserves et ces questions sans réponse, j'ai lu ce livre avec fascination. Son exposé, conforme à tous les éléments objectifs dont nous disposions déjà, vient confirmer les conclusions auxquelles étaient déjà parvenus tous les spécialistes sérieux — à savoir, que Mao Zedong fit assassiner Lin Biao en Chine. De plus, il apporte une masse d'informations nouvelles et de détails éclairants. J'avoue cependant que certains aspects de ces révélations neuves ne me convainquent pas entièrement. J'ai toujours eu peine à croire que Lin eût effectivement comploté contre Mao. Si une telle conspiration avait jamais existé, pensais-je, ce dut être un soubresaut désespéré, improvisé à la dernière minute, quand Lin s'aperçut qu'il avait le couteau sous la gorge. Toutefois j'aurais été en peine de prouver le bien-fondé de mes vues[1], et aujourd'hui je ne vois pas bien sur quelles bases je pourrais réfuter les affirmations de Yao Ming-le, et je dois reconnaître que, dans l'ensemble, le tableau qu'il brosse est plausible et cohérent — mais il faudra évidemment examiner avec une prudence critique redoublée tout ce que son témoignage présente d'implications pour les relations sino-soviétiques. En particulier, l'idée que des conflits armés entre les deux pays pourraient être attribués seulement aux machinations individuelles et privées d'un seul aventurier me paraît pour le moins une simplification puérile.

Inutile de le dire, ces pages déconcerteront beaucoup de lecteurs. Le public occidental a été bien mal préparé à être

---

1. Et pourtant, si Lin avait réellement organisé un complot, comment expliquer le fait qu'*après* sa mort et la découverte du pot-aux-roses (12 septembre), quelques-uns de ses co-conspirateurs continuèrent pendant plusieurs jours encore à jouer un rôle sur la scène nationale. Qiu Huizuo par exemple apparut en public le 24 septembre à l'aéroport de Pékin, en compagnie de Zhou Enlai et de Ye Jianying, pour souhaiter bon voyage à une délégation économique en partance pour Hanoï.

15

confronté aux réalités sinistres de la lutte pour le pouvoir qui fait rage en permanence au sein de la caste dirigeante communiste. A chaque nouvel épisode de cette féroce empoignade, les commentateurs attitrés de l'actualité chinoise ont toujours tiré un voile pudique sur les coups et contre-coups d'État, les purges, les complots et les assassinats. Non, Non ! nous ont-ils assuré chaque fois, « la politique chinoise ne procède pas de cette façon-là », il n'y a pas de lutte pour le pouvoir en Chine, mais seulement « certaines divergences d'opinion, comme il est normal entre honnêtes révolutionnaires[1] ». Les experts en pékinologie ont bien de la chance : le public ne leur applique jamais les élémentaires critères de compétence professionnelle qui sont normalement requis des garagistes ou des plombiers. Nous congédions les techniciens qui ne réussissent pas à réparer nos autos ou les fuites de nos tuyauteries, mais quand la réalité politique dément les analyses de nos experts, nous congédions la réalité.

Or cette tentation de congédier la réalité devrait être particulièrement forte ici : les âmes sensibles trouveront en effet que l'éclairage projeté par l'affaire Lin Biao sur la nature et les mécanismes du pouvoir communiste est d'une brutalité insoutenable. Comparer les dirigeants du Parti à des gangsters serait insulter ces derniers — car, après tout, même dans la pègre, il existe encore une vague sorte de moralité, quelques principes sont encore respectés ; à tout le moins, entre malfaiteurs, au sein d'une même bande, il arrive qu'une certaine forme de loyauté soit encore cultivée. De ce point de vue, l'affaire Lin Biao restera un jalon historique dans l'histoire du Parti : avec elle, la faillite morale du système a été totalement exposée au public, et en conséquence, le cynisme et la démobilisation politique de la population chinoise sont devenus irréversibles.

Si l'effroyable « milieu » décrit dans ce livre doit choquer et scandaliser beaucoup d'Occidentaux naïfs, n'importe quel lecteur chinois retrouvera dans ces pages l'image d'une réalité qui ne lui est, hélas ! que trop lugubrement familière. La psychologie, le comportement, le mode de vie de l'élite dirigeante sont ici

---

1. Les propos entre guillemets sont un panaché d'Edgar Snow et de J.K. Fairbank.

fidèlement peints. Ce récit présente donc une vérité sociologique irrécusable ; mais est-il historiquement véridique ? A tout le moins, il est vraisemblable — et l'on ne saurait en dire autant de la version officielle que Pékin a donnée de l'affaire Lin Biao.

SIMON LEYS
Décembre 1982.

INTRODUCTION

Lin Biao est mort le 12 septembre 1971. C'était l'un des principaux chefs militaires et politiques chinois. Sa réputation légendaire s'était d'abord établie pendant la guerre contre le Japon et, plus tard, durant la guerre civile chinoise au cours de laquelle il remporta des batailles décisives contre les nationalistes de la Mandchourie, au nord, à l'île de Hainan, au sud.

Parmi les dix maréchaux chinois nommés après la victoire communiste de 1949, figurait Lin Biao; en 1959, il remplaça Peng Dehuai au ministère de la Défense; en 1966, il accéda à la vice-présidence du Parti communiste et, en 1969, il fut officiellement désigné comme successeur du président Mao Zedong. A sa mort, Lin Biao était sans conteste le numéro deux chinois.

Ni la masse ni les hommes politiques chinois ne furent immédiatement informés de sa mort. Seul l'ordre du Comité central de se préparer à une urgence reçu par le haut commandement des dix principales régions militaires chinoises suggérait un événement particulier. Aucune explication n'accompagnait cet ordre que rien ne permettait de relier à Lin Biao.

Pendant des semaines, les Chinois continuèrent à adorer en Lin Biao le successeur et le plus proche compagnon d'armes de Mao. A Beijing (Pékin), sur la place Tiananmen,

19

des slogans en caractères géants exhortaient toujours les citoyens à adhérer aux idées de Mao et de Lin. Mao Zedong et Lin Biao apparaissaient ensemble sur la couverture du numéro d'octobre 1971 de *La Chine*, le plus grand magazine chinois. Selon toute apparence, leur intimité était toujours aussi parfaite.

Mais alors que vivait encore son image publique, l'homme était bien mort. Tous les ans, le 1ᵉʳ octobre, jour de fête nationale, Lin avait coutume de faire sa grande apparition avec Mao sur la place Tiananmen ; cette année-là, la cérémonie fut définitivement annulée. Le seul argument invoqué pour la suppression de cette cérémonie fut qu'un rassemblement de plusieurs centaines de milliers de personnes offrait à l'Union soviétique une cible trop facile à attaquer.

La nouvelle de la mort de Lin Biao se répandit peu à peu et de façon parfaitement contrôlée par la divulgation d'une série de document « top secret » du Comité central ultérieurement compilés sous l'intitulé « Documents importants concernant le clan antiparti de Lin Biao ; 1ʳᵉ, 2ᵉ et 3ᵉ partie » destinés en premier lieu aux seules sommités du parti. Le premier document n'apparut que plusieurs semaines après la mort de Lin Biao et n'y faisait qu'une brève allusion. Plus tard, un autre document fut publié, qui exigeait la révocation des plus proches collaborateurs de Lin Biao : le chef d'état-major Huang Yongsheng, le commandant de l'armée de l'air Wu Faxian, le commissaire politique de la Marine, Li Zuopeng, et le chef de la logistique, Qiu Huizuo. En novembre 1971, on promulgua un document réclamant que fussent retirés de la circulation tous les textes sur Lin Biao, ses propres écrits et les photographies le représentant.

Les hauts fonctionnaires du Parti durent attendre le 13 janvier 1972 pour avoir enfin une explication de la mort de Lin Biao. Un rapport du Comité central révélait que Lin Biao avait projeté d'assassiner Mao Zedong dans un complot appelé « Projet 571 » et dirigé par son fils, Lin Liguo. Selon l'explication officielle, son complot découvert, Lin Biao avait apparemment tenté de fuir en Union soviétique, mais il avait été tué, son avion s'étant écrasé en République populaire de Mongolie.

Finalement, le 26 juin 1972, dix mois après la mort de Lin Biao, un rapport complet fut publié sur l'« affaire Lin Biao ». Sous le titre « Preuves criminelles d'un coup d'État contre-révolutionnaire organisé par le clan antiparti de Lin Biao », il contenait des confessions écrites, le résultat d'enquêtes, l'enregistrement de conversations téléphoniques, des lettres, des notes, des mémoires et d'autres preuves des crimes de Lin Biao. Ce rapport fut montré à tous les membres du Parti avec mission de divulguer son contenu au peuple chinois.

Le document du Comité central exposait les événements conduisant à la mort de Lin Biao de la façon suivante.

Au deuxième plénum du IXᵉ Congrès du Parti organisé à Lushan en août 1970, un important désaccord opposa Lin Biao et Mao Zedong à propos de sa succession à la présidence. Sentant que Mao nourrissait une certaine animosité à son égard, Lin commença alors à envisager d'organiser un coup d'État. Il sollicita l'aide de son fils, Lin Liguo, et de son organisation secrète, « l'Escadre de l'Union ». Ensemble, ils dressèrent un plan appelé « Projet 571 » prévoyant de faire exploser le train de Mao lors d'un voyage d'inspection dans le sud de la Chine. Mao apprit l'existence de ce complot et revint immédiatement à Beijing. Ayant eu vent du retour de Mao dans la capitale, Lin Biao décida de transférer ses complices et ses partisans à Guangzhou (Canton) où il poursuivrait son mouvement insurrectionnel.

D'après une confession de Lin Lihang, la fille de Lin Biao, les documents précisaient qu'en apprenant les plans de Lin Biao le Premier ministre Zhou Enlai donna l'ordre d'interrompre toute circulation aérienne au-dessus du territoire chinois. Lin Biao se trouvait alors à Beidaihe, sur le golfe du Bohai, à quelque 200 kilomètres à l'est de Beijing, et, reconnaissant son échec, il décida de fuir en Union soviétique.

Toujours selon la version officielle, une limousine de marque « Drapeau rouge » arriva tard dans la nuit du 12 septembre 1971 à l'aéroport naval de Shanhaiguan près de Qinhuangdao et de Beidaihe. Lin Liguo sortit le premier du véhicule en criant : « Vite ! vite ! » Derrière lui, ses parents,

Lin Biao et Ye Qun, qui se précipitèrent dans l'avion. Le décollage se fit avec un équipage réduit et sans tenir compte des tentatives du personnel de l'aéroport d'empêcher le vol. Informé de la fuite de Lin par le Premier ministre Zhou, le président Mao ne prit aucune mesure.

Environ une heure après, l'avion disparut des radars chinois. Plus tard, au matin du 13 septembre, à court de carburant, l'appareil se serait écrasé à l'est de Ulan Bator, près de Ondörhaan, en Mongolie.

Ultérieurement, une délégation de l'ambassade chinoise en République populaire de Mongolie se rendit en inspection sur le lieu de l'accident. On y découvrit neuf corps, huit hommes et une femme. Tous furent enterrés sur place.

Telle est la version des faits divulguée au peuple par les membres du Parti au cours de ce qu'on appelait *chuan da wen jian,* ou « sessions de lecture de documents ». Certaines personnes ont pu apprendre auparavant l'existence d'un conflit entre Lin et Mao, ou même la mort de Lin Biao, mais la version officielle du gouvernement ne fut donnée que dans le rapport publié le 26 juin 1972.

Cette méthode consistant à utiliser des documents « secrets » comme moyen de communication entre le Comité central et les « masses » est d'usage courant. L'efficacité de la méthode repose sur le fait que lesdites masses, pour qui les informations politiques de haut niveau sont rares sinon inexistantes, ont tendance à croire tout ce qui ressemble à des renseignements internes, leur hypothèse étant que tout ce qui mérite d'être classé document top secret du Comité central doit être vrai et important. De plus, les informations en la matière étant toujours limitées, les masses ne peuvent jamais émettre un jugement objectif. Ainsi, pour un événement aussi extraordinaire que la mort de Lin Biao, peu de Chinois du commun oseraient mettre en doute la version officielle.

Il en est tout autrement pour des cadres de haut niveau habitués à la machine politique chinoise. Ils possèdent une bonne expérience des documents publiés par le gouvernement et sont souvent à même d'obtenir de plus amples renseignements grâce à des relations personnelles. Pour ces hauts fonctionnaires, l'explication officielle ne sembla guère satisfaisante. Ils commencèrent à s'interroger sur ce qu'ils avaient lu, d'une part, à cause d'un manque de logique évident et, d'autre part, à cause de points importants manquant de précision ou parfois totalement éludés.

L'absence de preuves concrètes des crimes dont était accusé Lin Biao constituait une raison essentielle de se montrer sceptique. Bien que contenant les confessions de plusieurs grands conseillers militaires de Lin, la plupart des documents manquaient de renseignements « solides ». La divulgation du « Projet 571 » ne leva pas non plus le voile sur l'entreprise d'une quelconque action. Au contraire, seules y étaient énoncées des généralités sur la situation politique du moment et les intentions des conspirateurs de prendre le pouvoir.

Curieusement, la plupart des preuves concernaient les activités du fils de Lin Biao et de ses partisans au sein de « l'Escadre de l'Union ». Les documents donnaient l'impression que Lin Biao avait délégué une bonne partie des responsabilités à son jeune fils relativement inexpérimenté. Comment ne pas remarquer alors que cela s'accordait mal avec l'image de marque du « maréchal chinois invincible » ?

A la lecture de ces documents, les dirigeants s'interrogèrent également sur l'explication officielle de cette « capitulation » un peu hâtive de Lin Biao. Le retour impromptu de Mao à Beijing en aurait été la cause, mais rien ne menaçait Lin au point de provoquer sa chute. En outre, n'avait-il pas prévu l'éventualité de poursuivre son mouvement à Guangzhou ? Ce qu'il ne fit jamais. Pourquoi aurait-il décidé d'abandonner ses projets avant même de les avoir mis à exécution ?

La version officielle contenait une autre contradiction troublante. L'avion à bord duquel Lin Biao tenta de fuir aurait décollé de l'aéroport de Shanhaiguan près de Beidaihe. Or, de sources sûres, certains cadres de haut niveau apprirent que l'avion s'étant écrasé en République populaire de Mongolie était parti de Beijing. Les documents ne précisaient pas non plus que Lin Biao avait quitté Beidaihe pour revenir lui aussi à Beijing avant le 12 septembre, fait que certains hauts dirigeants connaissaient.

Le manque de carburant aurait provoqué l'accident de l'avion de Lin. Ceux qui possédaient quelque expérience de l'aviation n'ignoraient pas que l'autorisation de décoller n'est donnée qu'une fois le plein effectué. L'appareil stationnait à l'aéroport depuis plusieurs heures et Lin était censé le prendre pour se rendre à Guangzhou, distance bien plus importante que celle de l'aéroport de Shanhaiguan au lieu de l'accident en Mongolie. De deux choses l'une : ou le Trident n'était pas préparé pour aller à Guangzhou (ou ailleurs), ou il ne s'était pas écrasé par manque de kérosène.

Mao aurait demandé que les corps fussent enterrés sur le lieu même de l'accident. Du moins, c'est ce qui fut soi-disant fait. Selon les usages internationaux, les personnes tuées dans un accident d'avion sont toujours rapatriées dans leur pays d'origine. En l'occurrence, les victimes étant d'éminents militaires chinois et l'accident ayant eu lieu à quelques centaines de kilomètres seulement de la frontière chinoise, rien ne justifiait de les enterrer hâtivement en République populaire de Mongolie.

Telles sont quelques-unes des contradictions existant dans le rapport officiel de l'affaire Lin Biao. Elles prennent davantage de poids si l'on admet, à juste titre, que tout cela avait pour toile de fond une dure compétition politique. La place et le pouvoir de Lin Biao à l'époque de sa disparition ne peuvent que renforcer le scepticisme. Ainsi, pourquoi Mao, adroit mégalomane, aurait-il entouré ces événements d'un tel mystère, eût-il été un véritable héros et Lin un vulgaire scélérat ? Pourquoi ce retard à informer jusqu'aux cadres de haut niveau ? La perfidie est presque évidente, preuve que la méfiance a dû être au centre de toute cette affaire.

L'auteur de cet ouvrage fut de ceux qui purent lire les documents officiels concernant la mort de Lin Biao. Les questions soulevées par ce rapport restèrent longtemps sans réponses ; puis, tout à fait par hasard, l'auteur eut la chance de trouver un document donnant une tout autre version de cette affaire. Ce document était également top secret et contenait aussi le témoignage d'un membre du complot, mais un témoignage bien plus précis et plus digne de foi que les autres. Ultérieurement, l'auteur put consulter d'autres documents « authentiques » et il s'aperçut peu à peu qu'ils différaient considérablement de ceux du rapport officiel. Finalement, il en arriva à une conclusion inéluctable : en fait, Wang Dongxing, le plus proche collaborateur de Mao, et les autres responsables de l'enquête sur l'affaire Lin Biao avaient dissimulé bien des choses.

L'auteur poursuivit sa théorie et, grâce à certaines de ses relations, il trouva des preuves plus consistantes. Cependant, il ne progressa d'une manière décisive qu'en lisant le journal intime d'un dénommé Zhao Yanji, décédé depuis, directement mêlé à l'enquête sur l'affaire Lin Biao. Ses Mémoires s'avéraient particulièrement intelligibles et dignes de foi. Jusqu'aux moindres détails, Zhao Yanji paraissait faire preuve d'une exceptionnelle véracité. Ces Mémoires constituaient une référence pour vérifier et confirmer d'autres documents. La plupart des renseignements apportés dans ce livre en sont tirés. Nous les citons tout au long de cet ouvrage mais, pour ne pas compromettre certaines personnes, nous ne pouvions pas les utiliser dans leur intégralité.

Grâce à ces Mémoires, l'auteur put comprendre clairement le processus de divulgation au public de la nouvelle du décès de Lin Biao. De fait, Mao Zedong n'avait aucun intérêt à révéler la vérité. La réalité dévoile bien des aspects peu honorables de la lutte politique, des manœuvres militaires, de l'espionnage, de la violence et du mode de vie des hauts dirigeants chinois.

La soudaineté de la mort de Lin ne donna guère à Mao le temps d'en développer une explication plausible. Il put cependant temporiser en contrôlant absolument tous les renseignements concernant les derniers jours de Lin Biao et en sanctionnant sévèrement la violation de cette véritable « loi du silence ».

Ainsi, il combina la réalité et la fiction pour élaborer une version de la mort de Lin, puis il s'attacha à la documenter. Par le processus des « fuites », il répandit alors cette information, plus précisément cette fausse information, pour convaincre la Chine et le monde que son « explication » était authentique.

Mao chargea Wang Dongxing, à la tête du bureau des Affaires générales du Comité central, d'orchestrer ce travail. Wang constitua deux dossiers de base. Le premier touchait à la réalité de l'affaire Lin Biao, avec des enregistrements, des photographies et des interrogatoires inédits. Ultra-secrets, ces documents n'étaient accessibles qu'aux seules personnes chargées de « transformer » la vérité.

Le second dossier donnait de l'affaire Lin Biao une version telle que la souhaitait Mao. Ce dossier produisait également des documents prétendus internes et ultra-secrets marqués « secret », « confidentiel » ou « top secret ». Souvent similaires aux documents « authentiques », ceux-ci avaient été ajoutés, modifiés, complétés, et/ou révisés. Le dossier ainsi constitué fut utilisé par le gouvernement chinois pour divulguer la « réalité » de l'affaire Lin Biao.

Pour bien distinguer ces deux dossiers, le premier fut classé sous l'appellation « Documents confidentiels du Comité central », et le second sous le simple titre de « Documents du Comité central ». L'auteur souhaiterait préciser que la falsification de documents inclus dans les dossiers officiels secrets est d'usage courant, Lin Biao lui-même la pratiquant à l'occasion. Néanmoins, pour l'affaire Lin Biao, l'auteur pense que la falsification des documents a atteint des proportions exceptionnelles.

Ce livre comprend des renseignements presque exclusivement issus des « Documents confidentiels » et des Mémoires de Zhao Yanji. Ainsi, bien que souvent en parallèle avec la version officielle, l'histoire est ici bien plus détaillée et plus complète, et, pour certains détails importants (le rôle de Mao, en particulier, et les circonstances de la mort de Lin Biao et de son épouse Ye Qun), elle se révèle radicalement différente de tout ce qui a été dit auparavant.

Pour aider le lecteur, des précisions supplémentaires sont apportées en fin d'ouvrage sur les différences essentielles existant entre les renseignements utilisés par l'auteur et le rapport officiel.

En plus des documents écrits, l'auteur a pu, sur une période de plusieurs années, discuter avec un grand nombre de chefs militaires et politiques (certains toujours en vie et d'autres disparus, certains en pleine gloire et d'autres en disgrâce), ainsi qu'avec leurs épouses, maîtresses, secrétaires, amis, relations, collègues et employés. La plupart ignoraient qu'ils étaient « interviewés ». Certains désiraient soulager leur conscience. D'autres encore savaient qu'ils n'avaient rien à perdre en disant la vérité.

Pourquoi avoir attendu dix ans après l'étrange disparition de Lin Biao pour révéler tout cela ? Le temps a permis à l'auteur de vérifier ses sources de renseignements et les faits, et à l'affaire de trouver sa place dans l'Histoire. Avec le temps, on a eu confirmation que cette supercherie devait être définitive. En 1980-1981, les procès historiques des « cliques contre-révolutionnaires » de Jiang Qing et Lin Biao auraient pu être une occasion parfaite de révéler la vérité. Il n'en fut rien. Malgré leur importance symbolique comme preuve publique de l'élimination des forces responsables des « dix années de tumulte », ces procès furent une grande déception. Une déception et même, à certains égards, une imposture car il manquait de toute évidence de données concrètes pour prouver les crimes des accusés.

Dans l'affaire Lin Biao, les principaux accusés : Huang Yongsheng, Wu Faxian, Li Zuopeng et Qiu Huizuo, étaient les seuls survivants du clan de Lin Biao. Tous avaient été incarcérés après la mort de Lin Biao en 1971. Au tribunal, accusés d'avoir conspiré pour assassiner Mao, ils confessèrent tous leurs crimes « contre-révolutionnaires » et implorèrent le pardon. Mais leurs dépositions soulevèrent plus de questions qu'elles n'en clarifièrent. Plus que jamais le doute s'imposa sur le véritable sort de leur chef.

Les accusés et les dirigeants actuels n'ont toujours rien dévoilé. Qui pourrait les en blâmer ? Quelle serait la réaction du peuple chinois devant la vérité ? La pensée de Mao est encore enseignée, sa légende toujours vive. Littéralement déifié, le personnage peut supporter les critiques virulentes et son image de marque demeure encore plus grande que nature. Les dirigeants chinois actuels et à venir doivent beaucoup au fondateur de la République populaire. Mao a forgé la Chine nouvelle, son parti, son système politique et son gouvernement, l'esprit et l'âme de son peuple ; les dirigeants actuels ont tout hérité de cet homme auquel ils se raccrochent désespérément comme à une force unificatrice et légitimante sans laquelle leurs propres identités seraient sérieusement affaiblies.

Néanmoins, il est temps de lever le voile sur cette affaire. Nous pouvons et nous devons rétablir la vérité, pour le respect de l'Histoire et de ceux qui ont involontairement aidé à la falsifier, pour le respect de ceux qui souhaitent et méritent savoir quelle mascarade on leur a joué.

1.

Un haut cadre appartenant au bureau de la Sécurité du Comité central a écrit les Mémoires cités dans ce chapitre. A l'époque de sa mort, il avait pour nom Zhao Yanji, mais il en porta bien d'autres. Par prudence et par commodité, comme tous ceux qui travaillent dans les « services secrets » des plus hautes sphères du Parti, il avait pris un pseudonyme. Depuis la fondation de la République populaire en 1949, il utilisa sept noms différents. C'est en 1971 qu'il adopta le dernier.

Cette même année, son chef Wang Dongxing le muta au « bureau spécial chargé de l'affaire Lin Biao » du Comité central du Parti. La plupart des membres de ce bureau venaient du ministère de la Sécurité publique ou du département général politique de l'Armée de libération populaire, organismes dépendant du Comité central. Mais parmi eux, personne ne connaissait l'existence de Zhao ou de sa mission, du fait même de l'importance de sa position et de la nature de ses travaux.

Le nouveau poste de Zhao le mit en rapport direct avec les personnes intimement liées à l'affaire Lin Biao. Ainsi, il compta parmi le petit groupe de gens à pouvoir découvrir le fond de cette affaire. Par ironie, sa tâche consista néanmoins à dissimuler la vérité.

Tout en remplissant sa mission d'enquêteur, Zhao était aussi chef nominal de la division des Enquêtes spéciales du bureau des Affaires générales. Organisme également chargé de l'affaire Lin Biao, son rôle consistait à inventer des faits avec documents à l'appui, autrement dit à créer une fausse vérité.

Zhao Yanji avait déjà une santé précaire lorsqu'il commença à écrire ses Mémoires et il mourut avant de les achever. Nul ne saura jamais avec certitude si oui ou non il entendait les utiliser pour clarifier les choses et rétablir la vérité. Mais il ne désirait manifestement pas emporter ses secrets dans la tombe puisqu'il confia son journal intime à un parent. Découverts plus tard par le Comité central, ses écrits furent classés dans les archives. A notre avis, il écrivit ces Mémoires afin de mieux approfondir l'enquête qu'il menait. Quoi qu'il en soit, la précision y est de rigueur et nous en donnons ici la toute première publication.

Le 14 septembre 1971, je me baignais sur la plage de Fu Jaizhuang, à Dalian, dans le nord-est de la Chine. C'est une des plus belles plages de Dalian. Elle appartient au commandement de la région militaire de Shenyang. Il y avait là d'autres officiers des armées de terre et de l'air, dans les cinquante, soixante ans. J'étais malade. Au début, j'avais cru avoir un cancer, mais ce n'était en réalité qu'une affection intestinale. Ainsi, alors que médicalement je n'étais plus condamné à mort, politiquement j'étais un cadavre ambulant : on m'avait exilé, mis aux arrêts de rigueur, et finalement oublié. J'avais enfin tout loisir de me reposer.

Vers 11 heures du matin, un gardien vint me prévenir que quelqu'un désirait me voir. Je me dirigeai donc vers la salle de loisirs. Un homme s'avança à ma rencontre. La quarantaine, de taille moyenne, le teint pâle, il portait des lunettes et était en uniforme militaire. Parlant avec un accent du Sichuan, il me dit se nommer Chi Yutang et être cadre dans l'unité 8341 que constituaient les Gardes du Palais [1] attachés à la commission des Affaires militaires du Comité central. Il avait pour mission de m'escorter jusqu'à Beijing. Il ne me précisa pas le motif de ce voyage.

On ne m'avait pas pressé de la sorte depuis belle lurette. Ne pouvant pas retourner au sanatorium Baqi [2], je téléphonai au responsable de service pour laisser un message. Puis je suivis Chi Yutang : une voiture nous emmena à l'aéroport de Zhoushuizi. Un avion An-24 de la 34ᵉ division de l'armée de l'air nous y attendait [3]. Je pris place dans l'appareil. J'étais le seul passager à bord. Je pensai d'abord que d'autres personnes seraient du voyage mais Chi

30

Yutang fit un signe à quelqu'un dans la cabine de pilotage et le moteur de l'avion fut lancé.

Le vol de Dalian à Beijing se déroula dans un silence presque total. Une seule fois, une auxiliaire de l'armée sortit de la cabine de pilotage pour venir me proposer du thé. Quant à Chi Yutang, il ne souffla mot. Ce voyage... bon ou mauvais présage pour moi ? Je n'en avais absolument aucune idée. Je ne savais qu'une chose : ce n'était pas un voyage ordinaire.

Je me souvins alors que plus tôt dans la journée quelque chose de curieux s'était passé. Je devais faire une partie d'échecs avec le chef d'état-major adjoint de la région militaire de Shenyang, mais il était parti pour Shenyang en tout début de matinée, sans rien dire. Sa femme vint me prévenir qu'il était parti à la demande de Xiao Quanfu, commandant adjoint de la région militaire de Shenyang. Curieusement, il avait téléphoné à son épouse du quartier général stratégique situé dans les grottes de la montagne. Une bonne amitié me liait au chef d'état-major adjoint, relation exceptionnelle puisqu'il était mon subordonné. Cette convocation urgente me parut un peu bizarre.

Moi-même d'un grade militaire prestigieux, je n'avais plus eu de mission importante depuis longtemps. Je n'avais jamais eu de commandement sur le front mais, comme avait dit Mao Zedong en m'attribuant mon grade en 1955, j'avais « bien servi à l'arrière[4] ». Pendant les guerres contre le Japon, la guerre de Libération et la guerre de Corée, sous les ordres de Zhou Enlai, Li Kenong, Kang Sheng, Wu Defeng, Ye Jianying et d'autres, j'avais conçu de très bons plans d'aide militaire spéciale, de missions de renseignements et d'accords politiques. Avait-on pensé pouvoir à nouveau utiliser une partie de mon expérience ? Une question parmi tant d'autres que je me posais en descendant de l'avion à Beijing.

Il était près de midi et il faisait très chaud. Pas un nuage dans le ciel. Pas un seul avion non plus ! Sur l'aéroport stationnaient quelques gros appareils. J'appris plus tard que l'un d'eux était un Trident. Une « Drapeau rouge » noire vint me chercher sur la piste d'atterrissage. Je reconnus immédiatement la plaque d'immatriculation : c'était une voiture de l'hôtel Jingxi où se tient principalement le bureau administratif de l'état-major général. Je n'étais pas monté dans une telle limousine depuis des années. En quittant l'aéroport, je vis deux tanks T 56 et plusieurs jeeps devant le hall. Des soldats armés patrouillaient dans le bâtiment.

Je connaissais bien l'aéroport de l'Ouest. C'était le quartier général de la 34e division du transport aérien militaire et de son 100e régiment. Cette division englobait quelques-unes des meilleures unités de l'armée de l'air, généralement seules chargées

31

d'assurer la protection de l'aéroport. Je crus d'abord qu'il s'agissait de soldats de la Sécurité de la commission des Affaires militaires venus accueillir un VIP arrivant sur un vol régulier. Mais des tanks à l'aéroport ? C'était bien la première fois que je voyais ça !

Comment pouvais-je deviner que mon avion était le premier à atterrir sur l'aéroport depuis la proclamation de la loi martiale pour la circulation aérienne vers 1 ou 2 heures ce matin-là ? Comment pouvais-je deviner que l'armée contrôlait toutes les forces aériennes ?

Je fus logé au cinquième étage de l'hôtel Jingxi. Comme une ombre, Chi Yutang ne m'avait pas quitté un seul instant. Il y avait aussi Su Quande, un garde du corps. Âgé de trente-sept ans, petit et maigre, ce cadre du bureau des Affaires confidentielles de la commission des Affaires militaires fumait cigarette sur cigarette et me faisait sans cesse des courbettes.

Deux jours d'attente à l'hôtel. J'en vins à m'interroger sur l'urgence de ma venue. Je voulus téléphoner au sanatorium Baqi à Dalian pour qu'on m'envoie mes affaires à Beijing, mais Chi Yutang me rappela que selon le règlement du Comité central il m'était interdit de téléphoner, d'écrire des lettres, de recevoir des visites, de sortir ou de parler à quelqu'un : les fameuses « cinq interdictions ». Su Quande me pria donc d'écrire une autorisation pour que quelqu'un puisse aller chercher mes affaires à Dalian. Je les récupérai trois jours plus tard : rien ne manquait.

Pour m'éviter des rencontres inopportunes, on me servit mes trois repas quotidiens dans ma chambre. Je fus cependant pris deux fois au dépourvu. La première fois, Zhou Xihan, commandant adjoint de la marine, entra dans ma chambre par erreur ; il me reconnut, prit un siège et bavarda avec moi un bon moment. Chi Yutang et Su Quande résolurent ce problème en prétextant que nous devions partir sur-le-champ. Feignant de sortir, nous prîmes congé de Zhou Xihan. La seconde fois, je me retrouvai chez le coiffeur avec Ke, le futur directeur de l'Académie militaire et politique. Tous deux venus pour une coupe réglementaire, il me fut bien difficile de tenter de m'éclipser.

Je passai ces deux jours à faire les cent pas dans ma chambre et sur la terrasse. Le 18 septembre, à 6 heures du soir, le téléphone sonna. Chi Yutang répondit. Il m'annonça ensuite que « quelqu'un » m'invitait à le rencontrer. Les choses avaient bien changé ! Avant, quiconque téléphonait, même Mao Zedong, laissait son nom. Assez perplexe, je quittai l'hôtel Jingxi dans une seconde « Drapeau rouge ».

Place Tiananmen, la voiture s'engagea dans le parking souterrain du bâtiment du Congrès du Peuple. Nous prîmes l'ascenseur et l'on me conduisit dans un salon de réception où une petite table était déjà dressée. Derrière moi, Chi Yutang et Su Quande se mirent soudain au garde-à-vous. Je me retournai. Un homme entrait dans la pièce. Il me serra la main et me demanda de mes nouvelles. C'était Wang Dongxing. Je ne l'avais pas revu depuis deux ou trois ans. Il avait un peu grossi et son visage était légèrement couperosé. Nous dînâmes en tête à tête et nous eûmes une conversation intrigante. Je m'en souviens comme si c'était hier.

« Je ne vous ai pas invité ici ce soir, commença-t-il, uniquement pour le plaisir. Vous pouvez nous être très utile. Vous êtes ici sur ma demande. » Je ne dis rien et me contentai de hocher la tête. Il me regarda un instant avant de baisser la tête sur son assiette, puis il prit ses baguettes et mangea. Il bâilla pendant tout le repas. Il n'avait pas changé de manières.

Je ne m'étais absolument pas imaginé cette rencontre ainsi. Les yeux rouges, il me regarda et dit : « Cela fait quatre ou cinq jours que je ne sors pratiquement pas. Qu'est-ce que vous dites de ça ? »

— Surmené à ce point ?

— Surmené ? !... Cette fois, on m'a poignardé en plein cœur... » Il posa ses baguettes, se redressa, me fixa droit dans les yeux et hocha la tête.

Pris d'angoisse, j'allais bientôt me sentir mal. Ma mauvaise santé me jouait peut-être un mauvais tour. Je me mis à transpirer. Il était arrivé quelque chose, mais je ne savais pas exactement quoi. Après un instant de silence, je me hasardai à poser une question. « Que se passe-t-il ? Beijing est en guerre ? »

Il secoua la tête, mais ne prononça pas un seul mot. Puis il se leva et traversa la pièce de long en large, deux fois. Il se planta ensuite derrière moi et dit : « Lin Biao a tenté de fuir... son avion s'est écrasé. »

Il m'est impossible de décrire le choc que je ressentis alors. Ces paroles furent la première et l'unique explication qu'on m'ait jamais officiellement donnée de la disparition de Lin Biao.

Wang Dongxing avait organisé ce dîner précisément pour que nous en discutions. Il me révéla que deux organismes s'occupaient de l'enquête sur Lin Biao : il en dirigeait un et Zhou Enlai l'autre.

La mission que me confiait Wang Dongxing consistait à examiner, vérifier et rendre compte de certains documents qui pourraient contredire la version officielle du Comité central sur la mort de Lin Biao. Je devais limiter la circulation de ces documents au plus petit nombre de gens possible et j'étais chargé en outre d'en découvrir les sources et de les vérifier. Je devais également m'occuper des personnes qui, d'après les résultats de l'enquête, étaient impliquées dans cette affaire.

Pour cette mission, il me donnerait carte blanche et je pourrais même passer outre le bureau spécial chargé de l'affaire Lin Biao du Comité central (dirigé par lui) pour rechercher, arrêter, faire incarcérer, interroger et châtier des gens. Il mettrait également à ma disposition des employés et de la documentation du ministère de la Sécurité publique, du département général de la Sécurité politique (appartenant à l'armée), et de l'Unité 8341. Tous mes frais me seraient remboursés par le Trésor national et je pourrais même éviter le contrôle financier si je le souhaitais. Tous ces privilèges me mirent plutôt mal à l'aise.

Près de quatre mois plus tard, le 4 janvier 1972, Wang Dongxing m'invita à dîner chez lui, à Zhongnanhai. Après une brève discussion sur mon travail, il me montra des rapports du ministère de la Sécurité publique et du Comité central sur la réaction de la presse étrangère, de Tai-Wan et de Hong Kong à propos de l'affaire Lin Biao, et sur le contenu de leurs renseignements officiels.

« Comment ont-ils pu se procurer si vite des documents officiels chinois ? » demandai-je. De telles fuites avaient de quoi m'inquiéter.

D'un geste de la main, Wang Dongxing chassa mon inquiétude. Il m'expliqua qu'ils avaient fait exprès de divulguer ces renseignements, pour des raisons de propagande. Le président pensait qu'il valait mieux faire croire aux autres qu'ils avaient eu la satisfaction de découvrir le fin mot de l'histoire. Wang Dongxing me rappela que si je trouvais des renseignements contredisant la version du Comité central, je devais lui en rendre compte, ne pas les divulguer et enquêter sur les sources.

Vers la fin du repas, il me regarda d'un air grave et m'avertit que si l'affaire Lin Biao se révélait bien plus compliquée que prévu, je devrais être psychologiquement prêt. Il ne me précisa pas à quoi je devrais être prêt, ni comment. Il insista seulement sur le fait qu'en toute circonstance je devrais conserver toute ma sérénité.

Un autre jour, l'adjoint de Wang Dongxing, Wang Liangen, directeur adjoint du bureau des Affaires générales du Comité central et l'un des trois directeurs du bureau spécial chargé de l'affaire Lin Biao, vint me voir pour discuter des détails techniques de ma mission. Avais-je besoin de collaboration supplémentaire, par exemple, ou de faire transférer du personnel ? Quelque temps après, Wang Liangen mourut des suites d'une grave maladie. Je gardai le profond sentiment que cet homme au visage hâve et hagard avait été mis à rude épreuve par Wang Dongxing.

Je me sentais également surmené. Ma mission ne restreignait pas seulement mes activités, elle modifiait totalement mon mode de vie. Wang Dongxing avait prévu un appartement pour ma famille et un bureau pour moi, tous deux à proximité du Palais impérial et bien gardés par des soldats fréquemment relevés. Mais mon bureau devint plus ou moins mon domicile car je rentrais rarement chez moi.

Ma mission avait ses avantages. Je travaillais en étroite collaboration avec Wang Dongxing et je rencontrais régulièrement le Premier ministre Zhou qui semblait bien convaincu de l'authenticité de mes documents. J'eus même l'occasion de rencontrer quelquefois le président Mao en personne.

Bref, cette première rencontre avec Wang Dongxing modifia toute mon existence. Je travaillai longtemps avec calme et sérieux. Ce ne fut que bien plus tard, après avoir résolu plusieurs énigmes, que j'eus une certaine idée du véritable but de ma mission. Si je l'avais compris plus tôt, on ne m'aurait peut-être pas laissé continuer.

Au début, je ne trouvai rien de particulièrement bizarre. Cependant, j'avais parfois très envie de me rendre à la prison de Qingcheng pour y rencontrer ceux qu'on avait incarcérés à cause de l'affaire Lin Biao : Huang Yongsheng, Wu Faxian, Li Zuopeng, Qiu Huizuo et Jiang Tengjiao entre autres.

Dans les bureaux du bâtiment des « trois portes » de la commission des Affaires militaires, je fis une rencontre inoubliable. C'était une femme au teint pâle, à l'air fragile et ordinaire, qui paraissait épuisée et avait le regard d'une condamnée. Lin Liheng, surnommée Lin Doudou, était la fille de Lin Biao. Plus tard, elle allait devenir un personnage clé de mon enquête.

Un grave handicap gêna mon enquête sur les véritables activités de Lin Biao durant les mois difficiles qui précédèrent sa mort : les enregistrements officiels de presque toutes ses conversations téléphoniques avaient été détruits. (Ma Yuying, de la commission des Affaires militaires, et Feng Yinjie, de l'armée de l'air, étaient les cadres travaillant aux stations de communications chargés de la destruction des enregistrements.) Par chance, je pus retrouver la plupart des notes prises par les secrétaires de Lin Biao et d'autres personnes. Ces « notes importantes » s'accumulèrent vite dans mon coffre et se révélèrent en fin de compte bien plus utiles que les témoignages individuels.

Je compris ainsi que Lin Biao avait gardé des relations tout à fait normales avec ses pairs. C'était son fils, Lin Liguo, membre de l'armée de l'air et fondateur d'un petit groupe subversif à Shanghai appelé l' « Escadre de l'Union », qui était le présumé coupable des crimes dont Lin Biao avait été officiellement accusé. Comme tout le monde l'apprit, l' « Escadre de l'Union » était à l'origine du projet d'attentat contre Mao Zedong. On prétendit que, le projet ayant échoué, Lin Biao avait tenté de fuir à bord du Trident 256. L'avion s'écrasa en République populaire de Mongolie, ne laissant aucun survivant.

Le document du Comité central du Parti communiste chinois intitulé « le Clan criminel antiparti de Lin Biao » contenait une importante critique politique de Lin Biao, mais aucune preuve de ses activités. Huang Yongsheng et d'autres personnes étaient également accusés d'actes criminels, mais aucune précision n'était donnée. La majeure partie de l'impressionnant dossier concernait Lin Liguo et les activités de l' « Escadre de l'Union », avec des renseignements sur le « Projet 571 » et des photos d'armes et d'installations.

A la lecture de tous ces documents, plusieurs questions me vinrent à l'esprit ; certaines, méritant d'être élucidées, élevèrent des doutes en moi :

1. Lin Liguo et son « Escadre de l'Union » avaient effectivement projeté d'assassiner Mao mais, au dernier moment, le projet avait été abandonné. Pourquoi ?

2. Le retour impromptu à Beijing de Mao de son voyage dans le Sud coïncidait avec l'affaire Lin Biao. Quelles avaient été les intentions de Mao ?

3. Comment Lin Biao avait-il pu tenter de fuir alors que sa fille, Lin Liheng, avait déjà dénoncé ses activités à Zhou Enlai et à l'Unité 8341 ?

4. Pourquoi Huang Yongsheng, Wu Faxian, Li Zuopeng, Qiu Huizuo et d'autres proches collaborateurs de Lin Biao n'avaient-ils pas tenté de fuir avec lui ?

5. Pourquoi n'avait-on pas donné l'ordre d'intercepter le Trident 256 ?

6. Comment Lin Biao avait-il pu laisser sa femme et son fils mener l'action dans son conflit avec Mao alors qu'il se reposait tranquillement dans sa villa de Beidaihe ? Pourquoi avoir abandonné si vite et tenté de fuir en Union soviétique ? Ce dernier point, en totale contradiction avec ce que je savais du personnage et de la carrière de Lin Biao, attira toute mon attention.

Ma première rencontre avec Lin Biao avait eu lieu un an ou deux après sa première grande victoire contre les Japonais à Pingxingguan. C'était en 1940. Nous étions à Moscou et j'accompagnais des amis soviétiques auprès de mon compatriote chinois. Le jeune général s'était particulièrement illustré pendant la Longue Marche et les guerres contre le Japon. J'étais enthousiaste et ému à l'idée de le côtoyer.

Pâle et fluet, il avait le physique fragile d'un érudit. Il portait un uniforme en flanelle gris clair et sur son visage rayonnait un sourire sympathique. Sans ces épais sourcils de jais et ce regard fixe et serein, on n'aurait jamais pensé que ce jeune homme accueillant ses visiteurs devant une cheminée typiquement soviétique fût le célèbre général communiste chinois Lin Biao.

Après cette première rencontre, je pus établir des relations avec Lin Biao à Moscou. Servant surtout d'agent de liaison entre les Partis communistes chinois et soviétique, il était donc mon supérieur hiérarchique.

De toute évidence, Staline le tenait en très haute estime. Ainsi, il vivait dans des conditions privilégiées. Il pouvait rencontrer régulièrement les plus grands théoriciens tout en poursuivant activement ses recherches pour son étude, *L'Essence de la victoire*.

Lin Biao revint en Chine en 1942. En 1945, il amorça sa marche en Mandchourie où il fonda la 4ᵉ armée de campagne, la plus puissante de notre Parti. Il traversa le pays du nord au sud, remportant les batailles de Liaoning-Shenyang et celles de Beijing-Tianjin. Il traversa le Yangtze et entraîna avec lui les populations du centre et du sud de la Chine, progressant jusqu'à la péninsule de Leizhou et l'île de Hainan : les 2 700 000 hommes de Chiang Kai-Shek furent tués, faits prisonniers ou poussés à se révolter pour se rallier à nous. Lin Biao avait vaincu plus de la moitié de la Chine.

Lin Biao était un grand stratège et un commandant efficace sur le terrain. Sa principale force : il ne se fiait qu'à lui-même. Il était très indépendant et ne manquait pas d'assurance. Il écrivit un jour à Liu Yalou, chef d'état-major de la 4ᵉ armée de campagne : « Pour la vie et pour la mort, les autres sont secondaires, il ne faut compter que sur soi ; tel est le secret du vainqueur. » Liu Yalou en fit son credo.

Pendant la guerre de Corée, Lin Biao frôla le conflit avec Mao Zedong pour avoir refusé le poste de commandant suprême. Il avait prétexté la maladie, mais plus tard, lors de nos fréquentes rencontres, il me laissa entendre qu'il avait refusé ce poste parce qu'il ne comprenait pas bien l'armée américaine et ne se sentait pas à l'aise dans les conditions de guerre en Corée. Il ne voyait aucune *garantie* de victoire.

Alors que le maréchal Peng Dehuai commandait les armées en Corée, le bruit courut que Lin Biao détenait en fait le véritable commandement. Je savais cette rumeur fausse car je travaillais parfois avec lui en Chine. Un jour, j'en vins à lui citer son étude *L'Essence de la victoire*. Il prit soudain un air calme et austère pour me dire lentement : « Lorsqu'on y croit vraiment, on peut espérer la victoire. Il faut compter le moins possible sur les moyens des autres, quelle que soit l'étendue de leur expérience ou la supériorité de leur force. Là est tout le secret ! D'abord, on ne doit se fier à personne. Ensuite, il ne faut jamais être pris au dépourvu : on est le centre nerveux de toutes les opérations de guerre. Troisièmement, pour sauver sa peau, il faut avoir celle de l'ennemi. Pour vaincre, il faut ne laisser derrière soi que des ennemis morts, et mieux vaut les anéantir dès le début. Un proverbe dit : Celui qui frappe le premier passe en tête. »

Mao Zedong surnomma Lin Biao « l'incomparable maréchal », « le maréchal invincible ». Staline le considérait comme le plus grand commandant chinois, le plus intelligent et le plus courageux de tous, une « main de fer rouge ». Chiang Kai-shek le traitait de « démon en guerre », mais il reconnaissait en lui un homme « détenant la clé des secrets militaires ».

Vu la personnalité et la carrière de Lin Biao, il semblait difficile, impossible même, qu'il se fût réfugié à Beidaihe en laissant sa femme et son fils lutter contre Mao sans même tenter une action personnelle. Lin Biao aurait-il laissé, au prix de sa carrière, de sa propre vie, quelqu'un d'inexpérimenté affronter le puissant Mao qui avait écrasé bien d'autres ennemis politiques ? Ce Lin Biao ne correspondait absolument pas au Lin Biao de l'Histoire : c'était un autre homme, un être insouciant, incompétent et totalement ignorant des affaires militaires et politiques. Tout d'abord dérouté, je commençais maintenant à trouver cela suspect.

A moins qu'il existât un second Lin Biao, je ne pouvais que me perdre en conjectures. Ou... peut-être... l'affaire Lin Biao n'était pas tout à fait comme l'avait présentée le Comité central. Je me sentis soudain dans une position inconfortable. Car mes doutes, fondés ou non, me plaçaient dans une situation impossible. Wang Dongxing et Wang Liangen m'avaient chargé d'une enquête et de la coordination de mes renseignements avec ceux du dossier du Comité central. Si mes doutes se confirmaient, le rapprochement était impossible. Ma mission me permettait cependant de vérifier ou de dissiper ces doutes. Comme par le passé, mes efforts serviraient surtout à déguiser la vérité historique, à tromper autrui et à protéger les hypocrites. Mais, cette fois, je voulais être sûr de ne pas être leurré moi-même.

2.

En Chine communiste, les usages imposent aux enfants de hauts dirigeants de s'engager dans l'armée. Ils y obtiennent de rapides promotions et de grands privilèges, l'influence de la famille étant ici bien manifeste. L'armée de l'air, en particulier, constitue une véritable école d'élite. Il en est ainsi depuis la création de l'armée de l'air communiste. Liu Yalou, chef d'état-major de la 4e armée de campagne de Lin, en fut le premier commandant. Combinant la discipline ancienne et les tactiques modernes, il fit rapidement de l'armée de l'air un corps d'élite, la force militaire la mieux entraînée et la plus dévouée de toutes. Ce fut également la mieux dotée en matériel, en hommes, et en « privilèges ».

Rien d'étonnant donc que les deux enfants de Lin Biao s'engageassent dans l'armée de l'air !

Sa fille Lin Liheng était l'aînée. On la surnommait Lin Doudou (« petit haricot »... un des plats préférés de son père). Elle s'engagea dans les services de presse de l'armée de l'air en 1966. Gâtée, nerveuse et orgueilleuse, elle se donnait volontiers des airs d'intellectuelle aristocrate. Fille du ministre de la Défense, elle était adulée et en un an elle constitua sa propre « cour ». Parmi tous les petits groupes formés pendant la Révolution culturelle, Lin Doudou organisa le sien qu'elle baptisa « le vieux fou qui déplaçait les montagnes », le nom d'une parabole que Mao Zedong aimait souvent citer. En

1969, elle fut nommée rédactrice adjointe du journal de l'armée de l'air, sans doute l'apogée de sa carrière politique.

D'un an le cadet de sa sœur, Lin Liguo était le plus agressif des deux enfants de Lin Biao. Grand — il dépassait son père d'une bonne tête — et beau, il ressemblait beaucoup à sa mère mais il avait indéniablement hérité les sourcils épais et l'ambition de Lin Biao. Lorsqu'il s'engagea dans l'armée de l'air en 1967, à l'âge de vingt-deux ans, on dit de lui qu'il était comme un « jeune veau ne craignant pas les tigres ».

A la plus grande consternation de ses collègues, il se révéla immature, politiquement ingénu et presque totalement indifférent aux affaires militaires. Ses parents et leurs amis s'efforcèrent de l'endoctriner convenablement mais, au début, il ne semblait pas conscient de ses possibilités.

Les premières années, il eut des activités très personnelles au sein de l'armée de l'air. Il créa d'abord le « groupe de recherche », fondé à la demande de sa mère, dont le principal souci était de lui trouver une compagne adéquate. Elle talonna son collègue Wu Faxian jusqu'à le convaincre de confier cette tâche à certains de ses hommes, Chen Suiqi — l'épouse de Wu — les prenant en charge.

Lin Liguo n'était pas certain d'être prêt à se marier. Il avait eu deux aventures malheureuses. La première fois avec une camarade de classe de l'école secondaire n° 8 de Beijing : elle mourut prématurément, le laissant très affligé. La deuxième fois, avec une camarade de cours à l'université de Quinghua : en fait, l'aventure ne démarra jamais car il n'osa pas aborder la jeune fille qui partit avec un autre garçon, le laissant profondément contrarié. Il en voulut à ses parents d'être aussi passif et orgueilleux.

Après quelques mois dans l'armée de l'air, il finit cependant par apprécier ses privilèges et l'attention dont il était l'objet. Il devint vite arrogant et prétentieux, même à l'égard des filles.

Tous les efforts de sa mère pour lui trouver une compagne laissaient Lin Liguo totalement indifférent. Il ne désapprouvait pas tant ses activités que ses choix. Les jeunes filles étaient souvent jolies mais jamais belles, équilibrées mais pas sophistiquées, agréables mais pas séduisantes. Elles satisfaisaient certainement les critères politiques de Ye Qun mais ne correspondaient pas aux critères sexuels de son fils.

Il semblait bien difficile de trouver la fille pouvant convenir à Lin Liguo et tout le monde en était agacé. Jiang Tengjiao, le commissaire politique adjoint de l'armée de l'air, fut alors de très bon conseil. Il avait la réputation de bien connaître les femmes. Il suggéra à Ye Qun et à Chen Suiqi de laisser Lin Liguo se débrouiller tout seul. A Shanghai, Hangzhou et Suchou, pour commencer, ces villes offrant, à son avis, les meilleurs « terrains de chasse ». Après tout, c'était à Lin Liguo, et à lui seul, de choisir sa « concubine officielle ».

La patience de Chen Suiqi étant à bout, elle trouva ce conseil fort judicieux. Lin Liguo pensa qu'il n'avait rien à perdre, la perspective d'aventures amoureuses assez libres ayant en fait tout pour le séduire.

Dès son premier voyage à Shanghai, il réorganisa le « groupe de recherche ». Il renvoya à Wu Faxian ceux qu'il considérait comme de vieilles barbes conformistes et les remplaça par quelques-uns de ses collègues. Ainsi naquit le « groupe de Shanghai ».

Chen Lunhe, angliciste traducteur au département du renseignement de l'armée de l'air, était un des meilleurs membres du « groupe de Shanghai ». Petit et audacieux, il se lança, dès sa première réunion de travail avec Lin Liguo (à propos de quelques traductions), dans la description croustillante d'une revue pornographique occidentale.

Cette rencontre scella une amitié entre Lin et Chen... et les magazines pornographiques. Bientôt, *Playboy* et *Penthouse* devinrent les lectures préférées de Lin. Il les fit venir régulièrement de la ville de Shumchun, juste à la frontière de Hong Kong.

Dans son journal intime, Xi Zhuxian, membre actif du « groupe de Shanghai », raconte quelques épisodes de leurs activités :

En général, nous travaillions chacun avec nos propres auxiliaires et nous allions souvent à Shanghai, Hangzhou et Nanjing, en nous arrêtant parfois à Suzhou, Ningbo et Wuxi. Nous étions toujours armés et nous possédions une carte spéciale de l'armée de l'air. A Shanghai, nous avions même un laissez-passer fourni par Wang Weiguo et la commission de contrôle des Affaires militaires nous permettant de circuler librement dans la ville et d'obtenir certains privilèges. Nos activités attiraient parfois l'attention des forces de sécurité de Shanghai : notre laissez-passer s'avérait alors bien pratique.

Nous recherchions des filles surtout dans les endroits publics : théâtres, jardins, centres commerciaux, galeries d'art, salles de conférence. Dès que nous en avions repéré, nous cherchions à savoir leur nom et nous procédions à une petite enquête sur leur milieu social. Si Lin Liguo approuvait notre choix, d'après les photographies et les dossiers que nous lui proposions, nous organisions la rencontre. Il était aisé d'attirer une fille en lui disant qu'elle pouvait être engagée comme secrétaire dans un organisme militaire spécial de haut niveau : en général, cela suffisait à les séduire.

L'étape suivante consistait à la voir nue, critère de jugement de Lin Liguo ! A Shanghai, il voyait des femmes tous les jours. Ailleurs, il prévoyait des vols spéciaux pour combiner plusieurs « séances » en une seule. C'était, selon lui, la meilleure façon de s'amuser, bien plus agréable que de voir des films étrangers.

Nous avions trouvé un excellent système pour voir des femmes nues à leur insu. Nous prétextions simplement un examen médical. Au nom de la commission de contrôle des Affaires militaires, nous occupions la résidence d'un ancien capitaliste. Une des pièces servait aux examens. Elle était séparée en deux par tout un pan de miroirs sans tain. Installés derrière ces miroirs, nous pouvions observer les femmes à loisir. Nous améliorâmes sans cesse les commodités et la sécurité de cet endroit : insonorisation, amplification, éclairage tamisé, circuit fermé de télévision, etc.

Des endroits similaires furent prévus à Hangzhou et à Nanjing, mais pas aussi bien équipés qu'à Shanghai. D'ailleurs, Lin Liguo fréquentait peu les autres endroits et il préférait qu'on lui emmenât les filles à Shanghai.

Des doctoresses triées sur le volet et souvent changées se chargeaient de ces « examens médicaux ». Elles n'étaient au courant de rien et, amenées de nuit dans des voitures à vitres occultées par des rideaux, elles ne savaient pas non plus où elles se trouvaient.

Confortablement installé sur un excellent canapé, un bon verre d'alcool à la main, Lin Liguo observait tranquillement chaque fille, appréciant son corps, son comportement, sa santé et sa beauté.

Lorsque le spectacle l'emballait, il réclamait un second examen bien plus intime.

Souvent, il enregistrait tout au magnétoscope et invitait ensuite ses amis à des projections privées [1].

Parmi les « patientes » finalement sélectionnées, Lin Liguo accumula jusqu'à vingt maîtresses. Le passage de la salle d'examen à la chambre à coucher ne se faisait pas toujours sans difficultés. Comme elles pouvaient le constater ultérieurement, être « élue » comportait des inconvénients humiliants. Voici le témoignage de Qi Shijing, une des favorites de Lin, ravissante jeune femme de dix-neuf ans :

> ... Parfois, Lin Liguo devenait complètement fou. Il me frappait, me mordait les seins et les jambes jusqu'à me couvrir de bleus. Il me blessait le sexe. Après l'amour, il enfilait son uniforme et, avec des airs de général, m'accusait d'être bourrée de vieux principes. Il prétendait que je ne comprenais rien aux hommes et qu'il avait encore beaucoup à m'apprendre pour me sortir de mon ignorance [2].

Mais en général les filles voyaient en leur soumission une magnifique preuve de loyauté envers le père Lin. Elles ne servaient pas uniquement d'objets sexuels dans le bordel privé de Lin Liguo, comme on aurait pu très mal l'interpréter ; c'étaient des jeunes femmes intelligentes et bien élevées appréciant le privilège de servir le fils d'un haut dirigeant. Leur existence était soudain plus « belle », moins ordinaire, plus prestigieuse. Toutes furent engagées dans les diverses unités administrées par Lin où elles obtinrent des statuts militaires nominaux. Elles profitaient du luxe des plus privilégiés et du bonheur de la classe dirigeante. Hormis les maîtresses préférées de Lin Liguo, surnommées les « anges du Tigre », aucune ne connaissait exactement ses activités, en dehors de celle d'homme à femmes.

Sans le constant harcèlement de sa mère, Lin Liguo aurait volontiers continué de s'adonner à ce libertinage décadent, un mode de vie particulièrement prisé par les enfants de hauts fonctionnaires de l'armée. Mais Ye Qun nourrissait de plus grands desseins pour lui et ses collègues l'aideraient à les atteindre. Elle pressa Wu Faxian, Huang Yongsheng et leurs subordonnés de trouver à son fils un poste « d'apprentissage ». Elle souhaitait un poste de responsabilité qui, espérait-elle, le pousserait à s'intéresser à la vie politique et militaire. Des rapports tendus avec son fils l'avaient tenue à distance, jusqu'au jour où ils eurent une confrontation orageuse.

Lin Liguo s'était mis à truffer de micros les téléphones de l'appartement de ses parents. Il avait agi par esprit de rébellion et par pure malice, enthousiasmé à l'idée de toucher un des domaines du métier de son père, l'espionnage. Ainsi, il découvrit par hasard que Huang Yongsheng était l'amant de sa mère. Il détenait là un merveilleux instrument de chantage.

Il fit écouter l'enregistrement à sa mère. Il s'agissait d'une conversation où elle échangeait des mots tendres avec Huang Yongsheng. Lin pensait qu'elle allait rougir de honte ou se confondre en excuses larmoyantes. Mais Ye Qun parut à peine troublée par cette preuve irréfutable. Elle se fâcha et l'accusa d'ingénuité, lui faisant une véritable leçon de morale sur l'intérêt, sinon la nécessité, d'entretenir de telles relations avec les vrais partisans de Lin Biao. Elle lui expliqua que, Mao ayant désigné Lin Biao comme son successeur quelques mois auparavant, les rapports avec l'entourage du président s'étaient bien compliqués. Dans ces conditions, elle jouit d'une nouvelle intimité avec ses plus anciens amis, une intimité politique et autre.

Puis elle aborda un point qu'elle n'avait pas prévu de révéler à son fils : la santé de Lin Biao. C'était un secret d'État : Lin Biao était malade depuis longtemps. Il manifestait les symptômes d'une maladie inconnue, suffisamment inquiétante pour qu'elle eût une nouvelle vision du rôle de la famille. Elle voulait absolument conserver tous les privilèges acquis. Exactement comme Chiang Ching-kuo allait sans doute succéder à son père Chiang Kai-shek, Lin Liguo devait se préparer à assumer le rôle de prince héritier. Tel était le vœu de Ye Qun.

A la fin de la conversation, ce fut Lin Liguo qui se sentit

gêné. Il venait de prendre conscience de sa propre mission dans l'existence. Il avait toujours marché dans le sillage de son père sans en envisager les conséquences à long terme. L'état de santé de son père l'obligeait à réfléchir et à agir vite.

Cessant de comploter dans le dos de son fils, Ye Qun continua à solliciter l'aide d'amis haut placés. Elle réussit son meilleur coup en parvenant à convaincre Lu Min, chef du département des Opérations de l'armée de l'air, de prendre Lin Liguo comme adjoint. Pour ce faire, elle lui fit miroiter l'éventualité d'être nommé un jour premier conseiller de Lin Biao à l'état-major.

Lu Min se révéla être un excellent choix. En premier lieu, il s'arrangea pour que, dans leurs rapports, Lin Liguo eût toujours l'impression de tirer les ficelles. Pour inculquer au jeune Lin la fierté et la responsabilité de son travail, Lu Min dut abandonner une grande partie de ses propres occupations. Il parvint également à lui donner le goût de la guerre. Il lui démontra que les chasseurs Mig pouvaient être tout aussi excitants que les filles.

Lu Min devint l'encyclopédie ambulante de Lin Liguo. Héros de la guerre, Lu connaissait parfaitement l'histoire des batailles de l'armée chinoise (tout en étant nettement moins informé sur les techniques militaires étrangères). Ses récits hauts en couleur enthousiasmaient Lin, surtout lorsque Lu attirait un large auditoire. Alors, Lin Liguo prétendait qu'il était le chef, les autres étant ses conseillers et ses subordonnés. Il aimait bien imaginer la sensation du pouvoir.

Quand Lu Min abordait la stratégie moderne et le contrôle de l'armement nucléaire par l'armée de l'air, Lin éprouvait une impression de pouvoir bien plus proche de la réalité. Un jour, Lu Min exposa un plan de bataille approuvé par Lin Biao stipulant qu'en cas de grave conflit avec l'Amérique, la Chine frapperait la première. A partir d'avions de transport, des missiles guidés air-sol seraient lancés sur trois objectifs au Japon et un en Corée où se trouvaient d'importants contingents militaires américains.

Toute la force de ce plan reposait sur la conviction qu'une Chine plus faible pouvait vaincre une toute-puissante Amérique parce que cette dernière manquait d'audace. Lin Biao

45

était persuadé qu'en pareil cas n'importe quel président américain choisirait de battre en retraite. De toute évidence, l'Europe de l'Ouest, l'Europe de l'Est et même l'Union soviétique avaient suffisamment intérêt à éviter l'extension d'une guerre nucléaire pour pousser les États-Unis à ne pas se battre.

Désormais, Lin Liguo avait abandonné son « concours de beauté ». Cessant de s'intéresser aux aptitudes sexuelles de ses compagnes, il se mit à leur enseigner le maniement des armes et l'utilisation du code secret. Il soumit les membres de son « groupe de Shanghai » à un entraînement intensif, leur inculquant le sens de la loyauté et du pouvoir, les flattant en les définissant comme une nouvelle « classe dirigeante ».

Mais si Lin augmentait effectivement son pouvoir à Shanghai, il se sentait entravé à Beijing. Son poste de chef adjoint du département des Opérations ne lui attribuait pas la liberté et le pouvoir qu'il désirait. Aussi demanda-t-il à Wu Faxian, commandant en chef de l'armée de l'air, l'autorisation de créer sa propre unité indépendante au sein de l'armée de l'air. Baptisée « service d'investigation », cette unité passerait au-dessus des supérieurs directs. Elle aurait accès aux renseignements, posséderait de l'armement, des transports privés, et bénéficierait de tous les autres privilèges accordés aux officiers supérieurs de l'armée. Wu Faxian accepta tout de suite et donna ainsi naissance au « petit groupe » de Lin Liguo.

Lin Liguo était fier des progrès réalisés à l'aide de son « petit groupe ». Il avait rapidement développé un important contingent de partisans expérimentés, courageux et dévoués. Ses hommes étaient de bons militaires, certains haut gradés, d'autres pas.

C'étaient des experts de l'utilisation d'armements et de véhicules légers, mais ils étaient également spécialistes du kidnapping, du meurtre, du camouflage, des renseignements et de la surveillance. Lin Liguo allait faire en sorte que leurs talents ne fussent pas gâchés. Le « groupe » possédait toutes les caractéristiques d'une puissante unité, mais c'était surtout et avant tout *son* unité, à *sa* disposition.

3.

Le bureau de la Sécurité du quartier général des forces aériennes chinoises détenait un dossier intitulé « Documents des opérations — top secret — n° 7051909 » rangé dans un coffre métallique à l'épreuve du feu. Seul Wu Faxian, commandant en chef de l'armée de l'air, pouvait le consulter. Même le chef du bureau de la Sécurité, qui avait la garde de ce dossier, n'en connaissait pas le contenu. Il pensait qu'il s'agissait d'un document important concernant l'armée ou les Renseignements.

En fait, ce dossier n'avait rien à voir avec l'armée, les Renseignements, ou même le commandement de l'armée de l'air. Il contenait un rapport détaillé des activités clandestines de Lin Liguo, le fils du ministre de la Défense.

Pourquoi Wu Faxian possédait-il un dossier sur Lin Liguo ? Qu'espérait-il en faire ? N'était-ce que le résultat de cette prudence maladive qu'on lui reprochait parfois ?

Obèse, le petit général de division avait un visage replet tout aussi mémorable que son éclatante réussite professionnelle. A la fin des années quarante, lorque Lin Biao le remarqua pour la première fois, il était un jeune officier brillant de l'Armée rouge. La 4ᵉ armée de campagne comptait un million d'hommes : Wu Faxian en commandait cinquante à soixante mille qu'il lança dans des batailles décisives contre le Guomindang.

Après la formation de la République populaire de Chine, Wu Faxian reçut le grade de général de division et fut détaché auprès de Liu Yalou, chef d'état-major de la 4e armée de campagne de Lin Biao, pour l'aider à organiser l'armée de l'air. Il devint le commissaire politique du nouveau service. En 1966, à la veille de la Révolution culturelle, Liu Yalou tomba gravement malade. Wu Faxian et Zhang Tingfa, chef d'une toute nouvelle unité d'officiers de l'armée de l'air, briguaient le poste vacant. En fin de compte, Lin (ministre de la Défense) et Liu décidèrent ensemble que Wu méritait ce poste.

La Révolution culturelle vit la brillante ascension politique de Wu. Il fut bientôt l'un des plus puissants membres du Comité permanent du Bureau politique et le numéro trois de l'Armée de libération populaire. Il était le premier chef adjoint (derrière Huang Yongsheng, chef d'état-major) et il occupait le deuxième siège du groupe administratif de la commission des Affaires militaires. Il devait tout cela, et d'autres choses encore, à une seule personne : Lin Biao.

Wu n'oublia jamais que sa position dépendait du bon vouloir de Lin Biao. Ainsi, pour la défendre, il devait protéger celle de Lin. Cette complémentarité avec Lin et sa personnalité coercitive, frisant parfois la paranoïa, avaient incité le général Wu à surveiller étroitement les activités du fils de Lin.

En 1967, Wu Faxian fut ravi d'apprendre que Lin Liguo allait s'engager dans l'armée de l'air. Maintes fois, Ye Qun avait affirmé à l'épouse de Wu que rapprocher Lin Liguo de son mari renforcerait les liens existant entre les deux familles. Lin Liguo maintiendrait le contact et, par conséquent, protégerait Wu. Ce dernier n'avait qu'une seule solution : le prendre sous son aile. Mais certains traits du caractère de Lin Liguo irritaient Wu. Le jeune homme était comme un poisson dans l'eau, circulant librement parmi les plus hauts commandements de Beijing et les troupes d'élite des principales régions militaires telles que Shanghai et Guangzhou. Wu s'étonna de voir Lin si rapidement promu au poste de chef adjoint du département des Opérations. Une telle charge imposait de grandes responsabilités ; Wu pensait que le jeune homme ne pourrait pas les assumer. En attendant, Lin élargissait rapidement son entourage, s'attachant quelques-uns des meilleurs éléments de la promotion militaire.

Avec sa désinvolture, Lin Liguo pouvait commettre un impair, offenser quelqu'un, dépasser les bornes ; les conséquences seraient imprévisibles. Lin Biao pourrait en être très affligé et Wu, en tant que commandant en chef de l'armée de l'air, en supporterait peut-être le blâme.

Ainsi, Wu se trouvait en mauvaise posture : d'une part, il encourageait les activités de Lin et, d'autre part, il devait le freiner. Il espérait pouvoir calmer le garçon sans altérer ses propres rapports avec sa famille.

Wu trouva une solution, parmi d'autres, pour réduire ses risques : les faire prendre par d'autres. Il chargea Zhou Yuchi et Yu Xinye, deux subordonnés très dévoués, de surveiller le jeune Lin. Il est bien difficile de définir leurs fonctions exactes : ils étaient auxiliaires de Lin, le grand chef militaire ; ils conseillaient Lin, le militaire inexpérimenté ; ils protégeaient le fils de Lin Biao ; et ils étaient espions à la solde de ceux qui s'intéressaient aux activités de Lin Liguo.

Zhou Yuchi était un homme chevronné et digne de confiance. Cela lui valut une rapide accession au titre de directeur adjoint du bureau des Affaires générales du Comité du Parti au sein de l'armée de l'air. Dans des moments difficiles de sa carrière, alors qu'il faisait l'objet d'attaques virulentes, Wu l'avait beaucoup aidé ; il lui en était très reconnaissant et se montrait tout prêt à l'informer sur les activités de Lin et la façon dont il assumait sa toute nouvelle célébrité. Désireux de mener sa tâche à bien, Zhou usa de sa patience et de son savoir-faire pour gagner toute la confiance de Lin. Il y parvint rapidement. Zhou était probablement la dernière personne que Lin aurait suspectée de renseigner Wu Faxian sur ses activités.

Une question obsédait littéralement Wu : l'ambition de Lin Biao pour son fils ! Quel objectif visait-il pour Lin Liguo ? Pour quand ? Était-il au courant des agissements de son fils ? Wu essaya d'en savoir davantage par l'intermédiaire de l'épouse de Lin, Ye Qun, sa collègue au service administratif de la commission des Affaires militaires et au bureau de Lin

Biao. Ils bavardaient souvent ensemble et étaient en très bons termes. Mais Ye Qun avait une façon de mélanger ses propres opinions avec celles de son époux qui frustrait profondément Wu. Seul l'intéressait l'avis de Lin Biao.

Les rares fois où Wu Faxian put rencontrer Lin Biao, il ressentit toujours la même ambiguïté, la même réserve. Puis un jour, il comprit enfin.

Ce jour-là, dans l'après-midi, Wu Faxian arriva chez Lin Biao à Maojiawan dans une « Drapeau rouge ». Il apportait avec lui une pile de documents du quartier général de l'armée de l'air. Le ministre de la Défense rencontrait régulièrement son commandant en chef de l'armée de l'air pour traiter de l'utilisation de l'armement nucléaire. A la demande de Lin Biao, Wu avait préparé un dossier complet sur une éventuelle guerre nucléaire et antinucléaire sur les territoires soviétique et japonais. Il allait proposer d'utiliser des avions de type Mig-21, Jian-8 (un nouveau chasseur ayant récemment subi des essais concluants qui se révélait aussi performant que le Mig-23 et le F-4), et le Tu-16 (bombardier de type soviétique équipé de missiles guidés air-sol et de bombes de fabrication chinoise).

D'ordinaire, les réunions étaient assez brèves, mais ce jour-là Lin Biao rompit avec ses habitudes et, durant plusieurs heures, il étudia inlassablement les positions des armées soviétique, américaine, japonaise et coréenne.

A l'heure du dîner, la discussion s'éternisant encore, un autre officier de l'armée de l'air entra dans la pièce : le chef adjoint du département des Opérations, Lin Liguo.

Lin Biao ne fit pas tout de suite cas de la présence de son fils et il poursuivit sa conversation avec Wu Faxian : « Je suis parfaitement d'accord avec le commandant en chef. L'Armée de libération populaire a prouvé aux réactionnaires du monde entier qu'entre nos mains l'armement nucléaire est un tigre. Pas un tigre de papier ou un tigre mort... un tigre bien vivant ! Une fois les forces nucléaires de l'armée de l'air lancées, l'ennemi n'aura aucune chance de s'en sortir. »

Puis, reprenant à peine son souffle, il se tourna vers son fils et lui dit d'un air cajoleur : « Es-tu un vrai tigre ? »

Wu Faxian répondit à sa place : « Oh oui, le camarade

Liguo est un vrai tigre. Maintenant qu'il est avec nous dans l'armée de l'air, l'armée de l'air est un tigre vraiment féroce. »

Lin Biao gardait les yeux fixés sur Lin Liguo. « Tigre (le surnom de Lin Liguo)! Tu entends ça, Tigre? Ton commandant en chef pense que tu peux faire un vrai tigre. Qu'en penses-tu? Oncle Wu et moi, nous aimerions voir ce que tu es capable de faire en trois, cinq ou douze ans. Il est facile de commander une division. Un corps d'armée ne pose pas de problèmes non plus. Mais commander toute une armée... là, c'est autre chose! Mais tu en es capable. Lorsque j'étais à la tête des unités, durant la Longue Marche, j'avais une vingtaine d'années. Commander une armée sur le front, c'est comme escalader une montagne. Cela peut prendre dix ou vingt ans... mais on peut y arriver. »

Les paroles de Lin Biao résolurent le problème de Wu Faxian. Tout était clair et net à présent. Lin Biao ambitionnait de diriger le pays, mais avec l'entière participation de son fils. L'armée de l'air servirait d'école au jeune Lin, de base d'action. Son pouvoir dépasserait celui de tous les autres membres de l'armée de l'air, Wu y compris. Un jour, il prendrait probablement sa place. Et lorsque Lin Biao accéderait à la présidence, son fils serait prêt à le suivre.

Maintenant qu'il savait cela, Wu Faxian pouvait agir en conséquence. Lorsque Lin Liguo vint lui demander l'autorisation de créer son « service d'investigation », Wu n'hésita pas à accepter. Bientôt, il annonça à Liang Pu, chef d'état-major de l'armée de l'air, et à d'autres hauts dirigeants, qu'on devait accorder à Lin Liguo tous les privilèges, tous les moyens, tous les encouragements qu'il désirait.

On ne discutait pas les ordres de Wu Faxian, mais lui-même était perplexe.

Alors, Wu Faxian et son épouse multiplièrent les rencontres avec Zhou Yuchi [1]. Leur agent les renseignait sur les activités de Lin Liguo et de son groupe (déplacements, divers accès aux renseignements, réunions). Mais aussi hasardeuses que purent paraître certaines de ces activités, rien ne fut fait au début pour les contrecarrer.

Au printemps 1971, Zhou téléphona un jour à Wu : il

désirait le voir d'urgence. Wu comprit que l'affaire était importante car Zhou refusa de le rencontrer au bureau ou chez lui. Il insista au contraire pour fixer le rendez-vous dans la réserve de chasse de la zone militaire interdite des Collines parfumées, dans la banlieue de Beijing. Surveillé par 500 soldats, cet endroit leur offrirait la garantie d'être à l'abri des oreilles et des micros indiscrets.

Ce fut la première et la dernière expérience de chasse de Wu et, ce jour-là, il rentra bredouille. Mais il rapporta une nouvelle des plus alarmantes : Lin Liguo se préparait à renverser et assassiner Mao Zedong. Lin n'avait pas seulement demandé à Zhou de participer au coup d'État, il l'avait carrément chargé des plans. Le nom de code du projet, « Projet 571 », dérivait de l'expression chinoise signifiant « insurrection armée », *wu zhuang qi yi*, dans laquelle les trois caractères *wu, qi* et *yi* se prononcent de la même façon que les nombres cinq, sept et un.

« Lin prétend, poursuivit Zhou, que l'idée est de son père [2]. »

Après un instant de silence, pour toute réponse, Wu sortit son mouchoir et essuya son visage en sueur.

Wu imaginait sans mal ce qui avait pu déterminer Lin Biao à vouloir soudain éliminer Mao Zedong. Tout le monde avait remarqué le désaccord existant entre les deux hommes lors de la seconde session plénière du Comité central à Lushan en septembre 1970 [3]. Officiellement prévue pour organiser le IVe Congrès national populaire, la conférence de Lushan offrait en fait à Mao l'occasion de redistribuer le pouvoir parmi les membres de la classe dirigeante chinoise. Comme d'habitude, Lin Biao avait entraîné ses partisans à chanter les louanges de Mao. Il avait également abordé le sujet de la présidence de l'État, vacante depuis la chute de Liu Shaoqi. Mao avait signifié à Lin qu'il souhaitait conserver le titre lui-même ; ce qui avait paru à tous être un fait accompli. Pourtant, après que Lin eut prononcé son discours officiel, exaltant Mao comme le plus grand génie de l'histoire de l'humanité, la personnalisation même des forces unies du Parti et du gouvernement et par conséquent l'homme tout désigné pour la présidence, Mao l'attaqua soudain.

A la surprise de tous, Mao accusa d'imposture et de traîtrise tous ceux qui le traitaient de génie. Ensuite, il révoqua et fit arrêter Chen Boda, un de ses meilleurs théoriciens, également farouche partisan de Lin Biao, ainsi que Li Xuefeng, haut dirigeant dans les forces militaires de Beijing. Il ordonna ensuite l'autocritique de Huang Yongsheng, Wu Faxian, Li Zuopeng, Qiu Huizuo, entre autres. Bien que ne désignant pas directement Lin, Mao omit systématiquement de citer toutes les autres factions également coupables d'activité puant l'idolâtrie de sa personne. Non, Mao ne l'avouerait pas clairement, mais il avait manifestement l'intention de rogner les ailes du parti de Lin.

La réaction inattendue de Mao Zedong désorienta complètement Wu Faxian et d'autres qui avaient beaucoup compté obtenir de l'avancement en flattant Mao. Même Lin Biao, qui se glorifiait toujours de pouvoir pénétrer les intentions de Mao, ne parvenait pas à bien saisir la situation. Les plus proches collaborateurs de Mao admettaient volontiers que la création d'un culte de la personnalité constituait son arme magique. A présent qu'il semblait critiquer le concept de culte, quel système espérait-il adopter pour maintenir sa propre position et l'unité du parti ?

Les remous politiques dans l'armée signifiaient une profonde modification des rapports existant entre Lin et Mao. Cette situation inquiétait tous les collaborateurs de Lin Biao, Wu Faxian sans doute plus que tout autre. Voilà qu'à présent Lin Liguo annonçait un coup d'État !

Il se posa plusieurs questions. Quelles étaient la nature et les causes du désaccord opposant Lin et Mao ? Pourquoi Lin Biao voulait-il que son fils eût recours à des méthodes aussi extrêmes qu'un coup d'État ? Et pourquoi lui, le numéro trois du clan de Lin Biao, n'avait-il jamais eu connaissance d'une aussi grave décision ?

Avant de pouvoir répondre, Wu dut faire face à un problème pratique : couvrir le complot de Lin sans dévoiler aux autres qu'il était au courant. Cela le contraignait donc à agir au plus vite pour des affaires comme celle de Ding Siqi.

Ding Siqi, officier subalterne de l'armée de l'air, était arrivé de Shanghai le 20 mars 1971 pour rencontrer en privé le commandant en chef Wu. Il avait de graves révélations à lui faire sur d'importantes activités dissidentes. Le lendemain, pour se préparer à cette rencontre, Ding se coucha tôt. Il était descendu à l'hôtel Da Muchang, un hôtel réservé au personnel de l'armée de l'air situé dans une ruelle sinueuse au nord du boulevard Qian Men. Cette nuit-là, deux camions militaires arrivèrent vers minuit : des soldats armés encerclèrent l'hôtel et arrêtèrent Ding.

Ding était venu à Beijing avec la nouvelle d'une conspiration dont lui avait parlé un partisan acharné de Lin Liguo. Li Weixin, directeur adjoint du secrétariat du quartier général de la 4e armée aérienne à Shanghai, avait contacté Ding pour tenter de l'engager dans une certaine « Escadre de l'Union ». Sur la liste des membres que Li lui avait confiée figuraient tous les hommes de la 4e armée aérienne. Ding était venu à Beijing avec cette liste.

La raison pour laquelle Li Weixin avait contacté Ding : il était amoureux de sa sœur cadette. Bien que déjà marié, Li espérait faciliter ses relations avec la jeune femme en établissant des bons rapports avec son frère.

De son côté, Ding pensait que cette preuve de fidélité à Mao Zedong impressionnerait Wu et lui vaudrait peut-être de l'avancement.

Ignorant tout de la situation, le jeune officier fut sorti de son hôtel menottes aux mains. On lui fit subir un interrogatoire brutal (au cours duquel il refusa de changer son témoignage), puis on l'emmena dans un lieu secret où il fut exécuté.

Après l'exécution, Wu Faxian rédigea son rapport sur les crimes de Ding : « Ding Siqi s'opposait violemment à Mao Zedong et attaquait durement le Comité central. Pour lui, même la mort est un châtiment trop doux. C'était un contre-révolutionnaire actif[4]. »

Pour le moment, en éliminant Ding Siqi, Wu avait réussi à protéger Lin. Mais il savait qu'il ne pouvait pas à la fois couvrir le complot et feindre de l'ignorer. Si Mao découvrait la conspiration, personne ne croirait que Wu n'en avait rien su. D'autre part, si Lin Biao était effectivement à l'origine de ce projet, comment pouvait-il s'y opposer ?

Tout en essayant de gagner du temps, Wu commença à constituer le dossier sur les activités de Lin Liguo à partir des rapports de Zhou Yuchi. Il ne savait pas exactement ce qu'il ferait, mais en cas d'extrême nécessité, il pourrait toujours l'utiliser [5].

4.

En tant que membre influent du groupe administratif de la commission des Affaires militaires[1], Wu Faxian s'était toujours vanté de maintenir de très bons rapports entre l'état-major général et le commandement de la région militaire de Beijing. Mais à présent, lui et Huang, les chefs de l'état-major général, étaient mis sur la touche pendant que Mao s'attachait à réorganiser toute la région militaire de Beijing. Nul ne pouvait dire ce qui adviendrait.

De toute évidence, Mao avait décidé de frapper aux points sensibles. La région militaire de Beijing constituait un vaillant bastion entièrement sous le contrôle de Lin Biao. Longtemps satisfait de cette situation, Mao adoptait soudain sa tactique du « mélange des divers grains de sable » en plaçant lui-même de nouveaux hommes d'élite aux postes supérieurs[2].

Son quartier général étant situé dans le superbe cadre des Collines de l'ouest, hors de la ville, la région militaire de Beijing avait toujours été privilégiée. Théoriquement identique aux autres commandements militaires, elle possédait en fait une force et un prestige exceptionnels. La majorité des régions militaires n'avait que deux ou trois armées de campagne ; celle de Shenyang en Mandchourie et celle de Beijing en possédaient jusqu'à huit ou neuf. Outre ses armées de campagne, la région militaire de Beijing avait également

56

des troupes dans les provinces de Hebei et Shanxi, en Mongolie-Intérieure, dans le commandement de la garnison de Tianjin et dans celui de Beijing.

Bien sûr, cette importante région militaire recevait le meilleur équipement et les meilleurs hommes. Sa 38ᵉ armée, unité stratégique, fut la première à avoir des troupes motorisées. Cette armée, la 39ᵉ et la 40ᵉ étaient connues sous le nom des « trois tigres féroces » de Lin Biao. (L'expression est d'autant plus marquante que le caractère signifiant « Biao » [彪], dans le nom de Lin Biao, est le caractère pour tigre [虎] suivi de trois traits [彡].)

Mais avec les restructurations de Mao, ces « tigres féroces » risquaient d'être boiteux. Cette perspective effrayait Wu.

Il avait l'impression d'en savoir trop. Le coup d'État de Lin annoncé par Zhou Yuchi le contraignait à prendre une décision et il n'avait pas trente-six solutions, c'était tout ou rien. Il pouvait dénoncer Lin et prendre le parti de Mao ; ce qui signifiait bien sûr la chute de Lin et de tous ses partisans. Une question : Wu en réchapperait-il ? Pourrait-il réellement gagner la confiance de Mao ? Si oui, l'effort pourrait en valoir la peine. Il pourrait remplacer Huang à la tête de l'état-major, ou peut-être Lin, eut-il l'audace d'imaginer, au ministère de la Défense.

Perspective séduisante ! Mais il faudrait faire des ouvertures aux innombrables confidents de Mao. En plus de Jiang Qing, l'épouse de Mao, il y avait Zhang Chunqiao, Kang Sheng, Wang Dongxing et Zhou Enlai. Tous ces gens étaient de commerce difficile.

Avant la Révolution culturelle, Jiang Qing était très intime avec Ke Qingshi, le secrétaire du Parti de l'est de la Chine. Ke était un homme puissant dont l'influence touchait Shanghai et les provinces du Hubei, du Jiangsu, du Zhejiang et de l'Anhui. Mais alors même que Mao Zedong projetait d'attaquer Liu Shaoqi et Deng Xiaoping sur un plan idéologique, Ke, l'homme idéal pour cette tâche, contracta une maladie mortelle. Mao et Jiang Qing durent trouver un remplaçant. Ils choisirent Zhang Chunqiao qui dirigeait à l'époque le département de la Propagande du comité du Parti de Shanghai. A la mort de Ke, Zhang s'était déjà attaché à mettre en œuvre la Révolution culturelle.

Zhang gagna ses premières lettres de créance grâce à un article écrit par Yao Wenyuan, son commentateur principal, attaquant indirectement Liu Shaoqui.

En songeant au destin de Liu Shaoqi (la disgrâce et la mort après avoir occupé un poste de très haute autorité), et à ce qu'un ennemi comme Zhang Chunqiao, *alias* le « cobra », était capable de faire, Wu Faxian en avait des sueurs froides[3].

Avec Kang Sheng, un vieux compagnon de Jiang Qing qui l'avait fait entrer jadis au Parti communiste, c'était une tout autre paire de manches. Il avait d'autres façons de vous anéantir. A la fin des années trente et pendant les années quarante, travaillant aux services de la haute sécurité du Parti à Yanan, il surveillait les agents secrets infiltrés dans le gouvernement, l'armée et la police nationalistes. Après la naissance de la République populaire, on se passa de ses talents. Mais pas longtemps ! Mao le prit comme « homme de main » pendant la période de « redressement » de gens comme Peng Dehuai, et il s'édifia peu à peu son propre domaine avec des méthodes apprises en travaillant contre le Guomindang. En conséquence, Mao lui accorda plus de pouvoir.

Kang Sheng gagna la réputation d'un personnage terrifiant dont les rapports impitoyables occasionnaient des ennuis à bien des gens, certains semblant disparaître mystérieusement. Même des personnes dont la position était assurée l'évitaient à tout prix. Wu Faxian blêmissait rien que de penser à cet homme.

Pour lui, Jiang Qing restait un mystère. Wu ne comprenait absolument pas sa nature politique inconstante. De toute manière, si Lin Biao tombait, elle n'accueillerait probablement pas Wu dans son clan. Zhou Enlai et Wang Dongxing, les plus proches collaborateurs de Mao, étaient aussi les plus grands adversaires politiques de Wu. Inutile de songer à être reçu à bras ouverts par eux !

Évidemment, le problème était que tous l'associaient beaucoup trop à Lin Biao. S'ils n'avaient rien contre la personne de Wu Faxian, ils méprisaient en lui le protégé de Lin Biao.

Aucun doute possible! Wu se sentait plus en sécurité dans l'empire de Lin. La puissance de Mao semblait mythique, symbolique; celle de Lin était réelle, tangible.

Wu arrivait à la triste mais ferme conclusion que sans Lin il n'était rien. Il n'avait de pouvoir que dans l'armée, et dans une armée dirigée par Lin. Si ce dernier réussissait son coup d'État, le pouvoir de Wu augmenterait sans problème. Et, Lin à la tête du pays, Wu resterait sans doute le numéro trois du nouveau clan dirigeant. Ce n'était pas à dédaigner. Il n'obtiendrait certainement pas mieux en se mettant du côté de Mao.

Wu s'était plus ou moins décidé, mais il se tenait prêt à changer d'avis si une raison valable l'y poussait. Sa décision de suivre Lin ne devint irréversible que le jour où, à la fin de l'été 1971, Lin Biao voulut le voir justement pour aborder la question qui l'obsédait.

Ils se rencontrèrent dans les installations des Collines de l'ouest, complexe clos et bien surveillé, près de Xiang Hongqi entre le Palais d'été et les Collines parfumées. Avant la Révolution culturelle, ces installations avaient été la résidence secondaire d'au moins une dizaine de maréchaux et généraux de haut niveau. Mais ces derniers temps, le groupe de bâtiments avait surtout servi aux réunions de Lin et de ses chefs militaires.

Les bâtiments étaient construits sur une pente, chacun dépassant le précédent comme pour symboliser l'ascension au pouvoir. Lin Biao occupait les deux bâtiments en haut de la colline. Dans l'un, il résidait avec Ye Qun, l'autre étant réservé à leurs enfants. Les deux constructions étaient immenses. Plusieurs secrétaires et des gardes pouvaient y loger. Il y avait également des salles de conférences, de réception, de danse, de gymnastique, de massages, de projection et des salles à manger.

Lin Biao considérait cet endroit comme son palais. Il y recevait ses principaux conseillers sous la haute protection de sa garde personnelle.

Wu Faxian était surpris que Lin Biao et Ye Qun eussent

décidé de venir aux Collines de l'ouest alors que très bientôt ils devaient prendre des vacances sur la plage de Beidaihe. Quoi qu'il en fût, en arrivant vers 6 h 30 ce soir-là, il discuta un peu avec Ye Qun dans la salle de réception du premier étage avant de monter rejoindre Lin Biao dans son salon[4].

Lin et Wu abordèrent d'abord les projets de voyage de Lin Biao. En tant que commandant en chef de l'armée de l'air, Wu Faxian devait s'occuper des voyages privés en avion de tous les membres permanents du Bureau politique ou au-dessus. Les déplacements de Lin Biao passaient en grande priorité.

Wu Faxian annonça qu'il avait prévu trois avions : un Trident britannique pour Lin Biao et Ye Qun, un IL-18 soviétique pour les troupes de sécurité, et un transporteur soviétique AN-12 pour les véhicules et le matériel lourd.

Ce voyage à Beidaihe avait quelque chose d'inhabituel : à l'instar de Mao Zedong, Lin Biao n'aimait guère prendre l'avion, pourtant il insista pour faire en avion le court trajet Beijing-Beidaihe, nécessitant à peine une nuit de voiture ou de train. De plus, il exigea un vol de trois heures avant d'atterrir à l'aéroport de Shanhaiguan. Wu Faxian n'exprima pas son étonnement, mais il se demanda tout de même si cela avait un rapport quelconque avec le coup d'État.

Ils dînèrent au bâtiment 11, puis Lin Biao emmena Wu dans son bureau. Il se mit à faire les cent pas dans la grande pièce comme s'il attendait que Wu brisât le silence. Le sujet planait dans l'air, Wu n'avait pas besoin de le proposer : la conférence de Lushan au cours de laquelle Mao avait attaqué Lin. Wu parla enfin. Que signifiait tout cela ? Quelles étaient les intentions de Mao ?

Lin Biao l'écouta attentivement, souriant de temps en temps. Puis il parla à son tour, prosaïque[5].

« Que pensez-vous que le président veuille faire de moi ? »

Wu ne s'attendait absolument pas à une question aussi brutale. Pris au dépourvu, il ne trouva pas ses mots. Ye Qun, généralement douée pour détendre l'atmosphère, ne dit rien non plus.

Comme s'il sortait soudain d'un songe, Lin Biao s'approcha de Wu Faxian et le regarda droit dans les yeux. Puis il dit :

« Le président reconsidère la question de son successeur.

— En êtes-vous bien sûr, commandant Lin ? » demanda Wu. Lin ne lui apprenait là rien de nouveau, mais entendre cette nouvelle de sa bouche l'embarrassait un peu.

Impassible, Lin Biao hocha la tête.

Ye Qun prit la parole. « Le président a déjà abordé cette question avec le commandant. Nul n'est immortel, a-t-il dit. Le président s'est peut-être mis dans la tête que le commandant Lin pouvait bien disparaître avant lui, et que même s'il lui survivait, il n'aurait plus que dix à quinze ans d'activités. Nous pensons que le président désire quelqu'un de plus jeune, dans les quarante, cinquante ans. »

Lin Biao fit un geste de la main pour interrompre sa femme. « C'était avant Lushan. Aujourd'hui, le président veut que je disparaisse avant lui, et que vous m'accompagniez tous à Babaoshan[6]. Il veut que nous nous couchions tous comme des lions de pierre.

— C'est impossible ! Ce sont les propres paroles du président ? » demanda Wu Faxian d'un air surpris.

Lin Biao sourit et secoua la tête. « Quand le président l'annoncera lui-même, il sera trop tard. Nous devons le devancer. Avec du temps, nous le vaincrons. »

Wu Faxian dit : « Alors vous avez décidé de... ? »

Lin Biao répondit nettement : « Il est inutile de supprimer la bannière de Mao Zedong, mais il faut lui ôter son pouvoir. Nous devons agir très vite. Il faut contrôler la situation. Nous devons mettre fin à cette horrible période de notre histoire, à cette Révolution culturelle.

— Vous voulez donc user de moyens spéciaux ? demanda alors Wu Faxian.

— Les grands esprits se rencontrent ! » énonça Ye Qun avec enthousiasme.

Lin Biao s'assit enfin. Il posa les mains sur ses genoux et eut l'air de réfléchir gravement. D'une voix calme, il dit : « Nous devons agir avant eux. Ce n'est pas de la stratégie, mais une nécessité. Nous sommes peut-être moins forts que le président au jeu de la politique, mais nous pouvons certainement jouer d'égal à égal sur le plan des armes. »

Avec douceur, Ye Qun dit alors à Wu : « C'est un moment décisif, comme la veille de la Révolution d'Octobre en Russie. La révolution est votre spécialité, n'est-ce pas, commandant Wu ? »

Wu Faxian ne sut que répondre. Il réagit par habitude et selon les usages militaires. Il se mit au garde-à-vous et prononça un serment, en hésitant et sans grande cohérence. La seule phrase qu'il prononça clairement fut : « J'obéirai totalement au maréchal Lin Biao, jusqu'à ma mort. »

Les mots résonnèrent aux oreilles de Wu comme si ce n'était pas lui qui les avait prononcés. Soudain, il comprit que, sans l'avoir vraiment voulu, sans l'avoir prémédité, il venait de prendre une décision irréversible.

Lin Biao annonça à Wu le principe d'une rupture définitive avec Mao, preuve que Mao avait déjà amorcé une rupture avec lui. A l'appui, de subtils signes politiques : Mme Jiang Qing et Zhang Chunqiao avaient annoncé à Mao que la politique des « trois-en-un », l'alliance Parti-armée-masses populaires servant de slogan pour la Révolution culturelle et visant à équilibrer les divers secteurs sociaux, se révélait à présent impossible à cause de la véritable dictature militaire imposée par Lin [7].

Les relations entre Lin et Jiang Qing s'étaient tendues. Alors qu'elle et Lin s'entraidaient jadis pour lutter contre leurs adversaires, à présent, après la conférence de Lushan, Jiang Qing manigançait trois accusations contre Lin. Elle mit entre les mains de Mao des documents impliquant Lin et tenta d'entraîner dans son clan les adversaires de Lin.

De son côté, Mao agissait également de façon curieuse. Il convoquait souvent les principaux responsables militaires régionaux sans passer par la voie normale du ministère de la Défense. Lors de ces réunions, il traitait l'état-major général de Huang et Wu de « bureaucrates inutiles ». Souvent, en parlant de Lin Biao, il disait « ce vice-maréchal » au lieu d'utiliser le terme « camarade ».

Lin Biao lui-même remarqua que ses dîners et ses réunions avec Mao Zedong, d'ordinaire fréquents, étaient bien moins nombreux. Mao prétendait travailler moins pour des raisons de santé, passant plus de temps à lire dans la solitude. Mais Lin savait qu'il n'en était rien. Mao était toujours aussi actif et il rencontrait souvent ses collaborateurs.

Mais le plus désagréable pour Lin, c'était l'humiliation de la conférence de Lushan. Mao avait souvent laissé entendre à Lin qu'il désirait quitter la direction du Parti pour prendre la présidence de l'État et exercer ainsi une plus grande influence sur les relations internationales de la Chine.

Au plénum, Mao avait soudain agi comme si cette idée était absurde. Lin devina qu'avant longtemps Mao sortirait son « numéro deux » de remplacement. Comme bon nombre de ses proches, Lin était usé et devait être à présent écarté. En se référant au passé, c'était facile d'entrevoir que Mao adopterait là les pires méthodes. Même s'il était destitué en douceur, Lin Biao n'aurait plus aucune chance de jouer un quelconque rôle politique. Jiang Qing et Zhou Enlai auraient depuis longtemps entamé son influence comme un ver à soie grignote une feuille de mûrier.

Lin Biao pensait être en mesure de remplacer Mao Zedong uniquement si sa machine militaire lui permettait de maintenir l'ordre. Il prévoyait que tous les pouvoirs seraient redistribués aux différentes factions. Si l'armée ne venait pas en tête, alors ce serait Jiang Qing avec son groupe de la Révolution culturelle.

Lorsque Lin Biao avait remplacé Peng Dehuai au ministère de la Défense en 1959, Mao n'avait pas hésité à se montrer totalement intraitable à l'égard de Peng. En fait, il avait crié bien haut qu'un dirigeant se devait de mettre au pas ses puissants généraux. Aucun général ne devrait avoir l'occasion de se rebeller.

Lin Biao se souvenait bien de cet avertissement. Il avait conservé son pouvoir militaire parce qu'il l'avait utilisé pour défendre Mao, animer un culte de Mao, protéger Mao de ses ennemis, éliminer ceux que Mao trouvait indésirables, mener de nombreuses batailles de Mao. Avec ce même pouvoir, Lin avait pu devenir le numéro deux du pays, juste derrière Mao. Impossible d'abandonner si près du but !

« On m'a surnommé le " général invincible ". Pourtant, rien ne me rend particulièrement brillant. En fait, je n'ai qu'un seul don : je ne rate jamais une seule occasion de remporter une bataille. Il ne faut jamais gâcher sa chance. Elle ne se présente qu'une fois. Le président et moi, nous devons mettre cartes sur table. Nous n'en aurons peut-être plus jamais l'occasion. »

L'assurance de Lin inspira à Wu une conviction inébranlable de leur victoire. Dans l'obscurité du bureau de Lin Biao où les rideaux étaient tirés, Wu était pleinement conscient du rayonnement de cette conviction. Elle s'était développée sur trente ans, depuis les batailles de l'Armée rouge dans le Nord-Est jusqu'à la défaite finale du Guomindang. Maintenant, il ne pouvait pas abandonner Lin Biao. Lin lui faisait confiance, se confiait à lui, avait besoin de lui. Non, aux côtés de Lin, il resterait son compagnon d'armes jusqu'à son dernier jour, comme promis.

Pus tard dans la soirée, Wu Faxian apprit que Lin Biao avait déjà tenu le même langage à Huang Yongsheng, et recommencerait avec Li Zuopeng et Qiu Huizuo. Il n'y avait pas de temps à perdre ; Lin Biao exigeait un projet de coup d'État avant son départ pour Beidaihe [8].

5.

Mao Zedong et Lin Biao étaient liés depuis longtemps. C'était un bon mariage entre le Parti et l'armée. Leur première rencontre eut sans doute lieu en 1928, lorsqu'ils rejoignirent les armées communistes à Jinggangshan, mais ils avaient certainement entendu parler l'un de l'autre auparavant. Lin s'était déjà illustré au commandement du 28e régiment du 4e corps des ouvriers et des paysans, unité dirigée par Mao. Le régiment se développant pour constituer la première colonne de la nouvelle 4e Armée rouge, Lin devint à vingt-trois ans commandant d'armée avec la bénédiction de Mao.

Lin Biao continua à se distinguer lors des quatre premières campagnes d'encerclement nationalistes qui échouèrent ; durant la cinquième, au cours de laquelle les communistes furent battus et contraints à s'embarquer dans la Longue Marche historique, Lin Biao commandait la colonne centrale. A la fin de la Longue Marche, Mao avait récompensé Lin en le nommant commandant adjoint de toute l'Armée rouge.

Ultérieurement, à l'occasion de conflits intérieurs au Parti, bien que parfois également en désaccord avec Mao, Lin demeura dans son camp et se fit une réputation de partisan fidèle à Mao. Au début de la guerre sino-japonaise en 1937, Mao le nomma au commandement de la 115e division de la nouvelle 8ᵉ armée de route. Lin se montra particulièrement brillant au cours de la célèbre attaque d'une colonne japonaise à Pingwingguan, battant les armées du général de division Itagaki Seishirō jusque-là victorieuses. Ce fut un moment critique pour le pays tout entier et pour les carrières de Mao Zedong et de Lin Biao.

Plus tard, Lin passa plusieurs années en Union soviétique pour y être soigné (de ses blessures reçues au cours d'une bataille en 1938, selon certaines sources). Mao le désigna alors pour représenter la Chine auprès du Komintern. Lorsqu'il revint à Yanan en 1942, son soutien à Mao fut plus grand que jamais. Il affirma que le Parti communiste chinois pouvait réussir aussi bien que celui de l'Union soviétique si Mao continuait à le diriger.

Après la capitulation japonaise en septembre 1945, Mao envoya Lin en Mandchourie prendre possession du pouvoir militaire et politique. Lin réussit à maintenir les positions communistes face à l'imposante pression nationaliste, avec des pertes relativement peu importantes, et, en 1947, il parvint enfin à mettre toute la région sous contrôle communiste. De là, il descendit dans le Sud pour jouer un rôle capital dans la domination communiste du continent chinois. Durant les quelques années suivantes, Lin remporta des batailles décisives à Beijing et à Tianjin. Sa dernière victoire fut la prise de l'île de Hainan en avril 1950, à l'extrémité sud de la Chine. A cette époque, des 100 000 hommes qu'il commandait en Mandchourie, son armée était passée à plus d'un million. Ayant vaincu la majeure partie du pays, Lin était à quarante-deux ans le plus célèbre commandant de la toute récente Armée de libération populaire chinoise.

Cependant, après la libération, Lin Biao ne se fit pas beaucoup remarquer. Peut-être à cause de sa mauvaise santé, il apparut rarement en public, bien que conservant encore de hautes fonctions politiques et un important soutien au sein de l'armée.

Il eut son premier rôle vraiment important en 1959 lorsque Mao attaqua publiquement Peng Dehuai, alors ministre de la Défense. Peng destitué de son poste, Lin Biao prit sa place et parvint à détruire ou à récupérer l'édifice de son pouvoir personnel dans l'armée.

Mais ce fut le début de la Révolution culturelle en 1966 qui permit vraiment à Lin d'accroître son autorité. Cette période lui donna l'occasion d'étendre son influence en faisant à nouveau ce qu'il maîtrisait le mieux : exercer le pouvoir militaire.

La « grande révolution culturelle prolétarienne » de Mao déclencha une agitation politique sans précédent. A son apogée, des factions se battaient férocement dans les rues avec des couteaux, des bâtons, des pierres, ou tout ce qui pouvait leur tomber sous la main. Les écoles et les usines furent fermées ; toutes les activités commerciales du pays cessèrent. Profitant de la confusion, Lin commanda à ses troupes de soutenir tous les groupes « gauchistes ». Il savait fort bien que presque toutes les factions se réclamaient de la gauche ; toutes élevaient bien haut la bannière de Mao Zedong et de la Révolution culturelle. La généreuse contribution de Lin en armes et en hommes ne servit en fait qu'à transformer la lutte initiale en véritable guerre civile. Tout le continent chinois devint vite un champ de bataille où périrent des centaines de milliers de personnes.

Dans ce pays à feu et à sang, Mao eut bien du fil à retordre. Les chefs de la Révolution culturelle qu'il avait lui-même nommés, en particulier Jiang Qing, son épouse, et Zhang Chunqiao, ne parvinrent pas à renverser définitivement leurs adversaires. En outre, une fois parti Liu Shaoqi, le principal adversaire de Mao, il était inutile de maintenir un tel chaos. Pour la première fois depuis 1949, Mao sentit son autorité sérieusement menacée. Zhou Enlai lui annonça que le pays était au bord de la faillite et qu'on avait déjà épuisé les réserves nationales pour éviter l'effondrement. Fin 1967, Mao dut finalement envoyer sa fidèle Unité 8341, les « Gardes du Palais » commandés par Wang Donxing en personne, dans plusieurs écoles et usines de Beijing pour rétablir l'ordre.

L'initiative de Mao était le signe qu'attendait Lin. Au nom de Mao, il agit de même dans d'autres régions ; mais les troupes engagées dans l'action étaient les siennes et, par conséquent, il imposait son propre contrôle militaire sur la

nation. Les différentes factions que Lin avait d'abord soute-
nues étaient à présent fustigées ; on confisqua leurs armes et
on les obligea à fusionner avec les commissions de contrôle
militaire nouvellement créées. Ayant subi de graves pertes,
les factions zélées de la Révolution culturelle n'avaient plus à
présent ni pouvoir ni identité.

Mao fut reconnaissant à Lin d'avoir ramené au moins un
semblant d'ordre dans le pays. Il ne comprit pas cependant
que le contrôle militaire de Lin n'avait rien de provisoire. Lin
Biao ne s'écarterait pas de son plein gré.

Excepté Shanghai, bien contrôlé par Zhang Chunqiao,
toutes les provinces et les municipalités se trouvaient sous
l'autorité de l'armée. Au IXe Congrès du Parti d'avril 1969,
Mao désigna officiellement Lin comme son successeur, faisant de lui, aussi bien de nom que de fait, le numéro deux
chinois. Peut-être était-il en réalité l'homme le plus puissant
de Chine. Au Congrès, plus de 50 % des représentants du
gouvernement et de l'armée étaient ses partisans. A la
direction du Comité du Parti, sur environ 150 sièges, plus de
100 étaient occupés par des chefs militaires, les autres étant
pourvus en majorité par d'anciens militaires dont la plupart
avaient été, à un moment ou à un autre, sous les ordres de
Lin. Plusieurs ministres importants du Conseil d'État de
Zhou Enlai étaient également des hommes à Lin Biao.

Dans le secteur militaire, le pouvoir de Lin Biao était
presque absolu, ses partisans commandant plusieurs des
principales régions militaires. Mao était la seule personne
ayant des chances de changer cet état de fait, mais son
influence sur l'armée était douteuse.

Mao avait longtemps fermé les yeux sur la popularité de
Lin. Mais à présent, plutôt que de soutenir Mao, les partisans
de Lin, de plus en plus nombreux, avaient commencé à peser
sur le président. Le fragile équilibre des pouvoirs avait été
renversé et ne pourrait sans doute jamais être rétabli.

D'où les événements de la conférence de Lushan.

Lin essaya d'envisager toutes les solutions possibles. Il
arriva à la conclusion qu'il n'y en avait aucune. Mao avait fait

sonner la générale ; Lin pouvait ne rien faire et être battu, ou lutter et, espérait-il, vaincre. Il n'y avait qu'un seul moyen d'affronter le numéro un du pays : un coup d'État. Une fois cette décision prise, il s'y tint.

Tout le monde ne pouvait pas être aussi formel. Ye Qun, son épouse, fut la première personne à qui il fit part de ses projets. Elle frisa la crise de nerfs et l'adjura d'envisager d'autres moyens. Lin Biao finit par s'emporter. « Faut-il oui ou non que Lin Biao reste Lin Biao ? » demanda-t-il. Ye Qun ne trouva rien à répondre et, peu après, elle se montra plus consentante.

Le premier problème que Lin aborda fut le choix des participants.

Ye Qun l'aida à dresser une liste d'environ deux cents noms de complices possibles. Lin examina les noms proposés mais écarta cette liste en fin de compte. Une base de départ aussi importante pourrait compliquer les choses. Il envisagea ensuite un plan prévoyant le déplacement de quelques commandants. Chen Xilian et Xu Shiyou, commandant respectivement les régions militaires de Shenyang et de Nanjing, seraient nommés au sous-secrétariat d'État à la Défense. Des proches collaborateurs de Lin les remplaceraient, apportant ainsi un soutien au coup d'État dans ces deux régions militaires. Ces forces, associées à la région militaire de Guangzhou commandée par Ding Sheng, partisan de Lin Biao, constitueraient le noyau d'un groupe insurrectionnel. Mais, finalement, Lin abandonna cette idée : ces changements d'affectation pourraient lui faire perdre du temps [1].

Il voulait surtout se limiter aux gens qu'il comprenait vraiment.

En définitive, cela réduisait son choix à ses « quatre guerriers assesseurs » : Huang Yongsheng, Wu Faxian, Li Zuopeng et Qiu Huizuo, chefs de l'armée, de l'armée de l'air, de la marine et de la logistique. Avec leur appui, Lin était parvenu à assurer son pouvoir dans l'armée. Il faisait confiance à ces quatre hommes plus qu'à tout autre.

Le chef d'état-major général Huang Yongsheng avait été avec Lin Biao depuis le début comme commandant dans les premières années de l'Armée rouge ; il devint commandant d'un régiment des troupes de Lin pendant la Longue Marche, commandant d'une brigade dans la 115ᵉ division de Lin pendant les guerres de résistance contre le Japon, commandant de la 8ᵉ colonne dans la 4ᵉ armée de campagne de Lin, et commandant adjoint du 12ᵉ corps. Après la création de la République populaire, il obtint le commandement de la région militaire de Guangzhou et le secrétariat du Parti du sud de la Chine.

Au milieu de la Révolution culturelle, Huang Yongsheng remplaça le chef d'état-major provisoire Yang Chengwu pour devenir chef d'état-major général. Au IXᵉ Congrès du Parti, il fut élu membre permanent du Bureau politique.

L'autorité du chef d'état-major Huang reposait sur la structure même de l'armée. Toute décision d'une région militaire de lever des armées de campagne devait être approuvée par l'état-major général. D'autre part, les régions militaires devaient obéir aux ordres de l'état-major général.

Officiellement, Li Zuopeng avait le statut de premier commissaire politique de la marine, mais il y occupait en fait les fonctions de commandant en chef. Le commandant nominal, Xiao Jianguang, était également dévoué à Lin Biao qui l'avait tout de même transféré au sous-secrétariat d'État à la Défense, poste purement honorifique.

A l'époque de la 4ᵉ armée de campagne, Li Zuopeng aida Lin Biao à exécuter des plans stratégiques et tactiques, gagnant ainsi le respect du commandant. Plus tard, Lin Biao le nomma chef d'état-major de sa 115ᵉ division, commandant du 43ᵉ corps de la 4ᵉ armée de campagne et commandant adjoint d'une colonne. Il possédait l'art de la stratégie militaire et toute l'adresse d'un bon politicien.

Sous le contrôle de Li, les forces navales du Nord, de l'Est et du Sud totalisaient 670 000 hommes, avec en plus un corps de marins d'élite et cinq divisions de forces aéronavales. Grâce aux épurations constantes et adéquates imposées par Li, tous les chefs de la marine lui étaient fidèles, ainsi qu'à Lin Biao.

Le contraste était intéressant entre Huang Yongsheng et Li Zuopeng. Bien que tous deux de taille moyenne et de physique semblable, ils étaient totalement différents quant au caractère et aux méthodes de travail.

Dans le nom Huang Yongsheng, « Yong » et « Sheng » signifient littéralement « toujours » et « vainqueur ». En fait, l'attention de Mao fut tout d'abord attirée par le nom du jeune soldat. Ses exploits militaires donnèrent une réalité au panache de ce nom. Les troupes qu'il commandait étaient toujours fortes et disciplinées. Sur le champ de bataille, il s'engageait à fond et sortait forcément du côté du vainqueur. Ce qui ne l'empêchait pas de respecter ses subordonnés et de ne jamais se vanter de ses capacités. Son plus grand talent : découvrir et exploiter les grandes qualités. Face à d'importantes décisions tactiques, il feignait de ne pas avoir d'opinion personnelle et sollicitait plutôt celles des autres. Après avoir ruminé lentement toutes ces idées, il révisait de façon complexe un des plans proposés et se l'attribuait. Cette méthode réussissait presque toujours.

A la différence de Huang, Li Zuopeng concevait ses plans de A jusqu'à Z. Quand Lin Biao commandait la 4e armée de campagne contre Chiang Kai-shek, le rôle de Li consistait à tirer un plan spécifique des idées émises par Lin. Il était intrépide et hautain, et il se moquait ouvertement des collègues, y compris ses supérieurs, moins doués que lui. Il pensait que ses idées devaient servir de principes pour guider les autres. Wu Faxian dit un jour : « Li est très perspicace et vif ; il a toujours le dernier mot. » Wu affirma également : « On se sent toujours en confiance quand on travaille avec Zuopeng. Finalement, cette confiance se trouve toujours justifiée [2]. »

Qiu Huizuo avait eu un commandement dans l'Armée rouge, mais il fut transféré à un poste de travail politique. Il devint le commissaire politique de la 8e colonne dans la 4e armée de campagne commandée par Lin Biao, puis directeur adjoint du département politique de cette même armée. Après la création de la République populaire, Qiu reçut le grade de général de division et il devint le chef du département de la Logistique. En tant que tel, il s'occupait des approvisionnements de l'armée tout entière.

Peu après le début de la Révolution culturelle, Lin Biao encouragea Qiu à supprimer ou à affaiblir l'autorité de plusieurs généraux dans le département de la Logistique. Alors, il s'attacha à organiser et à diriger un clan militaire composé d'officiers de haut niveau de la Logistique qui recevaient leurs ordres directement de Lin Biao.

Lin Biao estimait Qiu surtout pour sa loyauté, sa sérénité et son intégrité, qualités qui faisaient de lui le complice idéal face aux adversaires de Lin. Il était robuste, sévère et extrêmement exigeant avec ses subordonnés à qui il inspirait crainte et respect. Ses unités comptaient davantage d'auxiliaires féminines que les autres (la plupart occupant un poste à l'hôpital militaire), ce qui lui valut le surnom de « play-boy du siècle ».

Huang, Wu, Li et Qiu étaient les « frères d'acier » de Lin Biao. Leur alliance « irréductible » remontait aux premiers jours de la Révolution culturelle quand tous les quatre furent attaqués verbalement et physiquement par des Gardes rouges. Lin Biao les aida alors à survivre et à réussir. Le 13 mai 1967, ils conclurent un pacte secret avec Lin et Ye Qun pour renforcer leur fidélité les uns envers les autres. Par la suite, ils se rencontrèrent tous les ans à cette même date pour commémorer leur alliance.

Bien que tout à fait convaincu de leur dévouement, Lin devait envisager l'hypothèse qu'un ou plusieurs d'entre eux pouvaient refuser de participer à son coup d'État. Comme il avait coutume de le faire pour des problèmes aussi importants, Lin s'arrangea pour les convoquer chacun à son tour afin de sonder leurs réactions. Le procédé était systématique : Huang serait convoqué le premier ; puis viendrait Wu, à qui il annoncerait que Huang était d'accord ; ensuite Li, et Qiu. Chacun serait informé des décisions prises par les précédents. Si quelqu'un se dérobait, il prendrait cela comme une marque de trahison et le ferait immédiatement enlever et exécuter. On mettrait la mort sur le compte de la maladie. Par mesure de précaution, Lin prévoyait deux médecins prêts à diagnostiquer une congestion cérébrale ou une crise cardiaque[3].

Lors de son rendez-vous avec Lin, Huang Yongsheng fut effrayé par la nouvelle et ému jusqu'aux larmes. Ils se consolèrent dans les bras l'un de l'autre.

Wu Faxian sembla un peu bouleversé, mais resta stoïque.

Li Zuopeng expliqua qu'il avait parfois pensé que Lin Biao devrait entreprendre de telles actions, mais qu'il n'avait pas osé le suggérer en premier. Il affirma se sentir soulagé.

Qiu Huizuo resta calme et déterminé, ce qui plut particulièrement à Lin Biao.

Lorsqu'il les rencontra tous les quatre ensemble pour la première fois, Lin insista sur un fait : si Mao apprenait l'existence de ce complot, aucun n'en réchapperait. Il cita les exemples de Liu Shaoqi, Peng Dehuai et Wang Ming, tous exécutés sur l'ordre de Mao, pour leur rappeler la rancune du vieil homme. En prenant de l'âge, il devenait de plus en plus haineux, ajouta Lin. Puis il leur fit jurer de mourir plutôt que de livrer leur secret. Enfin, il leur ordonna de décider sur-le-champ comment ils se suicideraient[4].

6.

Le plan du « coup d'État impérial » fut entièrement élaboré et préparé par Lin Biao seul. Même une fois au courant de ses intentions d'assassiner Mao Zedong, ses collaborateurs ne furent pas en mesure de prévoir comment il atteindrait son objectif. Lorsqu'il révéla enfin son plan à Ye Qun, Huang, Wu, Li et Qiu, ils le trouvèrent excellent.

Lin avait examiné différentes hypothèses avant de se décider. Son principal problème était le suivant : une opération de petite envergure ne déclencherait jamais le vaste soutien populaire indispensable au succès du coup d'État, alors qu'une grande opération échapperait difficilement à la vigilance de Mao. Lin espérait non seulement supprimer Mao, mais également garantir ensuite sa propre autorité sur tout le pays [1].

Lin savait pouvoir mobiliser les troupes nécessaires à l'assassinat de Mao. Cependant, assumer le pouvoir suprême signifiait qu'il devait trouver un moyen de mettre le pays sous une dictature militaire provisoire. Après mûre réflexion, il décida enfin que la crise nationale idéale pour réaliser ses desseins serait un conflit sino-soviétique. Le conflit devrait être suffisamment grave pour convaincre Mao Zedong et Zhou Enlai que la Chine et l'Union soviétique étaient vraiment au bord de la guerre ouverte, qu'une simple échauffourée suffirait à la déclencher. Alors seulement, Lin Biao pourrait exercer complètement son pouvoir militaire sans éveiller les soupçons.

Lin Biao considérait volontiers ses plans de bataille comme des « modèles ». Comme toutes les batailles qu'il avait menées, celle-ci devait être à la fois un « modèle stratégique » et un « modèle tactique »[2].

Lin Biao avait imaginé deux modèles stratégiques. Le premier impliquait que la Chine attaquât l'Union soviétique par surprise. Ce plan s'inspirait du conflit armé sino-soviétique que l'incident frontalier de l'île Zhen Bao (Damansky) avait effectivement déclenché en 1969. Les mouvements peu importants des troupes soviétiques dans les régions frontalières du Heilongjiang et du Xinjiang avaient été assez prévisibles. Mais, désireux à l'époque de renforcer son prestige et sa position personnelle au IXe Congrès du Parti, Lin Biao eut une réaction délibérément démesurée face à cette tension et la riposte brutale des troupes chinoises prit les Soviétiques par surprise.

Xiao Quanfu, le commandant adjoint des opérations dans la 4e armée de campagne de la région militaire de Shenyang, avait d'abord ordonné à ses troupes de bombarder un groupe d'officiers subalternes soviétiques concentrés sur un terrain de manœuvre. Les Soviétiques ripostant avec la même force du côté du Xinjiang, Lin Biao et ses troupes en profitèrent pour réagir violemment.

A la suite de ces événements, Mao Zedong avait convoqué Lin Biao pour connaître son opinion sur l'éventualité d'une guerre sino-soviétique. Mais en fin de réunion, il incita Lin Biao à se préparer concrètement à la guerre. Lin Biao avait compris ce qui lui restait à faire. Le 30 septembre 1969, la veille du vingtième anniversaire de la République populaire de Chine, accompagné de plusieurs gardes du corps, il se rendit en voiture à la tour de contrôle de l'aéroport militaire de Beijing où était cantonnée la 34e division de l'armée de l'air. Il ordonna personnellement aux unités de service de se préparer à un état d'urgence. En tant que commandant de l'armée de l'air, Wu Faxian transmit immédiatement l'alerte générale à tous les postes de l'armée de l'air du pays.

Trois jours plus tard, en tant que ministre de la Défense

et vice-président de la commission des Affaires militaires, Lin Biao envoya le même ordre, via l'état-major général, à toute l'armée. Ainsi, la Chine était rapidement en état d'alerte générale.

L'ordre de Lin, tout comme sa détermination à le donner, avait étonné tout le monde, y compris le président. Mais Lin avait pris tout cela comme une répétition générale. Il en garda une totale confiance en sa capacité d'exercer son pouvoir en cas de réelle urgence... ou, si besoin était, en cas d'une urgence provoquée. Cet incident sino-soviétique avait été assez tangible, mais rien n'empêchait de provoquer volontairement la même situation. Pour déclencher un conflit, il suffisait d'envoyer quelques troupes attaquer les forces frontalières soviétiques. Si cela était nécessaire, Lin pouvait faire attaquer les unités chinoises par leur propre artillerie, de préférence dans une zone éloignée, apportant ainsi la preuve de la belligérance soviétique et un *casus belli*.

Lin Biao avait un second modèle stratégique qu'il préférait au premier, mais qui nécessitait une élaboration encore plus délicate et méticuleuse. Ce plan impliquait d'établir préalablement des contacts secrets avec les Soviétiques, en leur offrant des avantages spéciaux s'ils coopéraient à « faire la guerre » suivant le plan de Lin Biao.

Lin Biao convoqua son chef d'état-major, Huang Yongsheng, pour parler de cette idée [3]. Ils se rencontrèrent un jour dans une pièce particulière rattachée à la villa de Lin Biao sur les Collines de l'ouest. Un tapis de douze mètres sur vingt-quatre, rouge foncé et or, recouvrait le sol de la pièce. D'une valeur de 200 000 dollars, ce tapis était un cadeau du ministère de la Défense et de la commission des Affaires militaires offert à Lin Biao pour le dixième anniversaire de sa nomination au grade de maréchal.

L'élément le plus frappant de cette pièce n'était pas le tapis, mais une immense « caisse à sable », aussi grande que six tables de ping-pong, comportant plusieurs tableaux électroniques. En appuyant sur un simple bouton, on obtenait de bonnes simulations tactiques de batailles engagées par la Chine, l'Union soviétique, le Japon, les États-Unis en n'importe quelle région de Chine ou du monde. On pouvait également obtenir des renseignements sur le nombre et le type d'avions disponibles, les points de départ et de destination, les itinéraires aériens et les durées de vol.

Ce jour-là, le ministre de la Défense et son chef d'état-major se concentrèrent sur le tableau du nord (Huabei) et du nord-est (Mandchourie) de la Chine, avec leurs régions limitrophes. Les principaux secteurs militaires représentés : les régions militaires de Beijing et de Shenyang en Chine, et la présence militaire soviétique à Khabarovsk, dans la région du lac Baïkal, et en Mongolie. Les troupes engagées dans cette simulation : armées de campagne chinoises, divisions de chars, aviation, troupes aéroportées et bâtiments de la marine.

La « discussion » de Lin Biao avec son chef d'état-major fut en fait un prétexte pour tester ses réactions face à son plan. Il parla sans interruption, toujours avec assurance, comme un prophète.

« Quand Brezhnev donnera le signal, commença Lin, les Soviétiques pointeront leurs fusées et leurs canons sur les fortifications et les unités frontalières chinoises des régions militaires du Nord. Les chars soviétiques traverseront les frontières chinoises pour ouvrir la voie à l'infanterie qui avancera ensuite à bord de véhicules blindés. L'attaque sera portée sur une Chine absolument pas préparée.

« Dans le même temps, l'armée de l'air soviétique lancera ses Mig et ses bombardiers tactiques sur les installations militaires chinoises ; les sous-marins soviétiques viendront dans les eaux de Lüshun et de Dalian et lanceront leurs missiles sur le littoral et sur les ports.

« Ce que Mao Zedong craint depuis si longtemps se produira en fin de compte ; les Soviétiques feront les malins, mais lui, le grand dirigeant chinois, il ne permettra pas la capitulation. Il possède en Lin Biao un commandant invincible, un commandant réputé dans le monde entier, et il oubliera provisoirement sa querelle avec lui pour le laisser faire la guerre. Il écoutera attentivement les conseils de Lin. Lin lui déclarera que le Nord-Est est sérieusement menacé par une attaque soviétique imminente sur l'armée de Beijing.

Lin Biao recommandera à Mao d'aller se réfugier dans les installations de la " montagne de la tour de jade * ".

« Pendant qu'au poste de commandement, tout près de là, Lin Biao et ses conseillers militaires dirigeront le combat, Mao Zedong observera l'évolution de la guerre à partir de son refuge impérial. Un peu comme ils l'ont fait pendant la guerre civile des années quarante, Mao et Zhou discuteront de la stratégie dans leur " tente de commandement " et attendront impatiemment la victoire. Ils ne se douteront guère qu'il n'y aura jamais de victoire pour eux et que leur seul avenir est une mort sans gloire. »

Lin baissa le ton. « Mes hommes bloqueront l'issue souterraine des installations de la " montagne de la tour de jade ". Avant que Mao ait le temps de comprendre ce qui se passe, des bombes à gaz asphyxiants l'auront fait suffoquer. Son corps sera vite réduit en cendres.

« Voilà le projet de la " montagne de la tour de jade ". »

Huang Yongsheng était assis et écoutait très attentivement, impressionné par la confiance totale de Lin Biao. C'était comme si les événements qu'il décrivait allaient vraiment se produire. Bien que chef d'état-major depuis des années, Huang ne pensait toujours qu'aux dangers et aux problèmes. Il posa plusieurs questions auxquelles Lin répondit calmement, sans paraître inquiet le moins du monde.

Huang s'inquiéta des pertes éventuelles. Lin répondit que les Soviétiques perdraient de deux régiments à une division. Les pertes chinoises seraient plus importantes. Mais si tout se passait bien, trois semaines au maximum suffiraient à réaliser le coup d'État. Lin Biao frappa sur la « caisse à sable » avec une grande baguette. « N'est-ce pas seulement une simulation de combat ? Est-ce notre faute si elle s'achève par des pertes ? »

Ensuite, Huang se montra sceptique quant à l'exécution d'un ordre d'attaquer des Chinois. Lin Biao dit qu'il ne fallait

---

* Ce qu'on nomme ici la « montagne de la tour de jade » porte en fait un autre nom que l'auteur a changé par mesure de sécurité. Ce secteur, à l'ouest de Beijing, comporte des installations secrètes qui servaient — et servent encore — à accueillir les dirigeants chinois en cas d'urgence.

pas passer par les voies militaires ordinaires. Il affirma que les troupes de Shenyang pouvaient préparer une action défensive avec des dispositions supplémentaires pour des représailles. Il les embrouillerait en donnant une série d'ordres différents, tous contribuant à atteindre le but final. Lin ajouta : « Nous trouverons quelqu'un pour accomplir cette mission, quelqu'un qui puisse être absolument intraitable à l'égard des Russes et saura leur faire dresser les cheveux sur la tête. »

Huang voulut savoir si l'on ne pouvait pas faire la guerre sans contacter d'abord l'Union soviétique. On négocierait avec les Soviétiques après le coup d'État. Lin répliqua qu'il avait envisagé cette hypothèse et, bien qu'il ne l'eût pas complètement écartée, il était inquiet des résultats imprévisibles. Les Soviétiques pouvaient répondre froidement et avec indifférence ou, pis encore, mettre les Chinois sur la défensive avec une réponse trop brutale.

Ultérieurement, lors d'interrogatoires, Huang Yongsheng raconta la suite de cette conversation[4] :

« Lin Biao portait une robe de chambre gris clair, une casquette en tissu broché et des pantoufles. Il s'approcha de la " caisse à sable " et se mit à manipuler les divers éléments pour expliciter les manœuvres qu'il venait de décrire. Cela l'absorba complètement. Arrivé à un certain point, il comprit qu'il était inutile de limiter les manœuvres militaires à un simple conflit armé avec les Soviétiques. Il pouvait exploiter la situation pour réaliser quelque chose de plus impressionnant, de plus durable, quelque chose à plus grande portée. Il s'extasiait en imaginant toutes les possibilités.

« Une fois la guerre terminée, la Chine et l'Union soviétique signeraient un armistice. Moscou préparerait une grande cérémonie pour accueillir le plus grand dirigeant chinois, le maréchal Lin Biao, alors que Beijing ouvrirait sa place Tiananmen pour recevoir le camarade Brezhnev. Le monde entier attendrait avec impatience l'étape suivante.

« Il pensait que les troupes chinoises des quatre grandes régions militaires (1 200 000 hommes) proches de la frontière soviétique pourraient être envoyées dans les pays proches de la frontière soviétique pour y établir de nouvelles nations socialistes. Le Vietnam étendrait ses territoires sur l'Asie du Sud-Est, le Cambodge par exemple. De son côté, l'Union soviétique pourrait transférer son million de soldats postés à la frontière sino-soviétique en Europe pour renverser l'équilibre international. Tout le continent euro-asiatique, qui n'était à présent qu'un conglomérat de nations isolées, deviendrait une forteresse grandiose et terrifiante du communisme. Le nouvel empire absorberait facilement les pays voisins et infiltrerait le communisme partout sur la planète. Il utiliserait la force nucléaire, l'infiltration, la subversion et l'invasion militaire pour étendre la coalition sino-soviétique. Oui, le coup d'État imminent modifierait profondément les forces du pouvoir mondial.

« Lin Biao déclara que la tragédie de la Chine moderne reposait sur le règne d'un Mao Zedong trop ambitieux qui désirait surtout diriger le mouvement communiste international et s'aliénait ainsi tous les autres pays communistes ; en conséquence de quoi la Chine s'était complètement éloignée de l'idéal communiste. La puissance de l'Armée révolutionnaire et prolétarienne chinoise ne servait plus qu'à menacer d'autres nations socialistes. L'armée chinoise était devenue une citadelle officieuse de l'OTAN et servait de laquais aux pays capitalistes. A son avis, on avait transformé l'Armée de libération populaire en un horrible simulacre et il était grand temps de la mettre en d'autres mains.

« Lin Biao était absolument convaincu que le coup d'État offrirait à la Chine la première occasion, peut-être la seule, de renverser son image de faiblesse, d'isolement et de lutte interne. Ce vieux pays oriental ne construirait pas seulement un nouveau mode de vie, il le ferait grâce à son immense puissance militaire.

« La dernière phrase prononcée par Lin Biao ce jour-là que j'ai retenue est : " Nos nouvelles relations avec les Soviétiques, le passage de la guerre à l'armistice, des hostilités à l'alliance, des contacts secrets à des relations officielles, exigent que de grands efforts soient faits pour changer le comportement et les convictions de notre peuple. " »

7.

Wu Zonghan, l'homme choisi pour servir de contact avec les Soviétiques (son nom était un pseudonyme) était mince et fragile; il paraissait souvent perdu dans ses pensées. Son tempérament calme et introverti semblait plus profond que celui de l'intellectuel chinois type.

Dans les années cinquante, Wu était élève en mécanique générale à l'université de Qinghua. Une fois diplômé, le gouvernement le fit travailler avec les experts militaires soviétiques apportant une aide au développement de la machine de guerre chinoise. Son travail le conduisait souvent à l'étranger, surtout en Union soviétique, en Allemagne de l'Est et en Tchécoslovaquie.

A Moscou, le jeune Chinois, à la fois compétent et modeste, tomba amoureux d'une Soviétique d'origine allemande. Blonde aux yeux bleus, on l'appelait La-la. Merveilleuse tant qu'elle dura, leur histoire d'amour ne connut pas une fin heureuse. La lune de miel de Wu Zonghan et La-la se termina tout aussi vite que celle de Mao et Khrouchtchev.

Sans savoir s'il reverrait jamais sa compagne, Wu retourna en Chine en 1959 après avoir accepté d'être un espion à la solde de l'Union soviétique. Il prit cette décision en partie sous la contrainte des autorités soviétiques mais également poussé par le vague sentiment qu'en travaillant pour les Soviétiques il pourrait peut-être se rapprocher un jour de celle qu'il aimait.

Wu n'avait absolument pas prévu les terribles contraintes du métier d'espion. Il ne se doutait pas non plus que les relations avec l'ex-grand allié de la Chine deviendraient si tendues. Bien que toujours très amoureux de La-la, il se rangea, se maria, eut des enfants et goûta à la chaleur et à la tranquillité de la vie de famille.

Un jour, il reçut des nouvelles de La-la. Elle pouvait le faire relever de sa dangereuse mission et lui permettre de la rejoindre en Union soviétique. Son père, haut fonctionnaire dans les services secrets soviétiques, lui avait promis de leur faciliter les choses. Cela ne dépendait plus à présent que de Wu.

A l'époque, un voyage d'affaires devait amener Wu dans un pays occidental sans liens diplomatiques officiels avec la République populaire de Chine. En tant que chef d'une délégation technique de recherche, il pouvait s'éclipser du groupe et aller se réfugier à l'ambassade soviétique. Cela serait assez simple et rien ne le retenait vraiment ici.

Wu avait peu de parents en Chine : sa femme, ses enfants et une demi-sœur, du côté de son père, qui avait presque vingt ans de plus que lui. Il avait fait un mariage de raison, se disant qu'il abandonnerait sa famille si besoin était. Il n'avait jamais cru pouvoir aimer un jour sa femme et ses enfants, mais il s'était trompé.

Ainsi, il était déchiré entre, d'une part, son attachement à sa famille et à son pays, et, d'autre part, son désir d'abandonner l'espionnage et de rejoindre sa maîtresse. Depuis longtemps, il en avait assez de ce métier dangereux qui, d'ailleurs, n'était plus d'aucun objet. Mais il était difficile et risqué d'abandonner. S'il demeurait en Chine, il s'en trouverait très exposé.

Il hésita jusqu'à la dernière minute, puis repoussa finalement la proposition. De retour en Chine après son voyage d'affaires, il rédigea immédiatement une longue confession sur ses activités clandestines à la solde de l'Union soviétique.

La lettre parvint aux services de renseignements du

département général politique et de l'état-major général de l'appareil militaire.

Peu après, au nom du secrétariat permanent du conseil de Défense nationale, une réunion fut organisée entre la section s'occupant, à l'état-major général, des renseignements militaires sur l'Union soviétique et l'homme qui avait volontairement abandonné ses activités d'espion. A la fin de l'interrogatoire, les agents du service de renseignements chinois en surent assez sur lui pour prendre une décision : ils allaient en faire un espion contre l'Union soviétique.

Ainsi, au lieu de ne plus fournir de renseignements aux services secrets soviétiques, Wu Zonghan continua à le faire, mais avec une petite différence : les renseignements étaient préparés par les autorités chinoises.

Wu continua à mener une double vie : agent secret et technocrate du gouvernement. Excellent employé, très diligent et minutieux, il aurait mérité en temps normal un poste supérieur dans l'industrie de la défense. Mais, au plus grand regret de son chef, sa mission secrète lui interdisait toute promotion ; il devait se faire remarquer le moins possible.

Cependant, Wu entra bientôt dans une période « d'hibernation ». Croyant toujours qu'il voulait fuir en Union soviétique sans en avoir la possibilité, La-la fit à nouveau savoir à Wu qu'il pouvait être relevé de sa mission d'espionnage. La proposition de se réfugier en Union soviétique tenait toujours.

Wu craignit tout d'abord la réaction de ses supérieurs des services secrets chinois lorsqu'ils apprendraient la nouvelle. Mais ils se montrèrent très compréhensifs et l'aidèrent à reprendre une vie normale. Non seulement ils l'autorisèrent à abandonner définitivement l'espionnage, mais ils lui montrèrent un document secret le concernant qui le blanchissait de tous ses crimes.

Wu Zonghan eut l'impression de se réveiller d'un très mauvais rêve. Il profita enfin de l'existence et, avec le temps, il oublia La-la. Tout se passa fort bien jusqu'en 1971. Une mauvaise année pour Wu.

Grâce à la protection des services secrets de l'armée, Wu avait été assez peu touché par la Révolution culturelle. Aussi fut-il étonné lorsqu'un jour deux hommes arrivèrent à l'improviste dans son bureau pour lui annoncer qu'il allait reprendre du service. On lui demanda de rétablir des contacts avec les services secrets soviétiques. L'affaire était d'une extrême importance, mais on ne lui révéla pas le but de sa mission.

Wu comprit qu'il avait été bien naïf de croire qu'on avait oublié les secrets de son passé. Il représentait toujours une arme des services secrets, même si l'on n'avait pas utilisé cette arme pendant quelque temps [1].

Lorsque Wu avait commencé sa mission d'espionnage pour les services secrets de l'armée chinoise au début des années soixante, on lui avait obtenu l'assistance du ministère de la Sécurité publique. Mais en 1971, les services secrets de l'armée et le ministère de la Sécurité publique avaient subi d'importantes modifications de structure imposées par la Révolution culturelle. Les dirigeants connaissant jadis Wu Zonghan, de vue ou de nom, avaient été mis en prison, déplacés ou contraints à démissionner.

Le ministère de la Sécurité publique et l'état-major général étaient dirigés par un seul homme : Luo Ruiqing. Pendant la Révolution culturelle, Lin Biao avait fait emprisonner Luo. Ses anciennes fonctions étaient actuellement occupées par deux hommes, membres permanents du Comité du Politburo. Huang Yongsheng était chef d'état-major général et Xie Fuzhi, ministre de la Sécurité publique.

Xie s'était arrangé pour rester en rapport avec toutes les factions : Mao, Lin, Jiang Qing et Zhou Enlai. Comme Mao l'avait utilisé pour fomenter des troubles pendant la Révolution culturelle, Xie était habitué à s'occuper beaucoup de politique aux plus hauts niveaux. Un autre homme effectuait une grande partie de son travail ministériel : Li Zhen. Li, un des deux seuls généraux chinois qui n'avaient pas obtenu ce grade à l'époque de l'Armée rouge, avait fait ses preuves au cours d'opérations politiques dans la région militaire de Shenyang. Lin Biao avait essayé de faire nommer Li à la tête de la commission de contrôle des Affaires militaires du ministère de la Sécurité publique après l'élimination de tous les partisans, véritables, supposés ou possibles, de Liu Shaoqi et de Luo Ruiqing. Dans la course aux postes vacants, Lin Biao l'avait finalement emporté sur Jiang Qing.

Wu Zonghan commença sa nouvelle mission secrète au milieu d'une période de confusion provoquée par ces changements de dirigeants. Le problème était que l'armée ne souhaitait pas divulguer au ministère de la Sécurité publique les conséquences de cette mission. Lin Biao aurait peut-être demandé à Li Zhen d'ignorer Wu Zonghan et ses activités avec les Soviétiques. Mais, bien qu'on considérât Li comme un des confidents de Lin Biao, on ne pouvait manifestement pas lui faire entièrement confiance.

En conséquence, bien que Lin Biao essayât de dissimuler ses activités tout en demandant la protection et la coopération de la Sécurité publique, le ministère remplit trop bien son rôle et découvrit les contacts avec les Soviétiques. Il parut bien étrange que Wu travaillant effectivement pour les Soviétiques, le haut commandement de l'armée ne connût pas sa véritable identité. Une enquête fut lancée. Un jour, des agents de la Sécurité suivirent Wu jusqu'au foyer du Conseil d'État où ils le virent dîner avec un autre homme à qui il glissa une petite valise en cuir noir. La quarantaine, mal habillé, le deuxième homme quitta le foyer et monta dans une voiture immatriculée à Beijing qui l'attendait devant un hôtel de luxe à Xizhimen. Les agents du ministère suivirent la voiture. Elle se dirigea vers l'ouest de Beijing, descendit l'avenue Bei Hai, s'engagea dans la rue Dong Guan Fang et tourna brusquement pour entrer dans la zone militaire interdite. Sans difficulté, elle traversa la cour sévèrement gardée du ministère de la Défense. La voiture s'approcha des bâtiments de l'état-major général. A ce moment-là, les agents de la Sécurité publique durent abandonner leur filature.

Le rapport détaillé du département de contre-espionnage du ministère de la Sécurité publique fut déposé sur le bureau de Li Zhen le 24 août 1971. Il stipulait que l'ordre reçu par Wu d'établir des négociations secrètes avec l'Union soviétique émanait de hauts fonctionnaires du département de la Sécurité de l'état-major général, à savoir le directeur adjoint du département de la Sécurité, le chef adjoint du bureau de l'état-major général et le chef d'état-major général lui-même, Huang Yongsheng.

Le rapport concluait que toutes les activités clandestines de Wu étaient préalablement approuvées par les départements connexes du ministère de la Sécurité publique. Sans l'approbation préalable du ministère, les contacts de Wu seraient des actes de trahison punissables de la peine de mort.

Même pour un professionnel comme Li Zhen, ce genre de rapport était sans précédent. Le programme était bien inquiétant. Ces derniers mois, Li Zhen s'était occupé de mesures de sécurité pour des négociations secrètes entre la Chine et les États-Unis. Henry Kissinger et le Premier ministre Zhou Enlai s'étaient déjà rencontrés secrètement pour préparer la visite du président américain qui mettrait un terme à la séparation plusieurs fois décennale entre les deux nations. Des contacts secrets avec l'Union soviétique pouvaient compromettre ou bouleverser complètement les tentatives d'une détente sino-américaine. En apprenant la nouvelle, Mao serait certainement atterré et furieux.

Son enquête personnelle confirma à Li Zhen que Mao n'était pas au courant des contacts avec les Soviétiques, mais il ne pouvait rien conclure de tel pour Lin Biao. Li tirait seulement une conclusion logique en pensant que si Huang, le chef de l'état-major général, était impliqué, Lin devait l'être également. Il présuma que si Mao essayait d'offrir un sourire aux Américains, Lin tendait délibérément une main aux Russes.

Li envisagea deux possibilités : présenter la réalité de la situation à son chef, Xie Fuzhi, ou affronter Huang. Ces deux solutions n'avaient rien de séduisant. Il savait que Xie n'avait aucun scrupule ; il n'hésiterait pas à faire arrêter certains de ses subordonnés en les accusant d'être des partisans de Liu Shaoqi ou des avocats de l'impérialisme. Li ne souhaitait pas créer des ennuis à Huang ou à Lin dont Xie pourrait tirer quelque avantage. Lin Biao l'avait aidé à monter de grade dans la région militaire de Shenyang et à réussir à Beijing. Il était redevable à Lin ; il était censé être fidèle à Lin, sinon un partisan inconditionnel.

Affronter directement Huang n'était guère une meilleure

solution. Si de prétendus plans de Huang allaient de travers, dans peu de temps la barque — dans laquelle se trouvait également Li — chavirerait.

Li opta pour ce qu'il pensait être la meilleure solution. Il interromprait l'enquête de contre-espionnage, puis il ferait semblant de ne pas être au courant. Il ne poserait aucune question sur le but des activités de Huang. Il ne voulait pas être impliqué.

La première étape consistait à retirer l'affaire à l'équipe de contre-espionnage. Le 4 septembre 1971, il convoqua les cinq agents individuellement, les fit arrêter et emprisonner pour « activités criminelles ». Cela lui fut très facile. Au cours des années, sur l'ordre de Xie Fuzhi, son supérieur hiérarchique, Li avait procédé à plus de mille arrestations au sein du ministère. Dans le même temps, il avait également dressé sa propre liste noire : des subordonnés qui pouvaient être éventuellement accusés de « relations illicites avec l'étranger ». De fait, ces affaires étaient perpétuellement en suspens. Au moment opportun, Li pouvait aisément invoquer leurs « crimes » et les faire arrêter.

Après l'élimination des enquêteurs, Li décida tout bonnement de ranger aux archives le document explosif qu'il avait reçu, espérant que personne ne viendrait y remettre le nez. On pourrait dire que Li protégea Huang et peut-être même Lin Biao. Mais il serait plus exact de dire que Li se protégea lui-même en sacrifiant cinq vies humaines. Dans une période moins critique, il aurait peut-être agi différemment. Son plus grand souci était alors d'éviter un affrontement.

Mais par un autre caprice du destin, un des cinq hommes arrêtés, pour essayer de se disculper et de prouver sa loyauté, décida de mettre par écrit les détails de l'enquête à laquelle il avait participé. Ce rapport écrit tomba entre les mains de l'adjoint de Li, Yu Sang. Yu était l'un des rares rescapés parmi les treize anciens vice-ministres de la Sécurité publique. Appréciant sa diligence, le Premier ministre Zhou Enlai l'avait protégé. Yu fut consterné en découvrant que Li Zhen avait tenté de se laver les mains de cette affaire ; il décida d'informer deux autres personnes : le ministre Xie Fuzhi et le Premier ministre Zhou Enlai[2].

Le 7 septembre 1971, Zhou envoya son fidèle secrétaire Yang Dezhong rencontrer Yu Sang au Congrès du Peuple.

Yu avait toujours admiré Yang de loin. Il trouvait sa loyauté et son honnêteté envers Zhou tout à fait remarquables. Leur rencontre fut très brève. « Le Premier ministre contrôle l'affaire, lui dit Yang. En dehors de Xie et de lui, ne dites rien à personne. Le Premier ministre vous remercie beaucoup. » Yu se sentit rassuré et satisfait de lui-même. Il était ravi d'avoir eu l'occasion de payer de retour les faveurs que Zhou lui avait faites. Et il était persuadé que Zhou traiterait cette affaire avec sagesse[3].

8.

Zhou Enlai resta Premier ministre du Conseil d'État de la Chine communiste jusqu'à sa mort en 1976. De tous les Premiers ministres du monde entier, il eut une des carrières politiques les plus remarquables.

C'était un homme agréable et cosmopolite, mais aussi un politicien redoutable. Ses compétences administratives et sa dignité lui valurent le soutien de nombreux hauts dirigeants chinois. Son aura et son réalisme le rendirent très populaire. Sa beauté et son charme lui valurent une réputation de séducteur.

Zhou avait obtenu de hautes fonctions politiques au Parti communiste bien avant que l'étoile de Mao ne brillât à l'époque de la Longue Marche. Il organisa plusieurs manifestations d'ouvriers à Shanghai dans les années vingt, il anima le soulèvement du 1er août 1927 de Nanchang, commémoré plus tard tous les ans par le jour de la fête de l'armée, participa à la Longue Marche, représenta le Parti communiste chinois lors des interminables négociations avec le Guomindang. Plus tard, il fut le principal allié stratégique de Mao dans la guerre contre les nationalistes. Enfin, après 1949, il prit la direction des affaires du gouvernement officiel en tant que Premier ministre de Chine.

Mais on connaît bien peu toutes les activités secrètes de Zhou. Dans les premières années du Parti communiste, il participa souvent à des tâches confidentielles dans les grandes villes du Sud, telles que Shanghai. Ses activités englobaient le recrutement de membres secrets du Parti, l'organisation de réunions secrètes, l'espionnage, l'enlèvement et le meurtre. Pendant la Seconde Guerre mondiale, quand le Parti communiste et le Guomindang connurent une deuxième période de coalition contre les Japonais, Zhou Enlai devint le plus haut représentant du Parti communiste dans le gouvernement nationaliste, à la fois à Nanjing (Nankin), capitale du pays, et à Chongqing (Chungking), capitale de guerre. Tout en étant surveillé de près par les services secrets du gouvernement nationaliste, il parvint à créer son propre réseau de renseignements. Il se révéla particulièrement efficace dans l'espionnage, et même le contre-espionnage du Guomindang ne put mettre fin aux activités de Zhou.

Après avoir été nommé Premier ministre, Zhou resta fidèlement aux côtés de Mao, traversant tous les méandres de la politique. La brusque élimination des hauts dirigeants du parti Gao Gang et Rao Shushi en 1955 ; la « campagne des cent fleurs » appelant, par l'intermédiaire des mass media et d'autres « voix » du Parti, les intellectuels à exprimer leurs idées ; l'élimination consécutive de milliers de professeurs, d'érudits, de scientifiques, d'étudiants et d'administrateurs quand Mao décida qu'il était contre ce qu'il entendait ; la « rectification » du ministre dévoué de la Défense, Peng Dehuai ; la scission entre la Chine et l'Union soviétique ; enfin, la critique virulente du chef d'État Liu Shaoqi et du chef des affaires du Parti Deng Xiaoping qui aboutit à la grande Révolution culturelle : au cours de tous ces grands épisodes, Mao avait demandé la coopération de Zhou et l'avait obtenue.

Mais ce fut la Révolution culturelle qui imposa à Zhou le plus d'efforts. Espérant accroître ainsi sa propre autorité, il utilisa des tactiques de pression et de persuasion contre les adversaires de Mao ; dans la coulisse, il s'arrangea pour empêcher une économie nationale non productive de s'effondrer ; en public, il ne se sépara jamais de son *Petit Livre rouge*, criant bien haut « Vive le président Mao » et s'associant aux « danses de fidélité ».

Si Zhou put demeurer si longtemps aux côtés de Mao sans devenir la cible de ses attaques périodiques, c'est parce qu'il comprenait parfaitement, de façon presque intuitive, le président. Zhou comprit qu'il fallait absolument éviter d'être le numéro deux chinois. Il se contenta de la troisième place, et même de la quatrième. Il comprenait Mao à demi-mot, savait lire dans ses pensées et le faire sourire.

Pour sa part, Mao appréciait la bonne volonté de Zhou à accomplir la plupart des sales besognes. Mao avait besoin d'un homme capable de « faire le ménage » derrière lui. Zhou était digne de confiance et ne constituait pas une menace. Il ne se rallia à aucune faction. Ainsi, Mao pouvait lui parler de tout. Mais ce fut tout de même remarquable qu'ils aient pu rester amis jusqu'à la mort de Zhou.

Les relations entre Zhou et Lin Biao étaient bien moins nettes. Zhou fut longtemps supérieur à Lin, tant par l'âge que par l'expérience. Quand Zhou était chef instructeur à l'Académie militaire de Whampoa, Lin Biao n'était encore qu'un étudiant. Lorsque Zhou prit la tête du soulèvement du 1er août 1927 de Nanchang, Lin Biao était chef de section.

Pourtant, comme beaucoup, Zhou se prit à admirer les exploits militaires du jeune Lin Biao. A Chongqing, pendant la guerre, un journaliste demanda un jour à Zhou ce qu'il pensait de Lin Biao qui s'était déjà illustré à Pingxingguan contre les Japonais. Avec son tact habituel, Zhou Enlai répondit : « Le commandant de division Lin Biao est un homme qui remporte des batailles importantes. Bien que plus jeune que nous tous, dans le domaine militaire, il est le plus compétent [1]. »

Bien qu'il n'exprimât le fond de sa pensée que lors de la détérioration des rapports entre Mao et Lin, Zhou ne fit jamais entièrement confiance à Lin. Il n'appréciait guère la façon dont Lin Biao avait accru son autorité dans la 4e armée de campagne. A son avis, c'était la pire forme de « sectarisme militaire », autrement dit la volonté d'obtenir un pouvoir politique grâce à l'infiltration et la subversion militaires. Zhou connaissait bien l'excessive convoitise des militaires et il s'en méfiait.

Ce ne fut qu'à la Révolution culturelle que Zhou se rendit compte qu'il pouvait tirer profit de l'armée pour lui-même. Il savait que Lin était un des rares à pouvoir stabiliser les problèmes politiques. Aussi, lorsque Lin remplaça Liu Shaoqi pour devenir le numéro deux chinois, puis le successeur désigné de Mao, Zhou lui apporta-t-il son soutien lors de querelles factionnelles, par nécessité politique. Il agit ainsi même lorsque Lin entra en conflit avec des dirigeants militaires tels que le ministre des Affaires étrangères, le maréchal Chen Yi, et le chef du comité pour l'Éducation physique, le maréchal He Long, des hommes avec qui Zhou avait établi des alliances tacites.

En apparence, il sembla que rien de particulier n'avait conduit Mao à attaquer Lin à la conférence de Lushan. Zhou savait qu'il en était tout autrement. En novembre 1969 et en juin 1970, Mao reçut des rapports médicaux détaillés sur la santé de Lin Biao. Les rapports émanaient conjointement de médecins de l'hôpital militaire 301 dépendant du département de la Logistique et de l'Académie médicale militaire. Ils stipulaient que la santé de Lin était excellente et que, malgré ses blessures du passé, il était aussi robuste qu'une personne de vingt-cinq ans de moins que lui. Un des rapports concluait que Lin Biao pouvait vivre jusqu'à quatre-vingt-dix-huit ou cent dix-sept ans !

Mao mit en doute la véracité de ces rapports médicaux et soupçonna Qiu Huizuo, chef du département de la Logistique, d'avoir exagéré ou transformé les résultats effectifs. Il fut également vexé qu'on ait essayé de le duper. Il ignorait la réelle aggravation de l'état de santé de Lin, mais savait à présent qu'il y avait quelque chose d'important à cacher et voulait savoir quoi.

En juillet 1970, Mao eut une conversation privée avec Zhou. Il lui demanda de choisir un groupe de médecins sûrs dans l'important corps médical du département de la Santé du Conseil de l'État pour faire subir à Lin Biao un examen de santé complet. Souhaitant ne pas faire connaître ses intentions à Lin, Mao suggéra à Zhou de prévoir un examen de santé obligatoire pour tous les hauts dirigeants chinois en prétextant une recrudescence du cancer. Dans ces conditions, Lin Biao ne pourrait guère s'esquiver.

Le rapport de cette équipe médicale fut tout à fait différent de celui de l'hôpital militaire 301. Selon l'équipe du Conseil de l'État, Lin Biao manifestait les symptômes de plusieurs maladies. Il avait de l'artériosclérose ; ses reins et son pancréas étaient enflammés au point d'affecter l'appareil urinaire ; son système endocrinien était bloqué et fonctionnait mal ; son état mental se détériorait et il ne pouvait travailler correctement que trois heures par jour (selon les critères de santé imposés par le gouvernement aux dirigeants de haut niveau) ; et, enfin, il présentait un cas exceptionnel de maladie de la moelle gagnant tout le corps à partir de la taille et pouvant provoquer une paralysie partielle.

Ces rapports confirmèrent d'autres détails sur la mauvaise santé de Lin et le long traitement médical en résultant. Mao en fut à la fois bouleversé et soulagé. Il ne s'était pas trompé. Ces rapports lui offraient une excuse idéale pour reconsidérer le choix de son successeur.

Mao avait d'abord cru qu'en choisissant son successeur, il pourrait garantir son autorité en Chine pendant des générations à venir. Il commençait seulement à se rendre compte qu'en fait il devrait déléguer à son successeur le contrôle des futurs dirigeants chinois. Cette seule idée l'anéantissait complètement.

Zhou Enlai fut la première personne que Mao consulta sur ce point car il n'entrait manifestement pas dans la compétition. Il n'était pas non plus dans le camp de Lin. Zhou fut ravi d'apprendre que Mao revenait sur son choix. Lin devenant le prochain numéro un chinois, Zhou se voyait mal être son Premier ministre ou son conseiller politique. Globalement, il semblait préférable qu'un homme plus jeune et moins expérimenté prît la tête du pays et portât les lauriers pendant que Zhou tirerait les véritables ficelles du pouvoir dans la coulisse.

Mais à présent que Mao ne faisait plus tout à fait confiance à Lin, Zhou pourrait peut-être l'influencer dans son choix d'un successeur. Il incita Jiang Qing et Zhang Chunqiao à recommander Wang Hongwen, le chef des masses populaires de la Révolution culturelle qui s'était illustré en provoquant des émeutes à Shanghai.

Néanmoins, Zhou aurait continué à entretenir des relations avec Lin Biao s'il n'y avait eu ce rapport de Yu Sang du ministère de la Sécurité publique. Zhou apprit que l'état-major général avait essayé d'établir des négociations secrètes avec l'Union soviétique alors que lui-même préparait soigneusement la visite historique du président Nixon en Chine[2]. En la réussissant, Zhou espérait réaliser au moins deux choses : porter un coup à l'Union soviétique et accroître sa propre influence dans les affaires étrangères chinoises.

Maintenant ces deux grands projets étaient gravement menacés par la mission secrète de l'armée. Quand Zhou rencontra Xie Fuzhi en août 1971 pour trouver un moyen de régler cette affaire, ils décidèrent de remplacer les agents de la Sécurité publique que Li Zhen avait éliminés et de lancer leur propre enquête. Cependant, au lieu d'engager des membres du ministère de la Sécurité publique, Zhou fit appel au groupe 646 du 5e service des enquêtes du bureau de la Sécurité du Conseil d'État. Certains hommes de cette unité avaient des compétences similaires à celles de Zhou et avaient par le passé réalisé pour lui des opérations confidentielles. C'était le genre de professionnels que peu d'autres services pouvaient se vanter d'avoir. De plus, ils travaillaient presque entièrement dans le secret si bien que très peu de gens connaissaient leur existence. Leur chef avait une deuxième activité, il était le principal garde du corps de Zhou : Yang Dezhong.

Zhou ordonna à son groupe du 5e service des enquêtes de poursuivre l'affaire Wu Zonghan et de surveiller le bâtiment des « trois portes » de la commission des Affaires militaires ainsi que l'état-major général. En outre, il les incita à employer le matériel et les méthodes les plus sophistiqués pour mener à bien leur enquête. Finalement, Zhou apprit tous les détails des tentatives de négociation engagées par l'armée chinoise avec l'Union soviétique.

Si, en Union soviétique, celui qui avait été informé du projet de coup d'État de l'armée chinoise avait pris cela au sérieux, le premier secrétaire Leonid Brezhnev en aurait été immédiatement averti. Et si Brezhnev avait ajouté foi à cette information, il aurait sans doute consulté Yuri Andropov, le chef du K.G.B., qui habitait dans le même immeuble que lui et où ils se rencontraient souvent dans le plus grand secret. S'ils s'étaient mis d'accord sur une réponse et avaient transmis un message aux chefs militaires chinois, le premier pas vers une réconciliation entre les deux pays voisins adverses aurait ainsi été fait.

Mais les Soviétiques décidèrent de ne pas agir, ratant une occasion unique. Peut-être ne virent-ils là qu'une supercherie et ignorèrent-ils tout bonnement les ouvertures. A cause de quelconques erreurs techniques, la proposition ne leur parvint peut-être jamais. Il est possible que le K.G.B., toujours très méfiant, se soit fixé un délai pour vérifier l'authenticité des intentions apparentes de l'armée chinoise. Des modifications de personnel ou des erreurs administratives ont pu aussi empêcher les renseignements d'arriver à destination. A moins que les Soviétiques n'aient pas pu décider en temps voulu de l'attitude à adopter.

Quoi qu'il en soit, Huang Yongsheng s'inquiéta de ne pas voir évoluer les contacts secrets avec l'Union soviétique. Sans interpréter obligatoirement ce silence comme une réponse négative, il craignait une augmentation des possibilités de fuites pendant que les Chinois attendaient une réponse.

Après de nombreuses discussions avec Huang, Lin finit également par reconnaître que cette opération avait peut-être été une erreur. Même si finalement les Soviétiques leur répondaient, il faudrait probablement beaucoup de temps pour que les conspirateurs pussent établir le dialogue indispensable avec les dirigeants soviétiques détenant réellement le pouvoir exécutif. L'attente comportait des risques qui ne plaisaient ni à Lin Biao ni à Huang Yongsheng. Ils décidèrent d'interrompre les tentatives de négociation.

Zhou Enlai se levait tard car il travaillait avec plus d'efficacité entre minuit et cinq heures du matin. D'ordinaire, son garde du corps Yang Dezhong ne le tirait jamais de son sommeil. Mais Yang venait de recevoir un message urgent de l'équipe d'enquêteurs. Ils avaient appris qu'on avait conduit Wu Zonghan à l'aéroport de Shahe avec deux autres officiers du service des renseignements de l'état-major général qui l'avaient assisté tout au long de sa mission. Ils étaient montés dans un hélicoptère de la 34e division. L'appareil avait décollé et s'était écrasé peu de temps après dans les montagnes, à 290 kilomètres à l'ouest de Beijing. Il n'y avait aucun survivant.

Zhou et Yang tirèrent une conclusion de cet accident : pour une raison quelconque, il avait fallu se débarrasser de Wu Zonghan. Pourquoi maintenant, alors qu'il était sur la touche depuis quelque temps ? Quelle serait l'étape suivante ? Quelles étaient les implications ? Fallait-il avertir Mao[3] ?

Zhou décida qu'il valait mieux en informer le président. Il confia à Yang un document secret glissé dans une enveloppe marron portant le sceau du Conseil de l'État et lui demanda de l'apporter à Mao, à Hangzhou. Le document comprenait des photos secrètes, des copies de lettres interceptées et des transcriptions de conversations enregistrées apportant la preuve que Wu Zonghan avait essayé d'entrer en contact avec l'Union soviétique. La preuve la plus inquiétante était la transcription d'une conversation téléphonique entre le vice-président du service des renseignements de l'état-major et l'officier de la section s'occupant des renseignements militaires sur l'U.R.S.S. du même organisme, Chen Dayu. Le vice-président y disait : « Huang Yongsheng m'a fait part de la vive impatience du vice-président Lin. Il m'a dit de faire une autre tentative et, si ça ne marche toujours pas, de trouver autre chose[4]. »

Zhou ajouta une lettre au document pour prévenir Mao de se souvenir de deux points essentiels : premièrement, l'état-major général et d'autres impliqués dans les contacts secrets avec l'Union soviétique apprendraient sans doute que les enquêteurs du Conseil de l'État avaient été sur l'affaire ;

et, deuxièmement, les conspirateurs mèneraient certainement des activités encore plus menaçantes.

Yang devait également transmettre à Mao un message que Zhou n'osa pas mettre par écrit : il devait lui dire d'interrompre immédiatement son voyage et de revenir à Beijing. En outre, avant d'arriver à Beijing, il devait avoir pris une ferme décision sur les mesures à prendre.

Mao reçut le document le 8 septembre, à Hangzhou. Avant cela, il avait prévu de passer quelques jours à Guangzhou. La nouvelle de Zhou l'obligea à modifier ses projets.

9.

Agée de dix-huit ans, Lin Yamei était une jeune fille de Shanghai dont le charme angélique et la beauté avaient toujours attiré le regard des hommes. A une autre époque, les producteurs de cinéma auraient tenté de lui donner les rôles principaux dans leurs films, mais c'était l'époque des « opéras-modèles », et les ouvriers, les paysans et les soldats dominaient la scène et l'écran.

Après avoir obtenu ses diplômes de fin d'études secondaires, Lin Yamei s'arrangea pour ne pas partir travailler aux champs ; elle resta chez ses parents à Shanghai. Elle menait une existence simple et oisive, explorant l'immense collection de livres et de disques de son père, étudiant la danse. Parfois, elle allait voir son frère à Qingdao où elle profitait de la plage et du soleil.

Ce fut à Badaguan, une plage de Qingdao, qu'elle rencontra Lin Liguo un jour de l'été 1970. (Ils portaient le même nom, mais n'avaient aucun lien de parenté.) Avant la Seconde Guerre mondiale, les Allemands et les Japonais avaient construit des villas le long de la plage, un des endroits les plus agréables de la ville. La plupart des villas n'étaient pas occupées, sauf par le personnel chargé de l'entretien. La villa de Lin Biao faisait exception : les domestiques y avaient été augmentés pour servir Lin Liguo et quelques amis de l'armée de l'air qu'il avait invités pour les vacances.

Lin Liguo et ses amis Chen Lunhe et Liu Peifeng revenaient juste d'une promenade en bateau. En traversant la plage de Badaguan, ils furent frappés par la beauté d'une jeune fille venant vers eux avec deux de ses amies.

« Elle est sûrement de Shanghai », commenta Chen Lunhe, inspiré par la prononciation distincte de la jeune fille.

Exprès, Lin Liguo ne se retourna pas pour la regarder, mais il dit : « Peu importe d'où elle vient... débrouille-toi pour l'emmener à Shanghai. »

Lorsque Lin Yamei rentra chez elle à Sanghai, elle reçut par la poste un formulaire de recrutement pour le service militaire*. Elle se présenta à un premier contrôle et fut convoquée pour un second examen. En arrivant au bâtiment de la commission des Affaires militaires sur le Bund à la date fixée, elle fut accueillie par deux officiers. Ils lui servirent du thé et des gâteaux tout en la dévisageant. Ce soir-là, elle fut conduite en voiture vers une destination inconnue. En sortant de l'auto, elle ne remarqua que les soldats en uniforme postés dans la cour.

On l'emmena dans le cabinet d'examen médical où elle fut présentée à deux doctoresses. Elles lui posèrent des questions, contrôlèrent son acuité visuelle et auditive, sa capacité pulmonaire, la firent se déshabiller, prirent son poids et ses mensurations. Enfin, nue, elle dut exécuter plusieurs exercices de gymnastique.

Lin Yamei apprit ensuite qu'elle était apte et qu'on lui attribuerait un statut privilégié. Mais on l'avertit que sa nouvelle position exigeait d'elle une extrême discrétion en toutes choses.

On lui donna un uniforme militaire : une veste et une casquette vertes et un pantalon bleu. Puis on lui annonça qu'elle faisait partie de l'armée de l'air. Son supérieur direct était Zu Fuguang, un cadre du commandement de Nanjing ; il la mit tout de suite à son aise. Elle apprit que le supérieur de Zu était le directeur du bureau des Affaires militaires de la 4e armée aérienne de Shanghai, Jiang Guozhang.

---

* Le service militaire est une carrière très prisée par les jeunes Chinois. (N.D.T.).

Elle fut installée dans une petite pension militaire où commença immédiatement son instruction. Elle apprit la discipline et la responsabilité militaires, mais également à jouer au billard, conduire une voiture et manier un fusil. Parfois, ses supérieurs l'autorisaient à fréquenter le Club international, construit par les Français pendant la période coloniale chinoise, où les hauts fonctionnaires du gouvernement et de l'armée allaient se reposer. Là, elle fit de gros progrès au tennis.

Après trois mois d'instruction et trois jours de permission passés chez elle, elle fut envoyée à Beijing dans un autre cercle militaire situé 5, rue Fandi. Là, on continua à la former. Cette fois, elle prit des cours de secrétariat de haut commandement militaire. Elle trouva bizarre que ses fonctions de secrétaire puissent inclure l'art des massages, la cuisine et, bien plus gênant que tout le reste, l'éducation sexuelle. On lui imposait la lecture de manuels de sexualité et de revues pornographiques publiées à Hong Kong et à l'étranger. Elle devait également regarder des films vidéo pornographiques. Ayant grandi pendant la Révolution culturelle, elle avait été très influencée par le puritanisme prévalant à l'époque. Ainsi, elle trouva tout cela bien étrange.

Ce n'est pas avant le 1er novembre 1970 qu'elle rencontra Lin Liguo. Le jeune officier était grand, plein d'assurance, et il parlait parfaitement bien le dialecte mandarin. Il semblait prévenant et convenable. Sous des sourcils épais, il avait le regard perçant. Elle eut une première impression favorable.

Un soir, Lin Liguo l'invita à dîner. Ils dînèrent en tête à tête et parlèrent des soirs de Shanghai et des plages de Qingdao. C'était comme s'ils se connaissaient de longue date. Après dîner, bras dessus, bras dessous, ils reprirent le chemin du 5 de la rue Fandi dans le vent froid de novembre. A l'entrée de la cour, Lin Yamei lui dit qu'elle devait rejoindre ses quartiers et qu'elle avait des consignes militaires très strictes. Comme elle devait bientôt être inspectée, elle voulait absolument faire une bonne impression sur ses supérieurs.

« Tu as déjà réussi ton inspection. C'est moi qui t'ai fait venir à Beijing et c'est moi qui t'attribuerai ton affectation », lui dit Lin Liguo.

A partir de ce soir-là, Lin Yamei résida à l'hôtel des officiers dans le bâtiment réservé à Lin Liguo. Parfois, elle restait avec lui à l'Académie de l'armée de l'air ou au centre d'entraînement professionnel n° 2, où Lin Liguo avait ses propres quartiers. Elle faisait partie de sa vie.

Il est difficile de dire combien de temps auraient duré ces relations si Wang Dongxing n'avait pas utilisé Lin Yamei pour espionner Lin Liguo.

Alors que le gouvernement chinois dénigre les concours de beauté occidentaux, symboles de la décadence des pays capitalistes, il conserve les siens. En Chine, c'était, et c'est toujours, une coutume de recruter de jolies filles pour les plus hauts dirigeants. Mao Zedong ne fit pas exception : il perpétua la pratique du concubinage avec zèle. Mais lui utilisait les jeunes femmes pour deux raisons : le plaisir, et pour obtenir des renseignements. Ceux qui procurèrent le plus fidèlement des femmes à Mao furent Wang Dongxing, Wu Faxian, le premier commandant adjoint de l'armée de l'air Cao Lihuai, Kang Sheng et certains dirigeants de province comme Hua Guofeng.

Quelques mois auparavant, juste après que Lin Yamei eut commencé son instruction militaire, Wang Dongxing avait rencontré Mao pour lui recommander ses services. Wang dit qu'il connaissait sa famille depuis longtemps. Le grand-père maternel de la jeune femme avait été un des premiers membres du Parti communiste chinois : un homme formé à l'Académie militaire de Whampoa, mort pendant la Longue Marche[1]. A cause de son invalidité, on ne lui avait jamais donné beaucoup de responsabilités, mais à sa façon il avait apporté une bonne contribution. Il avait sympathisé avec des enfants pauvres de la campagne et les avait recrutés dans l'Armée rouge pour travailler et étudier. Ceux qu'il forma dans l'armée gardaient tous un très bon souvenir de lui ; certains devinrent d'importants dirigeants du Parti, Wang Dongxing entre autres.

Une carrière militaire ! La proposition avait été si soudaine et mystérieuse que Lin Yamei en avait été intriguée.

101

Dès le début, elle avait demandé à sa mère de se renseigner. Sa mère avait contacté Wang Dongxing. Ce dernier apprit que Lin Yamei avait été choisie comme candidate possible pour épouser le fils de Lin Biao, Lin Liguo. Il comprit qu'elle serait ainsi en très bonne position pour espionner toute la famille Lin et il alla proposer à Mao de l'employer à cette fin.

Mao fut très intéressé. Il n'avait alors aucune raison de soupçonner Lin Biao d'agir contre lui, mais il était curieux de savoir comment il avait réagi à son attaque de la conférence de Lushan. Naguère, il avait essayé d'espionner Lin, même avant de le nommer son successeur. Lin se montrant extrêmement prudent, Mao n'apprit rien de vraiment important. Aussi, il était ravi de pouvoir tirer profit de Lin Yamei, même s'il était persuadé qu'elle ne pourrait sans doute pas lui apporter beaucoup de renseignements.

Pendant ses trois jours de permission avant son départ pour Beijing, Lin Yamei rencontra deux subordonnés de Wang Dongxing. Les deux agents secrets en civil l'intimidaient, mais elle était si dévouée au président Mao qu'il lui était tout à fait inconcevable de refuser de répondre à leurs questions. Ils lui enseignèrent l'abc de l'espionnage et lui dirent qu'il fallait faire preuve d'une certaine force morale. Il lui faudrait contrôler ses émotions.

Une fois à Beijing, et dès qu'elle fut plus intime avec la famille Lin, elle commença à échanger des messages codés avec Wang Dongxing.

Lin Liguo aurait pu révéler une petite partie de ses activités secrètes à une de ses favorites, mais il ne le fit pas. Finalement, presque tous les renseignements que Lin Yamei obtint, elle les apprit d'autres personnes, y compris de membres du groupe de Lin Liguo sensibles à son charme. Cependant, son meilleur contact fut en fait quelqu'un qu'elle n'avait pas visé, ni même remarqué au début.

C'était le secrétaire du comité du Parti au quartier général de l'armée de l'air. Cheng Hongzhen était un campagnard authentique, et un rustre. Il n'avait pas connu beaucoup de jolies femmes. Un jour, pris par ses propres sentiments, il finit par lui prendre la main et lui dit d'un air vaniteux : « Un jour, je serai ministre du Conseil d'État [2]. »

Lin Yamei ne le dédaigna pas comme elle l'aurait peut-être fait en d'autres circonstances. Encouragé par sa réaction, il se mit à lui révéler d'autres secrets sur la vie privée de Lin Liguo et sur les activités politiques de son clan. Lin Yamei toléra les inconséquences de cet infatué de Cheng. Il continua de la courtiser tout en lui révélant d'autres secrets. En temps opportun, elle lui répondit par des serments d'amour. Ils décidèrent de se marier après le coup d'État. Elle trouvait cette situation tout à fait grotesque, mais elle continua à jouer son rôle de façon convaincante [3].

La mission secrète de Lin Yamei prit fin le 11 septembre 1971. Ce jour-là, elle transmit à son supérieur direct des renseignements fournis par Cheng Hongzhen. Dix minutes plus tard, Wang Dongxing recevait un télégramme urgent ; il se trouvait à Shanghai avec l'escorte de Mao. Le câble (on avait utilisé un nouveau code secret composé avant le départ de Mao pour Beijing) contenait une phrase qui frappa Wang tant elle était étrange : « Projet de la montagne de la tour de jade. »

10.

En général, Lin Liguo n'était pas pessimiste — de toute évidence, Mao avait entrepris d'écarter Lin Biao —, mais il était particulièrement sensible aux humiliations qu'avait subies son père.

Lin Liguo haïssait Mao depuis toujours. A son avis, Mao ambitionnait la gloire d'un Marx et le pouvoir d'un empereur, mais il n'avait l'envergure ni de l'un, ni de l'autre. Il pensait que Mao se maintenait grâce aux adorateurs aveugles et aux militaires soumis.

Malheureusement, expliqua Lin Liguo à ses collègues, mon père est incapable de voir cet homme objectivement. Il s'est humilié une fois de trop. En conséquence, j'ai dû prendre l'affaire en main. C'est dommage, conclut Lin, que mon père et ses amis soient trop vieux et bourrés de préjugés pour faire ce qui doit être fait.

Après la conférence de Lushan, la première action de Lin Liguo avait été de réunir son « petit groupe » de Beijing et le « groupe de Shanghai » de ses partisans en un seul groupe : l'Escadre de l'Union. Ce nom avait été inspiré par un de ses films préférés sur la Seconde Guerre mondiale au Japon. Il aimait bien ce genre de films. Il en avait développé une admiration pour les techniques de guerre japonaises et une haine profonde du peuple japonais. Dans un certain film, les soldats japonais étaient répartis en deux groupes : la « petite

Mao Zedong et Lin Biao,
« son-plus-proche-compagnon-d'armes »,
lors du IXᵉ Congrès
qui le désigne « dauphin de Mao »
(avril 1969).
(Photo Roger Pic.)

Les illustrations suivantes
sont extraites d'une photocopie
du document top secret intitulé
« Le clan criminel antiparti de Lin Biao »,
dont des fragments ont été publiés
par le Parti communiste chinois
le 3 septembre 1972.

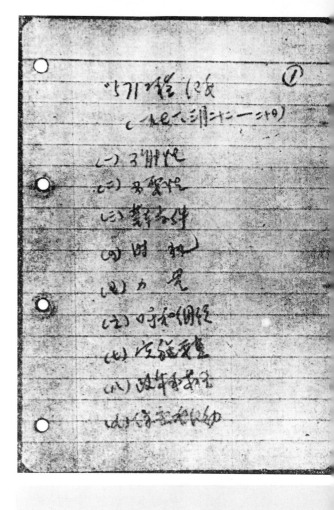

Première page du cahier de notes
donnant les détails du « Projet 571 ».
L'écriture est celle de Zhou Yuchi.

De gauche à droite :
Qiu Huizuo, Wu Faxian, Li Zuopeng,
Ye Qun et Lin Linguo
au plénum de Lushan en août 1970.

6、叶群、吴法宪、李作鹏、邱会作和
林立果在庐山一次密谋后的合影

　　叶、吴、李、邱等在庐山接触十分频繁，经常在一起秘密策划
反革命政变阴谋活动。这是他们在九届二中全会前夕，八月二十一
日的一次密谋后，在庐山仙人洞合影留念。

7、林彪反党集团在庐山发动的反革命政变失败后，在九江机场飞机上的合影

一九七〇年九月七日，林彪、黄、吴、李、邱下山到九江机场，由叶群导演，在飞机上合影留念，表示他们要进一步加强反革命勾结，伺机反扑。

注：右起：邱会作、黄永胜、林彪、吴法宪、李作鹏。

De gauche à droite : Li Zuopeng, Wu Faxian, Lin Biao, Huang Yongsheng et Qiu Huizuo à bord d'un avion à l'aéroport de Jiujiang en septembre 1970.

十八、林彪死党林立果等建立的反革命秘密据点

林彪指使林立果、周宇驰等人，在北京、广州、上海等地，设立了十多处反革命秘密据点。他们在这些秘密据点里，召开黑会，秘密串连，收集情报，训练骨干，策划各种阴谋活动。下面是一部分秘密据点的照片。

Quelques-uns des repaires secrets
prétendument utilisés par le « Clan criminel antiparti de Lin Biao et Lin Linguo »,
à Beijing, Guangzhou et Shangai.

十九、从秘密据点缴获的林彪反党集团进行
反革命政变活动的大批器材

在北京、上海、广州的秘密据点中缴获器材的一部分

各种收发报机

Équipements prétendument saisis aux conspirateurs
à Beijing, Guangzhou et Shanghai.

二十一、林立果秘密进行驾驶水陆两用汽车的训练

林彪死党林立果，私调和仿造水陆两用汽车，在北戴河海面进行驾驶训练。

林立果驾驶水陆两用汽车的照片，是从林立果在北京的秘密据点缴获的。下图左下角是林彪死党林立果。

On dit que Lin Linguo avait à sa disposition ce véhicule amphibie.
Les photographies, « saisies » dans son repaire secret de Beijing, montrent Lin essayant son véhicule sur la plage de Beidaihe.

二十三、林彪、叶群等
叛国投敌所乘三叉戟飞机坠毁的现场

　　一九七一年九月十三日凌晨二时半，林彪等叛国投敌所乘的256号三叉戟飞机，在蒙古境内温都尔汗附近坠毁。林彪、叶群、林立果等全部烧死，成为死有余辜的叛徒卖国贼。

　　下面两张照片，是我驻蒙使馆人员在现场拍摄的。照片上有蒙方人员和我驻蒙使馆人员。下图前头指示处，是三叉戟飞机的机号256。

Les débris du Trident 256 photographiés à proximité de Öndöhaan, en Mongolie.

二十四、周宇驰等所乘外逃被我迫降的直升飞机

林彪死党周宇驰、于新野、李伟信等，在得到林立果的电话通知以后，于一九七一年九月十三日凌晨三点多钟，乘直升飞机向蒙古乌兰巴托逃跑，投奔苏修。这架直升飞机被我迫降在怀柔县境内。被骗去驾驶直升飞机的陈修文同志，在机上与叛徒搏斗，光荣牺牲。直升飞机迫降后，周、于二贼自杀，李伟信和另一驾驶员陈士印被我活捉。从直升飞机上缴获了林彪叛国投敌的大量罪证。

注：右下角是林彪死党李伟信。

L'hélicoptère Skylark abattu,
à bord duquel un certain nombre
de conspirateurs tentèrent
de s'échapper. En médaillon, Li We

Lin Biao, Mao Zedong et Zhou Enla
lors d'un meeting place Tien an Mei
au cœur de la Révolution culturelle
(Photo Roger Pic.)

escadre de l'union » et la « grande escadre de l'union ». Lin Liguo opta pour le nom « petite escadre de l'union », réservant à son père la « grande escadre de l'union ». (Ce nom n'ayant jamais servi, la « petite escadre de l'union » est simplement appelée ici « Escadre de l'Union ».)

L'Escadre de l'Union était uniquement une entité de l'armée de l'air. Lin Liguo en établit le quartier général à Beijing et la subdivisa en trois unités principales : la première dirigée par Lin lui-même et Zhou Yuchi, désignés « commandants suprêmes » des activités ; la seconde dirigée par le chef d'état-major adjoint de l'armée de l'air, Wang Fei, chargé essentiellement de la liaison avec d'autres unités de l'armée ; et la troisième dirigée par le commissaire politique adjoint de l'armée de l'air, Jiang Tengjiao, chargé des plans [1].

Les lieux de réunion pour leurs activités secrètes furent déterminés en fonction des besoins. Les principaux furent : l'immeuble de bureaux en forme d'Y des bâtiments de l'armée de l'air, une rangée de casernements sans étage appartenant à la 34e division de l'aéroport de la banlieue ouest, la résidence de l'ancien chef de l'Académie de l'armée de l'air, un grand bâtiment du centre d'entraînement professionnel n° 2 de l'armée de l'air, le cercle de l'armée de l'air du n° 5 de la rue Fandi, et la demeure de Lin Biao à Maojiawan dans le quartier ouest de Beijing.

En plus des unités de Beijing, deux détachements spéciaux étaient prévus à Shanghai et à Guangzhou. Le détachement de Shanghai dépendait du groupe de Shanghai (originairement à Lin Liguo) et de son excellent service de renseignements. L'unité d'instruction comptait environ deux cents hommes sélectionnés sur le tas et très compétents, tous membres de la 4e armée aérienne. Les services secrets et le détachement spécial de l'armée de l'air du haut commandement militaire de Guangzhou étaient du même acabit que ceux de Shanghai.

Environ 375 noms figuraient sur la liste définitive de l'Escadre de l'Union. Certains étaient des militaires haut placés, généraux de corps aérien ou de division, qui détenaient pouvoirs et autorité au bureau des Affaires générales ou au bureau des Affaires militaires (contrairement aux militaires de mêmes grades engagés dans les unités de combat qui recevaient leurs ordres de plus haut). D'autres étaient de simples soldats, efficaces et loyaux[2].

Lin Liguo ne perdit pas de temps à définir à ses hommes le projet principal de l'Escadre de l'Union. Pour plus de précaution, il commit même un petit mensonge. Craignant que son propre nom n'eût pas assez de poids, il associa au projet celui de son père. « Ce coup d'État contre le président Mao est un ordre formel de mon père », affirma-t-il. Une fois cela posé, personne ne posa de questions.

Il expliqua à ses hommes que son père était certain de succéder en fin de compte à Mao, mais qu'attendre sa mort cinq ou dix ans ne le séduisait guère. Entre-temps, tout pouvait arriver. Tout le monde se rendait bien compte, disait-il, que Mao avait tendance à agir de façon irrationnelle en provoquant la chute de ses plus proches collaborateurs. A présent que Zhang Chunqiao avait tant de pouvoir, il était concevable que Lin Biao pût être écarté.

Ils étaient tous parfaitement d'accord. Ils voulaient absolument participer au coup d'État.

Le 20 mars 1971, Lin Liguo convoqua Zhou Yuchi, Yu Xinye et Li Weixin à son bureau de Shanghai pour discuter du projet de l'Escadre de l'Union. Il leur annonça que son père l'avait incité à accélérer les choses. Du 22 au 24 mars, ils se rencontrèrent plusieurs fois pour fixer les plans. Au terme de ces réunions, Zhou Yuchi rédigea le fameux « Projet 571 ».

Le projet était divisé en neuf points :

1. Potentiel.
2. Éléments nécessaires et inévitables.
3. Situation fondamentale.
4. Déroulement des événements.
5. Forces disponibles.
6. Mobilisation des masses.
7. Moyens.
8. Ligne politique et stratégie.
9. Sécurité et discipline.

Le projet, dans lequel Mao est désigné sous le code « B-52 », justifie le coup d'État militaire comme étant le résultat naturel d'actions révolutionnaires contre le groupe dirigeant « corrompu, confus et incompétent » qui se développait déjà. Il traite le socialisme prévalant en Chine de « fascisme social » et ajoute que Mao a transformé l'État chinois en une sorte de machine vouée au massacre et à la lutte mutuels. Il accuse Mao de « revêtir l'uniforme marxiste-léniniste, mais d'utiliser les méthodes de Qin Shihuang », le premier empereur despotique de la dynastie Qin (221-209 avant J.-C.). Étudiants, ouvriers et paysans avaient été également exploités ; le mécontentement était devenu général. En outre, le pays tout entier était plongé dans une stagnation économique permanente. Malheureusement, « B-52 » bénéficiait encore du soutien aveugle des masses. Changer cela serait difficile.

Néanmoins, grâce à sa mobilité géographique et la supériorité de ses forces, l'armée de l'air était la mieux placée pour entreprendre le coup d'État.

Le projet énumérait les principaux moyens dont disposaient les insurgés : les 4ᵉ et 5ᵉ armées aériennes commandées par Wang Weiguo, commissaire politique de la 4ᵉ armée aérienne de Shanghai, Chen Liyun, commissaire politique de la 5ᵉ armée aérienne de la province de Zhejiang, et Jiang Tengjiao, commissaire politique de l'armée de l'air pour la région militaire de Nanjing. D'autres groupes auxiliaires seraient prévus ailleurs.

Les trois étapes du coup d'État seraient les suivantes :

1. Préparation : formation des troupes, regroupement des armes, recherche et analyse de renseignements.
2. Réalisation : où et quand réaliser le coup d'État.
3. Suite des événements : extension et renforcement du contrôle de l'armée sur la population, utilisation des unités aéroportées et des transports aériens, orientation de l'opinion publique.

Tout cela était projeté au nom de la libération du peuple chinois. Bien que le coup d'État serait réalisé en agitant la bannière de « B-52 », après la mort de Mao, tout le monde comprendrait qu'il n'était qu'un paranoïaque et un sadique.

Enfin, sous le titre « Sécurité et discipline », il était

stipulé : « Soyons prêts à mourir pour notre cause en cas d'échec[3]. »

Le projet effleurait à peine un problème qui préoccupa pourtant gravement Lin Liguo durant les quelques semaines qui suivirent : comment atteindre effectivement Mao ? Le président vivait presque complètement retiré du monde. Il se mêlait rarement aux autres. Hors de Beijing, il possédait quelques résidences secrètes et, parfois, il détalait ici ou là comme un lapin. Il faudrait trouver un moyen quelconque de le cerner afin de le tuer avec « des gaz mortels, des armes biologiques, des bombes, en provoquant un accident de voiture, en l'enlevant, en l'assassinant ou en déclenchant une action de guérilla urbaine ».

L'enquête que Lin Liguo fit sur les mesures de sécurité prévues par Wang Dongxing révéla qu'elles étaient à toute épreuve. Mao Zedong avait l'intention d'entreprendre un voyage dans le Sud, probablement durant l'été. Le printemps était déjà bien avancé. Aussi, Lin Liguo se mit immédiatement au travail. En avion, il se rendit rapidement à Beijing, Shanghai, Hangzhou et Nanjing pour connaître les procédés de déplacement généralement adoptés par Mao. C'est alors qu'on lui parla d'un homme chargé cinq ans plus tôt d'organiser les voyages en train effectués par Mao. On fit sortir cet homme de l' « école des cadres » (qui ressemblait davantage à un camp disciplinaire) où il était retenu prisonnier. Pendant deux jours et une nuit, on le divertit abondamment et on l'interrogea, puis, en le reconduisant à l'école des cadres, des membres de l'Escadre de l'Union l'assassinèrent.

Les grandes lignes de la conversation entre l'ancien secrétaire chargé des voyages de Mao et Lin Liguo, enregistrée par un assistant de Lin, sont les suivantes :

Il dit : « L'itinéraire de voyage de Mao nous était transmis sous forme de documents détaillés top secret. Lorsque nous nous occupions d'un de ses voyages, nous n'étions pas autorisés à rentrer chez nous après le travail. Quand le département des chemins de fer envoyait quelqu'un me chercher à Beijing, je n'avais pas le droit de dire à ma femme où j'allais et encore moins pour quoi faire. Ce qui se passait dans la salle de contrôle était rigoureusement surveillé. La sécurité passait avant tout.

« Le plus amusant, c'est que parfois nos projets ne servaient à rien. Les horaires n'étaient pas respectés. Mao allait où il voulait, quand il le voulait. Son train avait priorité de passage sur tous les autres. A la dernière minute, il fallait apporter des modifications sur les horaires prévus. Pour ses commodités, il était capable de faire interrompre tout le trafic ferroviaire sur son trajet, et cela pour ne parcourir en fin de compte qu'une petite distance ou rien du tout.

« Évidemment, il se garantissait ainsi le maximum de sécurité. A part le conducteur du train, aucun employé des chemins de fer ne connaissait à l'avance l'itinéraire. Même si on pouvait reconnaître le wagon de Mao et le repérer dans une gare, il était impossible de prévoir l'étape suivante.

« Parfois, alors que Mao terminait son voyage, toutes les modifications prévues restaient en vigueur. Ainsi, on ne se rendait compte que Mao était rentré à Beijing qu'après coup. »

Lin Liguo se préparerait aux deux éventualités : Mao voyageant suivant un itinéraire prévu ou imprévu.

Le 25 juillet 1971, Lin Liguo convoqua les principaux membres de l'Escadre de l'Union à l'Académie de l'armée de l'air dans la banlieue ouest de Beijing, le même établissement qui, ironiquement, serait dix ans plus tard le théâtre des procès du « clan contre-révolutionnaire » de Lin Biao*. La vocation normale de l'Académie était de former ses élèves (des cadres de haut niveau ou assumant des grands commandements dans l'armée de l'air) à la tactique du combat, à la guerre nuclaire, à la guerre chimique, aux opérations combinées avec l'armée de terre ou avec la marine, aux opérations aéroportées et héliportées, et au commandement des troupes de combat. L'Académie était également chargée d'élaborer et de réviser les plans effectifs des opérations de l'armée de l'air.

---

* Les sessions d'ouverture et de clôture des procès du clan de Lin Biao et de la Bande des Quatre eurent lieu dans les bâtiments du ministère de la Sécurité publique au centre de Beijing, mais le procès à proprement parler du clan de Lin Biao se déroula à l'Académie de l'armée de l'air.

Vers six heures ce soir-là, plusieurs véhicules se dirigèrent vers l'aile nord-est de la cour de l'Académie. Là, au milieu de jardins ornés de bambous, de pins, de cyprès et de fleurs, se trouvaient quatre bâtiments noirs à deux étages : les résidences de l'ancien directeur de l'Académie et du commissaire politique de l'Académie. Des soldats en uniforme et des agents secrets surveillaient la cour.

Parmi les membres importants du groupe de Lin Liguo arrivant là figurait Liu Peifeng, directeur adjoint du bureau des Affaires générales de l'armée de l'air, homme d'un certain âge ayant à la fois l'expérience du combat et du commandement. Il y avait également Zhou Yuchi qui réalisait un travail méticuleux en tant qu'aide de camp de Lin Liguo. Jiang Tengjiao et Wang Fei arrivèrent ensemble. Ils avaient utilisé leurs relations dans l'armée et dans la marine pour faciliter les préparatifs de l'Escadre de l'Union. Il y avait les six personnes également en fonction à l'Académie avec Lin et Zhou : Liu Shiying, directeur adjoint du comité du Parti au bureau des Affaires générales de l'armée de l'air ; Yu Xinye, chef du premier département du comité du Parti au bureau des Affaires générales ; Zhu Tiesheng, chef du deuxième département du comité du Parti de l'armée de l'air ; Li Weixin, directeur adjoint du secrétariat de la 4e armée aérienne ; Cheng Hongzhen, secrétaire du comité du Parti au quartier général de l'armée de l'air ; et Wang Yongkui, directeur du bureau administratif de l'armée de l'air [4].

Une fois tous rassemblés, Liu Peifeng fut interrogé sur les renseignements que Lin Liguo avait obtenus de son père concernant les projets de voyage de Mao. Mao avait-il vraiment l'intention d'effectuer un voyage dans le Sud ? Selon Liu, oui. Il ajouta que le voyage était prévu pour la mi-août, que Wang Dongxing accompagnerait Mao et qu'il s'agissait d'une tournée d'inspection à Shanghai, Hangzhou, Nanjing, Changsha et Wuhan, avec une halte possible à Nanchang et à Guangzhou. Ce voyage se ferait sûrement en train et des avions spéciaux de l'armée de l'air seraient prévus pour transporter les hôtes devant recevoir Mao et le saluer à son départ.

Jiang Tengjiao, ancien commissaire politique de la

région militaire de Nanjing, prit ensuite la parole. Il connaissait parfaitement les secteurs couverts par le voyage. Sa conclusion, simple et prévisible, surprit néanmoins tout le monde. « L'endroit idéal pour attaquer " B-52 ", c'est Shanghai ou Hangzhou ; le meilleur moment... c'est maintenant, pendant ce voyage », affirma-t-il [5].

La réunion se poursuivit durant toute la nuit. On y envisagea les projets suivants :

1. Mao étant dans son train spécial sur le trajet Nanjing-Shanghai-Hangzhou, on ferait sauter le train et une équipe de choc irait assassiner Mao.

2. On assassinerait Mao hors du train.

3. Si Mao prenait un avion au cours de son voyage, les unités opérationnelles de l'armée de l'air recevraient l'ordre d'abattre l'appareil avec un missile guidé sol-air.

Le second plan fut en fin de compte abandonné quand Wang Weiguo obtint de Wang Dongxing davantage de renseignements sur les habitudes de voyage de Mao. (Wang Dongxing avait chargé Wang Weiguo, officier supérieur régional, de s'occuper de la sécurité dans les zones périphériques.) De toute évidence, Mao recevait toujours ses invités dans un wagon équipé d'un système de sécurité très sophistiqué. Personne n'était autorisé à monter dans le train avec une arme. En violant cette règle, on déclenchait immédiatement le système d'alarme et le personnel de sécurité était aussitôt alerté. Mao s'accrochait tellement à ces mesures de sécurité qu'il quittait rarement le train. Les installations princières construites pour lui à Shanghai ne servirent presque jamais.

Le troisième plan, attaquer l'avion de Mao, serait le plus facile à exécuter. Si Mao décidait de prendre l'avion, l'Escadre de l'Union, en tant que groupe de l'armée de l'air, n'aurait aucune difficulté à prendre tout sous son contrôle, du type d'avion de la 34e division choisi par Mao au choix des pilotes, à l'itinéraire aérien et au type de chasseurs prévus pour l'escorte.

Le projet stipulait que tous les renseignements concernant le voyage aérien de Mao seraient transmis par le réseau de communications d'urgence de l'armée de l'air. Chef de ce réseau, Lu Min signait tous les ordres donnés au département des Opérations, alors que Wang Fei, en tant que chef d'état-major adjoint et remplaçant du chef d'état-major général Liang Pu, était responsable des renseignements transmis au commandement de l'armée de l'air des 4e et 5e armées. Ces deux hommes faisaient partie de l'Escadre de l'Union.

L'avion serait attaqué soit à Shanghai, par le régiment de missiles de la 4e armée commandée par Wang Weiguo, soit à Hangzhou, par le régiment de missiles de la 5e armée commandée par Chen Liyun. Les deux bases de missiles de Shanghai et de Hangzhou étant chargées de la protection de Shanghai et de Nanjing, villes désignées comme zones de défense prioritaires, leurs officiers devaient strictement obéir aux ordres du haut commandement de l'armée de l'air[6]. De ce côté-là, il y avait bien peu de chances d'échec.

Le missile prévu pour l'attaque était efficace : une version chinoise du Sam soviétique à moyenne et longue portée. Il fut importé pour la première fois en 1960 et modernisé pour la troisième fois en 1969 sous le nom de « drapeau rouge ». Ce missile servit pendant la guerre du Vietnam. Des statistiques montrent que, sans brouillage électronique produit par des transporteurs ou des chasseurs américains, le missile atteint sa cible soixante-quinze fois sur cent. Le projet de l'Escadre de l'Union prévoyant de lancer trois missiles Drapeau rouge de type 2 ou 5 en même temps, les chances d'atteindre la cible passaient à 98 ou 100 %. Les rapports de l'armée de l'air font état également d'une dizaine d'avions de reconnaissance de fabrication américaine (certains utilisés par l'armée de l'air du Guomindang) et d'avions de reconnaissance sans pilote abattus par ce même missile moins d'une minute après l'ordre de tir.

Lin Liguo espérait la même efficacité lors de l'attaque du président chinois. Il voulait que tout fût si rapide que personne ne pût savoir d'où venait le coup. Il rejetterait les responsabilités sur Jiang Qing.

Pour plus de sécurité, les bases de missiles des régions militaires du Nord-Est reçurent l'ordre de procéder à des exercices et de se tenir prêtes.

112

Il ne faisait aucun doute qu'attaquer l'avion de Mao était le moyen le plus simple et le plus sûr de réussir. Dès que Wang Weiguo et Chen Liyun apprendraient que l'avion portant l'emblème du soleil rouge avait décollé, ils décrocheraient le téléphone du poste de commandement et prononceraient l'arrêt de mort de Mao.

Une seule chose pouvait ruiner leur projet : Mao décidant de ne pas prendre l'avion. A en juger sur ses voyages passés, c'est ce qu'il ferait sans doute.

Si l'on devait éliminer les plans n° 2 et n° 3, il ne restait que le plan n° 1 : l'attaque du train de Mao.

11.

Le 15 août, Mao Zedong quitta enfin Beijing pour Wuhan. Les commandants et les commissaires politiques des 4e et 5e armées abandonnèrent leur décontraction coutumière pour ne plus quitter leur poste de commandement, une ligne de communications réservée pour les messages urgents. Wang Weiguo et Chen Liyun vécurent des jours et des nuits d'angoisse, mais ils ne reçurent que des renseignements sur l'avion utilisé pour amener les invités de Mao : les gros bonnets de l'armée et de la politique venant des régions militaires et des provinces du Sud. Tout le monde, excepté Mao.

Autrement dit, il faudrait certainement en venir au plan n° 1. En conséquence, cela mobilisa totalement le responsable des opérations pour le réseau ferroviaire Nanjing-Shanghai-Hangzhou, Yu Xinye.

Agé de quarante-trois ans, Yu Xinye était le directeur du premier département du comité du Parti pour le quartier général de l'armée de l'air [1]. Il avait le visage pâle mais des yeux perçants. Robuste, de taille moyenne, la coupe de cheveux toujours réglementaire, Yu ne se séparait jamais de deux objets : un pistolet modèle 1959 et un poignard de para affûté comme un rasoir.

Yu Xinye ne semblait pas brillant, mais il possédait un esprit vif et pratique. Personne ne connaissait mieux que lui les techniques militaires des Japonais, des Israéliens et des Allemands. Il aimait élaborer des plans et, à la grande joie de Lin Liguo toujours à la recherche de gens de son acabit, il prenait volontiers la responsabilité de l'exécution de ses plans.

Yu conseilla à l'Escadre de l'Union de profiter pleinement de l'exceptionnel armement des troupes attachées à la défense de Shanghai. Plus grande ville de Chine, atteignant près du quart de la production industrielle nationale, Shanghai était protégée non seulement par sa propre 4e armée aérienne, mais également par certaines des meilleures unités des régions militaires de Nanjing et de Beijing. Parmi ses unités se trouvait une importante division d'engins possédant un missile spécial sol-air modifié pour atteindre des cibles terrestres ou navales en coopération avec l'armée et la marine. Le missile modifié était un des plus efficaces que possédait la Chine.

Les unités de missiles de Shanghai avaient la même organisation qu'un régiment. Elles se partageaient deux bases de missiles et trois unités de soixante-cinq rampes. Pour les combats, le système de commande était à contrôle automatique. Contre des cibles terrestres repérées au radar, l'efficacité était de 70 % ; pour une cible désignée à l'avance, l'efficacité passait à 82 % ; si la cible était suivie par un système supplémentaire d'autoguidage (système que possédait l'Escadre de l'Union), l'efficacité atteignait alors près de 100 %.

Postés le long des voies ferrées, le groupe de Shanghai et d'autres détachements spéciaux, comme les unités d'instruction de la 4e armée, se chargeraient de transmettre les renseignements concernant les déplacements du train de Mao. De la précision de ces renseignements dépendrait la précision de l'attaque.

En se fondant sur l'expérience de son père, Lin Liguo put faire certaines hypothèses sur les habitudes de voyage de Mao. Les deux hommes étant tous deux de très hauts dignitaires, ils ne pouvaient que se ressembler. Toutes les hypothèses de Lin se vérifièrent.

Composé de six wagons, le train de Mao était tiré par la

115

meilleure locomotive diesel existant. Mao occupait les deux wagons du milieu. Les installations y étaient luxueuses, d'un confort dépassant la norme, et les voitures étaient insonorisées, blindées, protégées des radiations et équipées de systèmes de sécurité et de secours. Dans le premier wagon, Mao avait sa chambre, son bureau et un salon-salle à manger ; dans le deuxième wagon, il avait un salon de réception et une salle de loisirs pouvant être transformée en salle de danse, de projection, ou en petit théâtre. Le train comportait également un centre de communication très puissant permettant à Mao de contacter n'importe quelle région militaire ; en cas de problème, le train serait suffisamment bien défendu pour repousser une attaque.

Dans les deux wagons de tête se trouvaient plusieurs centaines de gardes de sécurité très bien armés, parmi les meilleurs attachés à la protection de Mao. En queue de train, une voiture était réservée à son personnel et ses domestiques, une autre à sa cinquantaine de gardes du corps.

Les chefs de l'Escadre de l'Union avaient envisagé l'attaque de plusieurs façons. Aucune n'était absolument infaillible. Les gardes du corps de Mao étaient très bien organisés et dotés de très bons systèmes d'observation ; la précision de tir des mitraillettes et des mitrailleuses était excellente. Toute attaque déclencherait sans doute une violente réaction. Seule une opération « éclair » avait des chances de réussir. Si Mao Zedong avait le temps de mobiliser d'autres troupes, l'attaque pourrait complètement échouer. Dans ces circonstances, les chefs de l'Escadre de l'Union conclurent qu'il faudrait utiliser un armement lourd pour réaliser leur projet.

La confession inédite d'un des participants du complot donne quelques détails des opérations :

Pour des raisons de sécurité, nous nous étions soigneusement déguisés. Nous arrivâmes près du pont*, dans les installations

---

* Dans les documents, ce pont ne porte pas de nom mais est simplement appelé « cible n° 1 ». Il s'agit manifestement d'un pont de chemin de fer situé entre Hangzhou et Shanghai.

militaires de la 4ᵉ armée, en nous faisant passer pour un groupe interne destiné à la protection de ces installations. Nous avions également prévu des documents secrets et de fausses cartes d'identité correspondant à notre déguisement.

Des postes d'observation furent établis aux deux extrémités du pont, à environ un kilomètre l'un de l'autre. Le groupe de Shanghai occupa les deux postes au nom de la commission de Contrôle militaire de Shanghai. Nous étions équipés de systèmes de communication par radio et par fils. Notre unité pouvait recevoir les rapports des autres petits groupes postés le long de la voie ferrée Shanghai-Hangzhou-Nanjing. Nous avions procédé à plusieurs essais de transmission : notre système de liaison était rapide et efficace.

Dans notre équipement, il y avait un appareil de vision nocturne et un tachymètre. Aux deux extrémités du pont, nous avions placé sous les rails, tous les quinze mètres, des boîtiers de détection magnétique devant actionner le tachymètre. Nous possédions aussi des pistolets-mitrailleurs, des lance-flammes et des roquettes antichars de 60 millimètres.

Nos ordres étaient les suivants : dès l'arrivée du train de Mao sur le pont, contacter l'autre poste d'observation ainsi que le poste de commandement du groupe de Shanghai.

Le 4 septembre à 17 h 15, un train venant de Shanghai et se dirigeant vers Hangzhou s'engagea sur le pont. Il avait une locomotive diesel à chaque bout et six superbes wagons aux fenêtres bien distinctives. J'avertis aussitôt Jiang Guozhang du groupe de Shanghai, en lui faisant un rapport détaillé, puis j'alertai le second poste d'observation du pont.

Deux jours plus tard, le 6 septembre, en début de matinée, Jiang Guozhang et Yu Xinye du quartier général de l'armée de l'air de Beijing arrivèrent en jeep à notre poste d'observation. Ils voulurent me voir seul pour parler du train qui était passé là le 4 septembre. Ensuite, je les accompagnai sur le pont pour une inspection des lieux. Yu resta un long moment sans rien dire. En quittant le pont, il nous emmena en jeep à la courbe du fleuve. Yu dit alors : « Le train qui est passé ici dans l'après-midi du 4 était celui du président. Il est possible qu'il suive le même itinéraire pour retourner à Shanghai. Il faudra agir à ce moment-là. »

Jiang Guozhang expliqua ensuite que Wang Weiguo n'avait pas pu établir avec certitude que le président Mao se trouvait dans le train lors du premier passage. Ainsi, rien n'avait été tenté, pour des raisons évidentes.

Yu Xinye dit : « Le train est à présent à l'aéroport de Jian Qiao à Hangzhou. La 5e armée en est absolument sûre. L'instant crucial est pour bientôt. Nous serons prêts ! »

Puis, il nous expliqua à voix basse le plan spécifique de l'attaque. (Jiang Guozhang ne savait pas encore que nous utiliserions des missiles.)

En retournant au poste d'observation, Yu donna tous les détails du plan. Il dit que notre rôle serait absolument capital.

Le poste d'observation le plus rapproché de Hangzhou devait nous tenir constamment au courant de la position du train. Dès qu'il serait dans notre secteur d'observation, nous brancherions notre système ordinateur pour transmettre les données au poste de commandement de la base de missiles de l'armée de l'air. De son côté, le poste de commandement analyserait les données reçues et effectuerait tous les calculs pour déterminer l'heure exacte du tir. L'attaque du pont ayant été minutieusement préparée, dans la mesure où les renseignements fournis par les postes d'observation seraient exacts, on n'aurait aucun mal à détruire le pont et le train.

Yu Xinye annonça que Jiang Guozhang et lui-même commanderaient les postes d'observation. La base de missiles serait sous la responsabilité de Lin Liguo et de Wang Fei. Zhou Yuchi et Jiang Tengjiao resteraient à Beijing pour attendre les ordres et orchestrer les liaisons. Xi Zhuxian et Zu Fuguang (un membre du groupe de Shanghai) conduiraient une brigade de choc issue des unités d'instruction dans un lieu secret situé près du pont où ils se cacheraient en attendant les ordres. Li Weixin et Han Hongkui assisteraient Chen Liyun à Hangzhou.

Le plan et le déroulement de l'attaque étaient les suivants : dès que le train du président Mao quitterait Hangzhou, les unités postées sur son trajet amorceraient les derniers préparatifs. Quand le train serait à dix kilomètres du pont et dans notre secteur d'observation, nous transmettrions les données nécessaires et les unités de missiles se prépareraient à attaquer. Il y aurait cinq groupes de quinze missiles chacun. Objectif : destruction simultanée du train et du pont.

Excepté mon groupe, tout le monde quitterait les lieux tout de suite après l'explosion du train. Mes hommes et la brigade de choc se chargeraient de fouiller les décombres pour trouver les corps de Mao Zedong et Wang Dongxing afin de les détruire complètement au lance-flammes. Aucun survivant ne devrait rester dans le train.

Une fois notre mission accomplie, un hélicoptère nous conduirait à Hangzhou. Là, des avions militaires nous ramèneraient à Shanghai et à Beijing.

Yu Xinye, Jiang Guozhang et moi-même restions en contact permanent. Lin Liguo était au poste de commandement de la base de missiles de l'armée de l'air, à 6,5 kilomètres de la base établie au pont, qui était reliée à notre système de communication.

Le 7 septembre, tard dans la nuit, nous reçûmes un message codé du poste de commandement du groupe de Shanghai : Lin Liguo avait été appelé à la villa de son père à Beidaihe. Il serait de retour dans un jour ou deux. Nous avions le feu vert.

Du poste de commandement de la base de missiles de l'armée de l'air, Wang Fei nous contacta pour nous avertir, en langage codé, qu'en l'absence de Lin Liguo il commanderait personnellement le tir.

Yu Xinye était de bien étrange humeur. Le visage d'une pâleur effrayante, il ne semblait guère se reposer, de jour comme de nuit. Il avait peur que quelque chose se détraque tout à coup dans notre installation. Il plaça quelques télémètres à chaque extrémité du pont, simplement dans l'éventualité d'une panne des systèmes électroniques. Il fit ensuite des essais en rapportant directement la distance et les vitesses du train évaluées d'après ses propres observations.

En voyant des soldats de la région militaire de Nanjing patrouiller le long de la voie de chemin de fer, il resta très calme. Il les avait déjà rencontrés et les rapports établis entre eux nous mettaient à l'abri de tout ennui.

Le 8 septembre, en début de matinée, nous reçûmes un rapport de Hangzhou. La veille, Mao Zedong avait exprimé le désir de quitter l'aéroport de Jian Qiao pour aller plus au sud, à Shaoxing. Le 8 au matin, son train prit cette direction.

Yu Xinye pensait que Mao pourrait retourner très bientôt à Shanghai et il nous dit d'être prêts à agir. Assis, immobile, en attendant les nouvelles il guettait le moindre mouvement sur la voie ferrée. Il était inquiet à l'idée que les hommes du second poste d'observation pouvaient prendre leurs aises et relâcher leur vigilance.

Le 8 septembre et le 9 au matin, il ne se passa rien. A 15 heures, le 9 septembre, Chen Liyun, du groupe de Shanghai, nous envoya un message codé. Lui et d'autres hauts dirigeants du Zhejiang venaient de voir le président quitter Hangzhou. Son train se dirigeait vers Shanghai.

Nous eûmes ensuite régulièrement des nouvelles du train. Le président se rapprochait de nous de plus en plus. Son train avait atteint la vitesse de 95 km/h.

Yu Xinye était très tendu. Une main crispée sur le micro, il monopolisait tout le réseau de transmissions. Il parlait sans arrêt avec Wang Fei au poste de commandement de la base de missiles et avec Lin Liguo qui venait de rentrer de Beidaihe. Leur conversation se limitait à quelques mots simples et au nombre de kilomètres séparant encore le train du pont.

Deux trains de sécurité, de quatre wagons chacun, précédaient le train de Mao. Ils atteignirent le pont. Deux minutes plus tard, le train du président Mao fut en vue (aussi bien sur l'écran de contrôle que de visu). Il roulait à vive allure. Pour nous tous qui le regardions venir, ce fut un moment angoissant.

Yu Xinye murmura : « Le voilà. » Le train était à présent à moins d'un kilomètre. L'ordinateur avait enregistré les données avec précision. La liaison entre nous, Lin Liguo et Wang Fei était parfaite.

Les six wagons tirés par deux locomotives seraient bientôt sur le pont. Il ne restait plus que dix-neuf ou vingt secondes à attendre lorsque, du poste de commandement, Wang Fei s'écria soudain : « Appel au pont ! L'ordre est annulé ! »

Nous eûmes tous un choc. Furieux, Yu Xinye hurla : « Tirez ! C'est insensé ! Dépêchez-vous de tirer ! »

Yu criant comme un fou, le train continua de traverser le pont.

Au poste de commandement, on restait muet.

Je pus voir le train passer tranquillement le pont et disparaître rapidement de notre champ de vision. Yu Xinye s'écria : « Bon sang ! C'est fichu ! »

On entendit enfin la voix de Lin Liguo dans les écouteurs. « Ordre au pont : interrompez tout ! » Puis, en code secret, il expliqua que les plans avaient été changés.

Yu Xinye arracha le fil du micro. Il se mit à jurer et à grogner en donnant des coups de poing dans les murs. Puis, excédé, il partit en jeep avec Jiang Guozhang pour aller voir Lin Liguo à la base de missiles.

A 20 heures, Yu Xinye nous téléphona (je ne sais pas exactement d'où) pour nous dire : « Évacuez le secteur et rejoignez la base aérienne n° 1 " village nouvelle Chine " à Shanghai où vous attendrez les ordres. »

Le lendemain, à peine avions-nous atteint Shanghai que Yu Xinye et Jiang Guozhang arrivèrent. Yu Xinye dit que Jiang Guozhang nous conduirait à une cachette située en bordure de la ligne ferroviaire Shanghai-Beijing, au kilomètre 185 au nord de Shanghai. Nous y établirions un poste d'observation. Les ordres étaient les mêmes que précédemment. Nous allions donc attaquer le président Mao sur son trajet de retour Shanghai-Beijing.

Pendant que Yu Xinye nous donnait les nouvelles instructions, je lui demandai pourquoi on avait annulé l'autre attaque.

Yu me répondit simplement : « Nous avons décidé d'attaquer Mao sur la dernière étape de son voyage de retour à Beijing. »

Puis, il nous exposa le nouveau plan en détail. « Nous attaquerons à un point situé à 185 kilomètres au nord de Shanghai. Nous utiliserons des missiles guidés sol-sol commandés à distance. A deux endroits situés à cinquante et à cent kilomètres de notre cible, nous placerons des appareils de surveillance électroniques permettant de contrôler le déplacement du train. A trente kilomètres au nord et au sud de la cible, nous installerons des systèmes de lancement automatiques contrôlés à distance. Lorsque le train sera à leur portée, les missiles pourront toucher droit au but. »

Pour plus de sécurité, Yu fit venir deux spécialistes pour installer un système de surveillance supplémentaire à trente kilomètres de la cible pour le cas où les appareils électroniques ne fonctionneraient pas. Cela permettrait de relier le système de communication existant sur le réseau ferroviaire et le système de commande de tir des missiles.

Je ne compris rien aux aspects techniques. Notre rôle était simplement de protéger tous ces systèmes sophistiqués et, après l'attaque, d'aider la brigade de choc. Celle-ci se cachait dans un entrepôt militaire situé à 1 500 mètres du kilomètre 185.

Je compris que les essais et les réglages de tout le système seraient effectués à partir du poste de commandement de la base de missiles.

Selon Yu Xinye, les missiles prévus avaient une puissance cinq fois supérieure à ce qui était effectivement nécessaire à la destruction du train. Ils seraient tirés un par un, et non simultanément comme cela avait été prévu pour le pont. La première salve de quinze missiles viserait la cible. Puis une seconde salve détruirait la voie ferrée à dix-huit kilomètres au nord et au sud de la cible pour empêcher l'arrivée éventuelle de troupes.

Yu Xinye se cachait non loin de la cible, en bordure de la voie ferrée Beijing-Shanghai, lorsqu'il reçut un message du poste d'observation avancé : le train de Mao Zedong se dirigeait vers le kilomètre 185. C'était le 11 septembre, aux environs de midi.

De Shanghai, Wang Weiguo n'avait pas encore contacté Yu Xinye. Comme précédemment, sa mission consistait à confirmer la présence de Mao dans le train. Yu s'accrochait désespérément au téléphone et à la radio pour essayer de le joindre.

Le train se rapprochait de plus en plus du kilomètre 185. Toujours aucune nouvelle de Wang Weiguo. Yu en était absolument désespéré.

Yu Xinye essaya ensuite de contacter Lin Liguo qui était reparti à Beidaihe. Quand il obtint enfin la communication, Li

Wenpu (la secrétaire de Ye Qun) lui dit que Lin était en ligne avec Wang Fei qui appelait du poste de commandement de la base de missiles.

Yu Xinye jura les grands dieux. Il nous ordonna de tout essayer pour joindre le groupe de Shanghai. Une fois la liaison établie, on nous annonça que rien ne confirmait la présence de Mao dans le train. Wang Weiguo restait absolument introuvable.

Encore une vingtaine de minutes et le train passerait au kilomètre 185. C'est alors que Wang Fei nous téléphona. Il venait de parler à Lin Liguo qui donnait l'ordre de tout stopper. Les hommes de Shanghai retourneraient à Shanghai et ceux de Beijing rentreraient à Beijing, pour attendre des instructions ultérieures.

Yu Xinye dit qu'il voulait rester en ligne avec Wang Fei et parler également à Lin Liguo. Il rappela Beidaihe. A ce moment-là, Wang Weiguo téléphona pour lui annoncer que le président Mao était bien dans le train.

Yu Xinye nous ordonna de nous tenir prêts. Jiang Guozhang, Wang Fei, Xi Zhuxian et moi-même devions normalement rester en contact.

Yu Xinye nous obligea à utiliser les lignes de l'armée de l'air, de la marine et de la région militaire de Nanjing pour appeler Beidaihe. Lorsque le standardiste me demanda mon nom et mon affectation militaire, je lui répondis : « Yu Yunshen, matricule 09109, secrétaire du vice-président Lin. »

Yu nous ordonna également d'utiliser l'émetteur-récepteur pour appeler le poste de l'armée de l'air de l'héliport des collines de l'ouest à Beidaihe. Une fois la communication établie avec le poste en question, ils nous dirent qu'ils ne connaissaient pas notre code et ne pouvaient donc pas transmettre notre message. Sur notre insistance, ils acceptèrent finalement de prendre le message, mais nous avions perdu beaucoup de temps.

Nous n'avions pas encore réussi à joindre Lin Liguo lorsque nous entendîmes le train. Yu Xinye contacta Wang Fei et lui dit qu'il fallait passer immédiatement à l'attaque ; on se préoccuperait du reste plus tard. Wang Fei refusa d'en donner l'ordre. Yu Xinye se mit en colère et hurla comme un fou au téléphone.

A ce moment-là, Jiang Guozhang et moi annonçâmes à Yu que la cible était en vue.

C'était bien le train qui avait traversé le pont l'autre jour. Cette fois, il roulait beaucoup moins vite, sans doute à 55-60 km/h.

Yu Xinye regarda le train. Toujours en ligne avec Wang Fei, il lui hurla : « Vous le voyez ? Vous le voyez là-bas ? » Wang Fei dit que son appareil de contrôle indiquait que le train avait encore 1 600 mètres à parcourir avant d'atteindre le kilomètre 185.

« Préparez-vous à attaquer ! C'est du suicide si on n'attaque pas ! Vous comprenez ? Répondez-moi ! » Wang Fei répondit : « Préparez-vous aux manœuvres. » Ce qui, dans le code de Lin Liguo, signifiait d'annuler l'attaque. « Vous êtes fou ! C'est un crime ! C'est du suicide ! Vous ne l'emporterez pas au paradis, Wang Fei ! »

Yu Xinye frappa sur la table avec son pistolet. Jiang Guozhang, les autres et moi regardâmes le train sans rien dire. A l'autre bout du fil, Wang Fei ne dit rien non plus.

Lorsque le train passa au kilomètre 185, Yu Xinye envoya valser le téléphone et nous souffla : « Allez. Préparez-vous à attaquer. »

Nous étions prêts depuis longtemps. Nous attendions les ordres, mais il n'y en eut pas. Il n'y eut pas de tir de missiles. On n'entendit aucun autre bruit que celui du passage du train.

Une fois de plus, le train du président Mao était passé tranquillement dans notre secteur d'attaque, avant de s'éloigner peu à peu.

Xi Zhuxian téléphona pour nous demander ce qui se passait. Il dit que Wang Fei avait déjà appelé pour nous ordonner de retourner tous à Shanghai. Jiang Guozhang demanda à Yu Xinye de prendre le combiné pour répondre. Yu refusa. Tremblant, le visage blême, il regardait le kilomètre 185.

Dix à quinze minutes plus tard, nous reçûmes enfin un appel de Beidaihe. Je répondis. C'était Li Wenpu, le secrétaire de Ye Qun. Li me dit que Lin Biao et Ye Qun venaient de partir pour l'aéroport de Shanhaiguan ; Lin Liguo les raccompagnait à Beijing. Lin Liguo avait laissé un message pour Yu Xinye : « Ne vous en faites pas. »

Lorsque je transmis le message à Yu Xinye, il ne réagit pas. Au bout d'un moment, il recommença à frapper sur la table avec son pistolet et il dit : « Ah ! si j'avais pu avoir Wang Fei à portée de mon pistolet... nous aurions gagné, à présent [2] ! »

12.

Si l'on veut comprendre pourquoi l'opération fut annulée au dernier moment, il faut revenir sur les activités antérieures de Lin Liguo.

Au tout début de l'élaboration du Projet 571, Lin avait été enthousiasmé par l'idée, émise lors d'une discussion avec Yu Xinye, d'utiliser les missiles de l'armée de l'air pour tuer Mao Zedong, mais il n'avait qu'une notion assez vague de sa réalisation pratique. Bien que numéro 2 du département des Opérations, il ne s'était pas encore tout à fait familiarisé avec les connaissances techniques que Lu Min, chef du département, avait essayé de lui enseigner. Il avait tendance à se consacrer aux seuls sujets qui l'intéressaient, et ce qui le passionnait alors le plus, c'était de voler. Les détails de l'attaque par des missiles, proposée par Yu, lui échappaient.

Pourtant, lorsqu'il se mit à étudier les rapports top secret préparés par les forces des missiles de l'armée de l'air à l'attention de Wu Faxian et d'autres officiers supérieurs, il fut convaincu que l'utilisation des missiles était la meilleure tactique pour le Projet 571.

Les documents apportaient une foule de détails sur l'aménagement, l'emplacement, la composition et la puissance de ces unités, des instructions aux officiers quant à l'utilisation tactique des missiles, des fiches signalétiques sur les commandants aux divers échelons et des consignes particulières pour les cas d'urgence. Lin Liguo en tira une confiance inébranlable dans la réalisation du plan.

Pour s'entraîner, Lin Liguo décida d'organiser un exercice au cours duquel les troupes tireraient des munitions réelles. D'ordinaire, un tel exercice ne pouvait être organisé sans l'autorisation du commandant en chef et devait se dérouler sur un champ de tir spécial. Ces deux règles furent transgressées, mais la réussite de l'exercice confirma les espoirs de succès de Lin[1].

Lorsque Lin Liguo et Wang Fei quittèrent enfin Beijing pour établir leur poste de commandement à la base de missiles près de Shanghai, ils se munirent d'un document top secret en bonne et due forme à présenter aux unités concernées. Le document stipulait que les premier et deuxième commandants des forces des missiles seraient sous les ordres du chef d'état-major adjoint Wang Fei et du directeur adjoint du département des Opérations de l'armée de l'air Lin Liguo durant un exercice d'attaque surprise.

Bien que sous le commandement de l'armée de l'air, les deux responsables de l'unité n'avaient jamais travaillé avec des officiers de haut niveau du quartier général et ils étaient tout prêts à accepter l'autorité de Lin et Wang. Un seul mot et, sans poser de questions, ils appuieraient sur le bouton déclenchant le tir des missiles. Après tout, Lin Liguo était le fils du chef militaire qu'ils adoraient tous. Rien que ce détail suffisait à garantir un certain degré d'obéissance. Lin Liguo prenait de grands risques en assurant le commandement de telles activités, mais sa présence devait assurer un déroulement normal des choses.

Le poste de commandement des forces des missiles avait été installé dans un petit bâtiment en ciment comportant un étage et un sous-sol. Les commandes se trouvaient en face du pupitre de contrôle automatique comportant d'un côté un grand écran de contrôle.

Lorsque Lin Liguo arriva enfin au poste de commandement, son premier ordre fut de faire retirer les ogives prévues pour un tir sol-air pour les remplacer par de plus puissantes, destinées à des cibles au sol et fabriquées spécialement pour ces missiles par les cinquième et septième ministères des Industries mécaniques de Chine. La voie ferrée devait servir de cible pour les exercices : cela surprit les troupes sans toutefois éveiller leurs soupçons.

Le 7 septembre 1971, à midi, Lin Liguo était assis dans le poste de commandement. Il faisait chaud. Une vague de chaleur s'était abattue sur tout le secteur. Pas d'air conditionné dans le bâtiment. Lin portait une chemisette en soie rentrée sous la ceinture de son pantalon bleu de l'armée de l'air. Dans son étui en cuir, il avait un petit pistolet chinois de type 8-1. Il s'épongeait sans cesse le visage, buvait de l'eau fraîche et grognait contre la température excessive.

A côté de lui se trouvait l'officier de service, Hou Tingfang. A cinquante-cinq ans, c'était un officier de première valeur qui possédait une longue expérience de chef de compagnie et de bataillon ; il était également tireur d'élite. Il portait des lunettes, aimait le thé bien fort et ne se séparait jamais de son chapeau, même en pleine chaleur. Son ulcère lui donnait le teint bilieux et l'air hagard, mais il conservait toujours tout son dynamisme.

Lin Liguo et Hou établirent d'excellents rapports. Dès que Lin aurait confirmation que le train de Mao se dirigeait vers Shanghai, il donnerait l'ordre de se préparer. Alors, Hou commanderait immédiatement à ses hommes de se mettre aux postes de combat et de se tenir prêts à tirer. Quand le train de Mao se rapprocherait de la « cible n° 1 », le pont entre Hangzhou et Shanghai, la vitesse du train serait calculée par un appareil électronique au poste d'observation. Dès que le poste de commandement recevrait les données, il resterait dix à quinze secondes pour prendre la décision du tir.

Wang Fei et un autre officier de la base de missiles dormaient dans le salon, prêts à prendre la relève. Si l'on annonçait le départ du train de Mao pour Shanghai alors qu'ils étaient de veille, Lin Liguo serait prévenu pour diriger lui-même l'attaque.

126

Ce jour-là, à 13 h 15, le téléphone de Lin Liguo sonna. En entendant la voix de son interlocuteur, il comprit que ce n'était pas la nouvelle qu'il attendait. C'était un appel de Beijing et Zhou Yuchi était au bout du fil.

Zhou dit à Lin que sa mère, Ye Qun, lui demandait de venir immédiatement à Beidaihe. Lin Biao voulait lui parler. Zhou précisa qu'il avait déjà tout prévu pour son déplacement. Un hélicoptère accompagnerait Lin Liguo à l'aéroport Hengqiao de Shanghai où un avion l'attendait.

Lin Liguo s'inquiéta de savoir s'il s'agissait de la santé de son père. Zhou lui assura que non. Lin Liguo comprit néanmoins qu'il s'agissait de quelque chose de très important. Se contenter de téléphoner à Beidaihe ne suffirait pas. Il dit à Zhou Yuchi d'annuler l'hélicoptère ; il risquait d'attirer bien trop l'attention en atterrissant au milieu de la base de missiles.

Alors, Lin Liguo fit venir Wang Fei. Pendant son absence, Wang aurait les pleins pouvoirs sur les opérations de l'Escadre de l'Union.

Lin Liguo et deux gardes du corps montèrent tout de suite dans une jeep et filèrent vers Shanghai. Ils arrivèrent sur une zone déserte de l'aéroport Hengqiao où attendait un avion de transport de fabrication soviétique AN-24. Il appartenait à la 34e division et s'était posé à Shanghai pour refaire les pleins. C'est alors qu'il avait reçu l'ordre de s'apprêter à repartir pour l'aéroport de Shanhaiguan près de Beidaihe.

Lorsque l'avion de Lin Liguo arriva à Shanhaiguan, il était déjà 21 h 50. Une voiture l'attendait : Lin Biao avait envoyé un de ses chauffeurs personnels.

Dans un cadre magnifique, au milieu de plages de sable fin, sous une brise agréable, les collines de l'ouest de Beidaihe étaient la station balnéaire des plus hauts dirigeants chinois. Lin Biao y habitait un bâtiment gris à deux étages appelé « bâtiment 69 ». Construit en forme de H, il était entouré d'arbres, de pelouses et de collines constituant une zone interdite surveillée par les gardes personnels de Lin Biao.

Lorsque Lin Liguo arriva à Beidaihe, son père était déjà couché. Il passa la nuit au bâtiment 65 où, à deux reprises, il

127

essaya de joindre Wang Fei à la base de missiles près de Shanghai.

Le lendemain matin, 8 septembre, Lin Liguo prit son petit déjeuner avec son père dans le bâtiment 69. L'après-midi, ils prirent leur limousine « Drapeau rouge » et se rendirent sur la côte, à Dongshan, pour voir les vagues. Ce n'est qu'en fin d'après-midi, après leur retour à la villa, qu'ils commencèrent à discuter sérieusement.

Le secrétaire de Lin Biao, Yu Yunshen, qui avait participé à l'élaboration du « Projet de la montagne de la tour de jade », assistait à la discussion. Il était là pour protéger Lin Biao qui, décidément, se méfiait de tout le monde, même de son propre fils. (Cependant, contrairement à Mao, Lin Biao n'allait pas jusqu'à désarmer ses visiteurs. En l'occurrence, il considérait les armes de son fils comme une forme de décoration personnelle.)

Les conversations de ce jour-là furent rapportées par Yu :

... Tandis qu'ils étaient à la plage, Lin Biao demanda à Lin Liguo à quoi lui faisaient penser les vagues de l'océan. Lin Liguo hésita à répondre. Alors, Lin Biao l'avertit qu'il s'agissait d'un test.

Après un instant de réflexion, Lin Liguo pensait toujours qu'il n'y avait rien à dire et il se mit à rire d'un air penaud.

Lin Biao lui dit que sa réponse était excellente.

Intrigué, Lin Liguo lui demanda des explications. Après tout, il n'avait rien dit.

Lin Biao lui répondit que la bonne réponse était justement de ne pas donner de réponse. Il dit que tout ce qui n'était pas entièrement exact... était faux. Il ne faut pas faire croire qu'on a compris quelque chose si ça n'est pas le cas.

En restant dans la voiture, ils continuèrent à regarder les vagues de l'océan, et Lin Biao ne s'était toujours pas enquis des activités personnelles de Lin Liguo.

A cinq heures, après une sieste d'une heure, Lin Biao me demanda d'aller chercher Lin Liguo dans sa chambre où attendait également Ye Qun.

La chambre de Lin Biao n'était pas luxueuse. Elle était assez grande, mais austère. A cause de tous les agrès s'y trouvant, elle ressemblait plutôt à un gymnase. Par exemple, il y avait un petit échafaudage de barres métalliques du genre de ceux qu'on trouve pour les enfants dans les squares. Lin Biao aimait bien y faire quelques exercices. Bien chauffée, isolée par des fenêtres à triple

128

vitrage, des murs épais et un revêtement d'isolation phonique supplémentaire, la pièce était aussi calme qu'une tombe. Lin Biao pensant que trop de clarté nuisait à la santé, les rideaux étaient tirés toute la journée. La pièce n'était éclairée que par des lampes à ultraviolets.

Lin Biao ne modifiait en rien ses habitudes lorsque son fils venait lui rendre visite. Enveloppé dans une couverture marron, il se vautrait sur son siège. Je branchais le système de brouillage. (Ye Qun craignait que la pièce soit truffée de micros, et ils utilisaient ainsi trois appareils différents pour brouiller les systèmes d'écoute.)

Près de la chambre se trouvait une pièce plus petite où Lin Biao subissait ses fréquents examens médicaux. Avant l'arrivée de Lin Liguo, Ye Qun me demandait de m'y cacher pour surveiller tout ce qui se passait dans la pièce principale. A tout moment, je devais être prêt à secourir le maréchal.

La première fois que le jeune Lin vint, lui et son père parlèrent des différences de climat entre Shanghai, Beijing et Beidaihc. Puis, Lin Liguo dit : « Les camarades qui travaillent avec moi t'adressent leurs salutations. Ils te souhaitent longue vie. »

Éclatant de rire, Lin Biao répondit : « Longue vie ! Longue vie ! N'y a-t-il pas dans ce pays qu'une seule personne pouvant se vanter de cela ? Comment peut-on faire un pareil souhait au numéro 2 ? Qu'est-ce que cela peut bien vouloir dire ? »

Lin Liguo répliqua : « Mais tu es le successeur du président... »

Aussi sec, Lin Biao riposta : « Le successeur ? Et toi, que penses-tu de cette succession ? »

Pour la seconde fois ce jour-là, Lin Liguo n'eut rien à répondre.

Alors, Lin Biao alla droit au but. « Tigre, un jour tu m'as demandé si le président Mao était un homme de parole. C'était après toute cette publicité faite à propos de ce qui s'est passé au « Grand Neuf » (le IXe Congrès du Parti). A l'époque, je t'ai simplement dit : " A toi de juger. " De toute évidence, tu as bien réfléchi à tout ça. Tu as même fait preuve de courage. Tu n'as aucune illusion à te faire sur cet homme. Bien des événements ont prouvé que le vieux renard ne sait pas agir autrement qu'en faisant le mal ou en trompant les autres. Il ne survivrait pas un seul jour en étant honnête. Nous devons lui faire goûter ses propres remèdes. Nous devons faire échouer ses projets. »

Lin Liguo répondit qu'il était entièrement d'accord avec son père.

« Cependant, dit Lin Biao, nos méthodes sont différentes. Je n'aurais jamais songé avoir recours à des moyens aussi inconsidérés que faire sauter son train avec des missiles. »

Lin Liguo n'en crut pas ses oreilles.

129

« Comment l'as-tu appris ? » balbutia-t-il.

Lin Biao sourit et ne répondit pas immédiatement. Il laissa Ye Qun l'aider à se lever et à aller jusqu'au canapé, derrière la petite table où il rédigeait généralement ses papiers. Il mit ses lunettes et fouilla dans ses tiroirs tout en disant : « Je sais bien d'autres choses. »

Il feuilleta quelques documents qu'il tendit ensuite à Lin Liguo. « Tiens, jette un coup d'œil là-dessus ! »

La main tremblante, Lin Liguo prit les documents.

Je savais que le premier document comprenait trois photographies. La première était le portrait banal d'un militaire, la deuxième était une photo de dossier du même homme et la troisième était un cliché du cadavre de cet homme tué par balles. Sur cette troisième photo, les impacts des balles étaient bien visibles sur la tête de l'homme, mais on pouvait tout de même reconnaître qu'il s'agissait de l'officier de l'armée de l'air de la région militaire de Nanjing qui avait appris à Wu Faxian l'existence d'un coup d'État projeté par l'Escadre de l'Union. C'était Ding Siqi.

Un commentaire détaillé accompagnait les photographies.

Le second document était un rapport approuvé et commenté par Wu Faxian. Les auteurs du rapport appartenaient tous deux à l'unité des missiles. Zhao Shangtian en était le chef du bureau politique de Shanghai, et Bi Ji, le chef d'état-major. Leur rapport faisait l'éloge du comportement de Lin Liguo sur leur base, le qualifiant d'exemplaire pour tous les commandants. De toute évidence, ils avaient fait ce rapport pour essayer de plaire à Lin Liguo en le flattant par-derrière et en espérant bien qu'il l'apprendrait. Mais ils ne parvinrent qu'à révéler l'existence de l'exercice secret en cours[2].

Wu Faxian avait décidé d'utiliser le rapport pour se débarrasser du fardeau des activités de Lin Liguo et le transmettre à son père. Étant donné qu'il s'était compromis dans le coup d'État de Lin Biao, abandonnant ainsi toute possibilité de le dénoncer à Mao Zedong, il n'avait plus aucune raison de se taire sur les activités secrètes de Lin Liguo. Mais il savait qu'il devrait y aller en douceur. Chez les Lin, les rapports père-fils étaient difficiles et il n'avait guère envie de s'en mêler.

Wu affirma qu'il était tombé sur ce rapport par hasard, qu'il n'en voulait absolument pas à Lin Liguo pour ses activités et qu'au contraire il s'inquiétait pour lui. Il conseilla vivement aux auteurs du rapport de se taire à l'avenir, puis il en soumit une copie à Ye Qun.

Ye Qun fut consternée par son contenu. Elle demanda à Wu d'en savoir plus. Wu put dire qu'il avait chargé Zhou Yuchi de l'affaire. Grâce au merveilleux travail de Zhou, qui agissait parfois au-delà de ses attributions normales, ils étaient en mesure d'éviter à Lin Liguo les pires conséquences de ses activités [3].

Plus tard, Wu montra à Ye Qun une grande partie des documents qu'il avait rassemblés. A son avis, elle et Lin Biao devaient avoir une explication avec leur fils. Il leur demanda de ne pas révéler leur source d'information et ils acceptèrent.

Le rapport de Yu Yunshen poursuit :

Ye Qun parla à Lin Liguo d'une voix très émuc : « Bébé tigre, tu ne te rends pas compte des dangers de tout ça ? Pourquoi n'en as-tu pas parlé à ton père avant de passer à l'action et de risquer ta vie comme ça ? Ce n'est pas une plaisanterie. Si tu agis à la légère, nous y perdrons tous notre tête. »

Lin Liguo répondit : « Bon, que peut-on faire ? On n'a qu'à croiser les bras et attendre qu'ils viennent nous chercher avec la hache. »

Lin Biao intervint : « Retourne vite à Shanghai dire à ces hommes de tout stopper immédiatement. Vous, les jeunes, vous ne réfléchissez jamais assez longtemps. Le vieil homme n'est pas sénile à ce point. Crois-tu qu'il se laisserait supprimer par un blanc-bec comme toi ? Bien sûr, il faut faire quelque chose. Mais pas comme ça. Ce n'est pas si facile. Je m'y prépare moi-même depuis quelque temps maintenant. »

Auparavant, Lin Biao avait songé à employer une méthode assez semblable à celle de son fils. Mais Lin Biao avait pour habitude de ne s'engager dans une bataille qu'avec la certitude de la remporter. La réussite d'une pareille attaque dépendait du bon fonctionnement des missiles. Lin Biao avait tendance à faire plus confiance aux hommes qu'à l'armement moderne.

Lin Liguo insista : « Tu ne sais pas tout. Il suffit qu'il passe dans notre secteur et nous sommes absolument sûrs de l'avoir.

— Et si tes renseignements sont faux ? Comment peux-tu être certain que le président est dans ce train ? Si tu attaquais le mauvais train, ne serait-ce pas comme donner des coups dans l'herbe pour alerter le serpent ? Alors, nous ne pourrions nous échapper nulle part. »

Lin Biao essaya de le raisonner, puis il soupira et mit un terme à la conversation. « Cela ne sert à rien de discuter. Personne ne compromettra mes plans, toi encore moins que les autres. Il n'y a qu'un seul moyen : le " Projet de la montagne de la tour de jade ". Même si tu étais en mesure de te débarrasser de lui, ce n'est pas le bon moment. Il faut également penser à prendre le pouvoir. Il est toujours gênant qu'un coup d'État ressemble trop à ce qu'il est. Cela pourrait déclencher une guerre, une grande guerre civile. Et alors ? Tu ne crois pas que tout retomberait sur moi[4] ? »

En quittant Beidaihe pour retourner à Shanghai, Lin Liguo avait tout appris sur le « Projet de la montagne de la tour de jade ». Il savait que son père en était l'auteur et qu'il disposait du soutien de presque tous les hauts dirigeants de l'armée. Il savait aussi que son père espérait bien sa collaboration, maintenant qu'il trempait dans le secret. La tentation était grande. La pression que son père exerçait sur lui était encore plus grande.

Cependant, la première fois qu'il retourna à son poste de commandement, le 9 septembre, il ne put se résoudre à annuler toute l'opération. Il avait appris que Mao était bel et bien dans le train. Tout était en ordre. Il attendit vraiment la dernière minute pour renoncer à l'attaque. Sachant à quel point ses camarades étaient furieux et étant bien peu disposé à abandonner un projet qu'il avait si minutieusement élaboré et qui était si près de réussir, il envisagea une seconde opération sur la voie de chemin de fer Shanghai-Beijing. Puis, retournant une deuxième fois à Beidaihe le 10 septembre au soir, il essaya encore de convaincre son père de l'ingéniosité de ses plans. Mais, une fois de plus, Lin Biao ne voulut rien entendre, et Lin Liguo dut renoncer définitivement.

13.

Ce fut seulement après que le train de Mao eut passé sans dommage le piège tendu par l'Escadre de l'Union sur le pont, prévu comme « première cible », que Yu Xinye apprit vraiment pourquoi on avait renoncé à l'attaque. Il fut furieux de comprendre que ça ne dépendait absolument pas de problèmes techniques, comme il l'avait supposé, mais de « gens d'en haut », autrement dit de Lin Biao.

Lin Liguo ne révéla pas à ses collaborateurs qu'il s'était faussement servi du nom de son père pour sanctifier l'opération « missiles » de l'Escadre de l'Union. Il ne dit pas non plus que son père avait ses propres plans et que, ayant découvert ceux de l'Escadre de l'Union, il s'y était formellement opposé. S'en tenant aux explications de Lin Liguo, Yu ne l'importuna jamais avec la question : « Pourquoi Lin Biao a-t-il brusquement changé d'avis ? »

Yu intercéda donc auprès de Lin Liguo pour ne pas annuler toute l'opération « missiles », mais la transférer à un autre endroit sur la voie de chemin de fer Shanghai-Beijing. Il pourrait servir de plan de réserve au cas où Lin Biao se laisserait convaincre à la dernière minute. Yu déclara que les éléments fondamentaux du projet initial — le système de communication en code secret et l'attaque même du train de Mao, par exemple — pouvaient être laissés tels quels.

Yu n'était pas un spécialiste ni un passionné de politique

ou de stratégie. L'aventure et les sensations fortes l'attiraient par-dessus tout. Il avait entièrement confiance dans un tir de missiles ; il y voyait autant un événement spectaculaire qu'une promesse de lancement réussi du coup d'État. Il argumenta sans cesse en faveur de cette idée et il finit même par se jeter aux pieds de Lin Liguo en déclarant avec passion qu'il préférerait se suicider plutôt que d'accepter le rejet de l'opération « missiles » par Lin Biao.

Sur l'insistance de Yu, Lin Liguo finit par accepter l'idée du plan de réserve. Pour sa part, il souhaitait mieux connaître le projet de son père avant de l'adopter. Il pensait pouvoir gagner du temps, en attendant des ordres précis de Lin Biao, avant d'arrêter sa décision.

Dans la nuit du 10 septembre, Lin Liguo prit un avion privé de l'armée de l'air pour se rendre de Shanghai à l'aéroport de la banlieue ouest de Beijing. A l'aube, lui et Zhou Yuchi montèrent à bord d'une Alouette, hélicoptère français, qui les emmena à l'héliport provisoire des collines de l'ouest à Beidaihe. Dans l'hélicoptère, ils évoquèrent leurs souvenirs des premiers jours de la création de l'Escadre de l'Union lorsque, ensemble, ils apprenaient à piloter un hélicoptère sous les conseils d'un des meilleurs pilotes de la 34e division, Chen Shiyin.

Le 11 septembre, Lin Biao convoqua son fils à une réunion. Lin Biao était en uniforme, une fois n'est pas coutume, et il paraissait d'excellente humeur. La réunion eut lieu dans le bureau de Lin Biao au bâtiment 69. C'était un grand bureau, mais il était bien plus simple que celui de beaucoup d'autres dirigeants de haut niveau. Dans cette pièce, il n'y avait ni cartes, ni tables, ni « caisse à sable », ni aucun autre matériel du genre.

Deux membres de l'Escadre de l'Union, Zhou Yuchi et Liu Peifeng, étaient présents à la réunion en plus du garde du corps de Lin Biao et de son secrétaire, Yu Yunshen. Lin Biao avait longuement réfléchi avant d'associer à ses plans l'Escadre de l'Union de Lin Liguo. Désormais, ce n'était pas le fils qu'il convoquait en Lin Liguo, mais le commandant en chef de son équipe d'assaut.

Lin Biao commença par exposer les lignes générales de

son « Projet de la montagne de la tour de jade », en expliquant les points fondamentaux de la tactique et le rôle de l'Escadre de l'Union. Il dit que Mao serait de retour de voyage vers la fin septembre, avec probablement aucun autre projet de déplacement avant le 1ᵉʳ octobre, fête nationale. Dans l'intervalle — le 25 septembre étant donné comme date provisoire — éclaterait un conflit armé sino-soviétique. En l'espace de cinq jours, le conflit serait cinq à dix fois plus important qu'au début (en termes d'étendue des lignes de front et d'effectifs des forces engagées). Alors, la situation serait devenue tellement critique que la cérémonie anniversaire de la République populaire de Chine, prévue normalement place Tiananmen devant environ 650 000 personnes, serait annulée. La suppression de cette cérémonie serait pour les Chinois la préparation psychologique à un événement marquant.

En deux semaines, la guerre se serait étendue au moins à la Mandchourie et à une grande partie du nord de la Chine. Lin Biao et Mao Zedong devraient élaborer ensemble une stratégie de contre-offensive.

En prétextant que les Soviétiques pourraient pénétrer le nord de la Chine en lançant des attaques aéroportées, Lin Biao conseillerait de poster trois divisions de sa fidèle armée de campagne sur les collines de l'ouest pour défendre Beijing. Il recommanderait à Mao et à ses hauts conseillers d'aller se réfugier, par mesure de sécurité, dans le poste de commandement souterrain du Comité central situé dans la « montagne de la tour de jade ». Lin Biao comptait sur la probabilité qu'en cas de conflit sino-soviétique ni Mao ni Zhou ne serait très au courant de la situation véritable. Lin n'éprouverait aucune difficulté à les convaincre de l'imminence d'un grave danger et de la nécessité pour Mao d'aller se réfugier dans les installations souterraines.

Alors que Mao serait dans la « montagne de la tour de jade », Lin Biao se réfugierait tout près de là, dans les installations « numéro 0 * », pour prendre le haut commandement.

---

* Ce n'est pas le nom véritable.

Les deux ensembles avaient été construits après la scission dans les relations sino-soviétiques en 1959, à une époque où Mao et ses conseillers pensaient que la guerre, peut-être la guerre nucléaire, était inévitable. Pendant quelques années, des millions de gens avaient été mobilisés pour construire des abris souterrains d'urgence dans quatre grandes villes. Beijing en possédait deux : les installations de la « montagne de la tour de jade » et les installations « numéro 0 » dans les collines de l'ouest.

Dans la banlieue de Beijing, la « montagne de la tour de jade » est le site de nombreux temples anciens où les empereurs des dynasties Ming et Qing avaient l'habitude de payer leur tribut. Une fois les communistes au pouvoir, beaucoup de ces temples impériaux furent transformés en résidences secondaires pour des dirigeants de haut niveau. Au début des années soixante fut ajouté l'abri souterrain. A une profondeur de trois à dix mètres au-dessous du sol, l'importante structure était d'abord destinée à servir de vaste complexe administratif où les organes du Comité central pouvaient gérer les affaires du Parti, de l'armée et du Conseil de l'État. Les installations bénéficiaient d'une excellente aération, d'appareils de désinfection et de logements confortables. Les stocks de denrées alimentaires et de biens de consommation courante étaient suffisants pour permettre aux occupants des lieux de vivre au moins trois ans. Plus tard, on avait construit dans l'abri des tunnels partant dans diverses directions. Le plus long faisait dix kilomètres. Il avait fallu plus de huit ans pour le creuser. Il débouchait au pied des collines de l'ouest et reliait les installations de la « montagne de la tour de jade » au poste de commandement militaire souterrain « numéro 0 ».

De construction et d'aménagement identiques à ceux de l'abri de la « montagne de la tour de jade », l'abri « numéro 0 » fut prévu pour le commandement suprême de l'armée. Il fut équipé de systèmes de communication très sophistiqués (radio, téléphone, télégraphe) permettant, en cas d'urgence, de transmettre des ordres à tous les quartiers généraux militaires du pays.

Lin Biao expliqua qu'un grand quartier général et un

poste de commandement opérationnel seraient prévus dans les installations « numéro 0 ». Le grand quartier général assumerait le commandement suprême et prendrait les décisions importantes. Lin Biao en serait le commandant en chef, assisté par sa femme et quatre adjoints. Il prendrait les grandes décisions telles que l'organisation du coup d'État, les négociations avec les Soviétiques et les affectations aux postes clés.

Aux opérations, Lin Liguo assumerait le plus haut commandement avec pour commandants adjoints Huang Yongsheng, Wu Faxian, Jiang Tengjiao et Zhou Yuchi. Les commandants des opérations donneraient des ordres précis aux troupes engagées dans l'attaque de la « montagne de la tour de jade ».

Lin Biao décrivit ensuite les troupes prévues pour le coup d'État. Elles seraient divisées en deux forces d'intervention : l'une stratégique et l'autre tactique. La force stratégique serait composée de trois divisions appartenant à des armées de campagne, deux détachées de la 38ᵉ armée et une de la 40ᵉ.

La 38ᵉ armée cantonnait normalement en bordure de la ligne de chemin de fer entre les villes de Baoding et Shijiazhuang dans la province de Hebei. Elle était en majorité composée d'hommes que Lin avait peu à peu transférés de Mandchourie au début de la Révolution culturelle. Ces troupes étaient motorisées et organisées selon le système quaternaire ; c'est-à-dire qu'il y avait quatre divisions, composées chacune de quatre régiments possédant quatre bataillons chacun, avec quatre compagnies pour chaque bataillon. C'était une répartition bien plus efficace que le système ternaire normalement adopté dans la plupart des armées de campagne. L'armée comptait un total d'environ 66 000 soldats, dont 12 000 en soutien logistique, équipés de 460 chars dont 118 de première classe. En outre, l'armée possédait des canons automatiques, des missiles guidés sol-sol et d'autres armements lourds.

Comme la 38ᵉ armée, la 40ᵉ était constituée de troupes motorisées fidèles à Lin. On les appelait « l'atout » de la région militaire de Shenyang. Elles seraient envoyées dans le secteur Jingzhou-Shanhaiguan et placées sous le commandement de Huang Yongsheng.

Lin Biao dit que ces divisions seraient envoyées dans les collines de l'ouest, avec pour mission d'encercler et de désarmer l'Unité 8341 cantonnée à la « montagne de la tour de jade ». Une fois le secteur totalement sous leur contrôle, les hommes bloqueraient tous les accès, excepté le passage menant au quartier général « numéro 0 », sous prétexte de protéger Mao.

Alors, la force tactique — l'équipe d'assaut constituée de membres de l'Escadre de l'Union — s'infiltrerait dans l'abri de la « montagne de la tour de jade » par le seul tunnel ouvert. Mao et d'autres dirigeants pris au piège seraient assassinés.

Selon Lin Liguo, après l'encerclement de l'abri et le désarmement de l'Unité 8341, il était préférable de neutraliser les hommes se trouvant à l'intérieur des installations en injectant du napalm et des gaz mortels avant d'envoyer l'équipe d'assaut terminer le travail. Lin Liguo prédit : « Ainsi, nous éviterons des combats inutiles. L'anéantissement sera plus propre... et plus sûr. »

Appréciant cette proposition, Lin Biao l'accepta. Il ajouta que les formidables installations souterraines étaient presque inattaquables de l'extérieur, ce qui donnait à leurs hommes un gros avantage.

Une fois l'attaque terminée, les troupes tactiques occuperaient les installations d'utilité publique de Beijing et couperaient toutes les communications, excepté celles nécessaires aux postes de commandement. L'Unité 8341 de Mao et le commandement de la garnison de Beijing ne pourraient pas réclamer de renforts extérieurs.

Lin Biao expliqua que, tout de suite après le déclenchement du coup d'État, les stations chinoises de radiodiffusion de la chaîne centrale feraient une communication officielle au nom de la commission des Affaires militaires. Il serait annoncé que Mao Zedong et Lin Biao étaient tous deux la cible d'un groupe subversif et que, pour défendre la nation contre ces dangereux contre-révolutionnaires, un coup d'État militaire était effectué. Une fois la situation stabilisée, on révélerait progressivement les méfaits de Mao et le rôle de Lin. Ceux qui avaient subi la tyrannie de Mao auraient une chance de retrouver leur dignité.

Les commandants et les commissaires politiques de toutes les grandes régions militaires seraient convoqués à une réunion. Lin en profiterait pour remplacer plusieurs dirigeants par ses propres favoris.

Lin Biao et Lin Liguo énumérèrent les responsables de l'Escadre de l'Union susceptibles d'apporter leur soutien au « Projet de la montagne de la tour de jade ». Il y avait :

Wang Pu, commandant de l'armée de l'air de la région militaire de Guangzhou.

Gu Tongzhou, chef d'état-major général de l'armée de l'air de la région militaire de Guangzhou.

Tiang Jun, commissaire politique du Second Institut technique de l'armée de l'air.

Lu Min, chef du département des Opérations de l'armée de l'air.

Wang Shaoyuan, commandant de l'armée de l'air de la région militaire de Lanzhou.

Hu Ping, chef d'état-major adjoint de l'armée de l'air et commandant de la 34e division.

Liu Jinping, directeur de l'Aviation civile chinoise.

Wu Dayun, officier de la Sécurité du quartier général de l'armée de l'air.

Wang Bingzhang, commandant adjoint de l'armée de l'air et ministre au 7e ministère chinois des Industries mécaniques.

Zeng Guohua, commandant adjoint de l'armée de l'air.

Shi Niantang, chef du bureau général du Dispatching de l'armée de l'air.

Pan Jingyin, commissaire politique adjoint de la 34e division de l'armée de l'air et pilote.

Zhang Yonggeng, commissaire politique de l'armée de l'air de la région militaire de Shenyang.

Li Jitai, commandant de l'armée de l'air de la région militaire de Beijing.

Wang Weiguo, commissaire politique de la 4e armée aérienne.

Bai Chongshan, chef de la 5e armée aérienne.

Liang Pu, chef d'état-major de l'armée de l'air.

Lin Biao indiqua également qu'afin d'obtenir un contrôle politique absolu sur tout le pays, une communication officielle, signée soi-disant par Mao, serait faite plaçant la nation sous le contrôle de l'armée et désignant Lin Biao comme chef suprême de la Chine. Ce communiqué public permettrait d'éviter toute insurrection armée et un mécontentement des masses populaires. Huang Yongsheng et Wu Faxian avaient déjà préparé tous les documents nécessaires.

Lin à la tête du pays, tous les personnels de l'armée et de la police recevraient leurs ordres directement du quartier général suprême. En outre, la commission de Contrôle des affaires militaires établirait un tribunal *ad hoc* pour punir toute infraction aux lois et règlements en vigueur.

Lin Liguo demanda à Lin Biao ce qui avait été envisagé en cas de circonstances imprévues ou défavorables. Lin Biao répondit que quatre autres plans de base avaient été élaborés.

Le premier était le « plan rouge », prévu pour l'éventualité où Mao refuserait de se réfugier dans les installations de la « montagne de la tour de jade ». (L'auteur ne connaît pas les détails précis de ce plan — par exemple, comment Mao serait assassiné.)

Le deuxième était le « plan noir », qui ne nécessitait pas de conflit armé sino-soviétique pour déclencher le coup d'État. Ce plan prévoyait que Lin lancerait une révolte, ferait tuer Mao et en rejetterait ensuite la faute sur les forces « anti-Mao » qu'il détruirait.

Le troisième plan, le « plan 0101A », prévoyait l'assassinat de Mao avant que n'éclate un conflit sino-soviétique.

Enfin, le quatrième plan, le « plan 0101B », prévoyait l'assassinat sans aucun conflit sino-soviétique.

En plus de ces plans de remplacement, d'autres mesures étaient prévues pour des conditions d'extrême urgence. Deux de ces mesures envisageaient la guerre civile : dans la première, une offensive armée serait lancée contre Mao à l'extérieur de Beijing ; dans la seconde, Lin Biao quitterait Beijing pour engager un combat armé et politique contre Mao. Contraint au repli ou à reconnaître la victoire de Mao, Lin fuirait en Union soviétique ou en Occident via Hong Kong.

Mais, d'après les dernières confessions de Huang Yongsheng et Wu Faxian, tout le monde, de Lin Biao aux personnages tout à fait secondaires de ce grand complot, mettait une confiance absolue dans le projet principal. Personne ne pensait devoir recourir à une quelconque autre mesure.

14.

Le 11 septembre 1971, une limousine « Drapeau rouge » entra dans les installations de Taijichang près du boulevard Qian Men à Beijing. Derrière les grilles bien gardées se trouvait un bâtiment de type résidentiel que le Premier ministre Zhou Enlai fréquentait souvent. C'était un de ses principaux lieux de réunion secrets.

Deux des personnes qui sortirent de l'automobile étaient un couple de futurs mariés. Lin Liheng, *alias* Lin Doudou, était la fille de Lin Biao ; son fiancé s'appelait Yang Dingkun et il était officier à l'hôpital militaire et ancien médecin consultant de Lin Biao.

Selon diverses sources d'information, Lin Liheng était née en 1941 en Union soviétique. (On a insinué que Ye Qun, l'épouse de Lin, n'est pas sa véritable mère.) Naturellement, elle fut élevée de façon privilégiée, mais également dans la plus pure tradition des valeurs chinoises. Ses parents espéraient qu'elle fonderait un jour une famille respectable et serait une bonne mère ainsi qu'une bonne épouse.

En attendant, ils concentrèrent toute leur attention sur son jeune frère, Lin Liguo. Étant le seul fils, il était considéré comme le plus important des enfants et faisait l'objet d'une attention toute particulière. Au contraire, on laissait souvent Lin Liheng s'écarter des milieux officiels. Cette liberté contribua à lui donner un sentiment d'éloignement de sa famille.

En grandissant, elle nourrit une certaine rancune à l'égard de son frère et un mépris à l'égard de sa mère. Quelque affection semblait tout de même exister entre elle et Lin Biao.

Lin Liheng comprit qu'un des moyens de rompre avec sa famille était justement de faire ce qu'on attendait d'elle : se marier. Mais cela n'était pas facile non plus. Les hommes qu'elle attirait le plus lui paraissaient presque toujours superficiels ; ils ne la passionnaient pas et ils éprouvaient souvent beaucoup de difficulté à s'adapter au mode de vie privilégié de la famille Lin. Les hommes qui la séduisaient vraiment avaient en général beaucoup de tempérament et, malgré sa position prestigieuse, ils ne se pliaient guère à ses caprices. Yu Boke, Wang Yuanyan, Hu Xiaodong et Di Xin comptèrent parmi les jeunes gens dont le nom fut un jour associé à celui de Lin Liheng.

Son frère cadet, dont les aventures amoureuses étaient bien plus nombreuses, semblait avoir plus de chance qu'elle. Avec Lin Liheng, les aventures malheureuses se terminaient souvent tragiquement, parfois par la mort. Yu Boke fut tué pendant la Révolution culturelle après avoir refusé de quitter son autre petite amie pour Lin Liheng. Parmi ceux dont les noms avaient été avancés, certains se noyèrent, d'autres furent tués dans des accidents de voiture, d'autres encore furent brusquement emportés par la maladie ou moururent dans des circonstances qui ne furent jamais expliquées très précisément.

De ses tentatives décevantes pour trouver l'âme sœur, parfois de manière toute coercitive, une seule réussit. Agé de vingt-cinq ans, diplômé de la meilleure académie de médecine de Chine, Yang Dingkun était le plus jeune médecin de l'équipe consulté par Lin Biao.

Yang Dingkun avait été un des premiers hommes à faire des avances à Lin Liheng. C'est pourquoi les siens furent très étonnés lorsqu'elle leur annonça, après avoir connu plusieurs autres hommes, qu'elle et Yang allaient se marier.

En tant que membre potentiel de la famille de Lin Biao, Yang fit nécessairement l'objet d'une enquête approfondie. Une fois le mariage annoncé, le département des Cadres du Bureau général politique envoya immédiatement son dossier au département de l'Organisation du Comité central. Alors, Kang Sheng, le principal administrateur du travail d'organisation au Comité central, exigea une enquête politique spéciale.

Peu de temps après, Yang fut convoqué au foyer du département Organisation du Comité central à Donghuamen, près de Wangfujing, le principal quartier commercial de Beijing. Ces installations interdites, fermées par des portes laquées de rouge, sont réservées aux dirigeants de haut niveau : ils peuvent y habiter, travailler et recevoir des invités. C'était là que Kang Sheng exerçait souvent ses activités.

Yang y rencontra un des protégés de Kang Sheng, un chef militaire du nom de Guo Yufeng. Guo s'était illustré pendant la Révolution culturelle quand, ayant eu l'occasion de travailler avec Kang Sheng, il avait impressionné celui-ci par son talent à « manier les gens ». Kang Sheng l'avait fait ensuite muter à son propre bureau. Au début, Guo assista l'épouse de Kang Sheng, Cao Yi-ou, spécialisée dans l'élaboration de fausses preuves des crimes de hauts dirigeants chinois. Guo se montra tout à fait compétent, inflexible dans son travail et résolument fidèle à Kang Sheng. Il devint vite un membre important du département Organisation et finalement indispensable à Kang Sheng pour presque toutes ses missions.

Au cours de cette rencontre, piège tendu par Zhou Enlai qui supervisait l'opération, Guo montra à Yang un document concernant son enquête politique. Il révélait le passé que Yang avait réussi à cacher jusqu'ici[1].

Le vrai père de Yang Dingkun, Chen Shou, avait été un officier subalterne de l'armée nationaliste à l'époque de la prise de pouvoir des communistes sur le continent. Il avait été également un riche propriétaire occupant, à diverses occasions, les fonctions de directeur de la police d'une préfecture et même préfet. Depuis son enfance, pour des raisons inconnues, Yang avait choisi de vivre avec son beau-père, Yang Jida. Ce dernier était officier d'une division de troupes locales dans une région militaire. Un jour, Yang Jida avait révélé à son beau-fils le passé mouvementé de son vrai père, mais il lui avait fait jurer d'en garder le secret. Yang Jida savait que son beau-fils pourrait avoir de très graves ennuis si l'on venait à découvrir la vérité sur son passé, alors que les antécédents militaires révolutionnaires de Yang Jida étaient bien plus avantageux pour un enfant de la Chine moderne.

A la fin de l'interrogatoire de Guo Yufeng, Yang Dingkun avait reconnu volontiers les crimes odieux de son vrai père, ainsi que les crimes que lui-même et sa famille avaient commis en cachant la vérité au Parti.

Guo Yufeng fit bien comprendre que les résultats de l'enquête politique rendaient Yang non seulement indigne de devenir le gendre de Lin Biao, mais l'exposaient à une grave condamnation, peut-être même la peine de mort étant donné que cela touchait de près la famille Lin. Guo lui dit qu'il avait pouvoir de le faire mettre en prison, mais qu'il pourrait peut-être lui éviter ça. Il désirait vraiment aider Yang Dingkun... si Yang voulait bien accepter certaines conditions.

Après trois heures de torture morale, Yang Dingkun se soumit à Guo, le remerciant quasi les larmes aux yeux. Ainsi, il se mit dans les mains d'un des plus astucieux manipulateurs.

Après cette rencontre, Yang Dingkun fut conduit dans une salle de banquet spéciale à l'hôtel Beijing où il rencontra Zhou Enlai et Kang Sheng. Zhou se montra fort sympathique et le dîner fut excellent, mais Yang se sentit continuellement tenu par la laisse qu'on lui avait passée autour du cou.

Sous la direction de Kang Sheng et avec l'accord de Zhou Enlai, le département Organisation du Comité central avait exploité, par le passé, beaucoup d'individus comme Yang Dingkun. Kang appelait « relations transparentes » les rapports établis avec de telles personnes. Quand Kang Sheng avait engagé des « relations transparentes » avec quelqu'un, il pouvait s'écouler des années, voire des dizaines d'années, avant qu'il n'en fît vraiment usage. Parfois, il pouvait demander à la personne de travailler immédiatement pour lui.

A l'époque, Yang Dingkun ne reçut aucune mission spéciale. Des semaines ou des mois après, Kang le convoqua à nouveau pour lui donner des instructions précises. La mission de Yang consistait à gagner les faveurs de toute la famille Lin, d'essayer de bien comprendre les relations de Lin Liheng avec les autres et de la pousser à s'intéresser à leurs activités.

Kang déclara qu'il s'agissait d'une « enquête de routine » sur plusieurs dirigeants de haut niveau, enquête exigée par Mao lui-même. Yang comprit qu'il n'était absolument pas question de discuter les ordres de Kang; s'il le faisait, la condamnation politique prononcée contre lui par le département Organisation du Comité central entrerait immédiatement en vigueur. Aussi longtemps que cette affaire dépendait de Kang Sheng et Guo Yufeng, toute tentative de rester loyal envers Lin Biao entraînerait presque certainement sa propre destruction.

Il se mit sérieusement à sa tâche, analysant avec objectivité les comportements et la personnalité de Lin Liheng. C'était parfois difficile de l'espionner sans éveiller ses soupçons. Heureusement, la plupart du temps elle acceptait volontiers de satisfaire ses propres exigences.

Par exemple, la mère de Lin Liheng, Ye Qun, voulait qu'elle aille à Shanghai, Guangzhou et Shumchun (près de Hong Kong) pour constituer son trousseau. Ye Qun avait prévu un avion spécial, des escortes choisies parmi le personnel du département de la Logistique vivant à Hong Kong et des cadres de la commission des Affaires militaires du Comité central. Mais Lin Liheng prétexta des accès de fatigue et resta à Beidaihe ou à Beijing, près de Lin Liguo. Elle avait pris cette décision entièrement sous l'influence de Yang Dingkun.

Le 11 septembre 1971, Kang Sheng convoqua Yang Dingkun à Diaoyutai (la maison des hôtes du gouvernement à Beijing), où il occupait tout un bâtiment. Kang voulait présenter à Yang une autre personne qui le guiderait dans sa mission : le garde du corps et secrétaire de Zhou Enlai, Yang Dezhong.

A la demande de Yang Dezhong, Yang Dingkun téléphona à sa fiancée à l'hôpital militaire 301 où elle subissait un examen de santé complet pour lui dire qu'il venait la chercher. Puis, tous les trois (Yang Dingkun, Lin Liheng et

Yang Dezhong) se rendirent en voiture à Taijichang pour y rencontrer Zhou Enlai.

Se comportant comme un vrai gentleman chinois et montrant toute l'autorité d'un haut dirigeant politique, Zhou fut tout aussi digne et courtois qu'à son habitude lorsqu'il annonça à Lin Liheng que Mao Zedong envisageait d'avoir une bonne explication avec son père. Il lui révéla que le Bureau politique du Comité central avait engagé un dialogue avec les États-Unis pour tenter de s'opposer ensemble à l'Union soviétique ; bien que le sachant, Lin Biao avait eu l'audace d'essayer d'engager des contacts secrets avec l'Union soviétique. Pour cette raison, Mao avait décidé de faire faire une enquête sur lui.

Zhou Enlai dit qu'il espérait que Lin Liheng divulguerait de plein gré ce qu'elle savait des sentiments de Lin à l'égard de Mao. Il l'avertit également que dès cet instant elle ne devrait rencontrer aucun membre direct de sa famille. Elle ferait l'objet d'une « protection » spéciale et serait envoyée à Tianjin d'où elle téléphonerait chez elle pour prévenir qu'elle faisait des achats indispensables pour son mariage.

Ensuite, Zhou Enlai autorisa Lin Liheng et Yang Dingkun à rester seuls ensemble pendant deux heures. Au bout de ces deux heures, Lin Liheng était bouleversée mais décidée à parler. Zhou Enlai était parvenu à ses fins.

Lin Liheng ne dit rien de négatif contre son père, mais elle révéla beaucoup de choses sur son frère et sur sa mère. En premier lieu, Ye Qun avait effectivement élaboré un complot pour assassiner le président. Bien qu'assez vague dans le détail, elle savait de façon précise qu'il s'agissait d'un coup d'État militaire. Lin Liheng parla également du micro placé par Lin Liguo dans le téléphone de Ye Qun. Elle se souvenait qu'une fois découvert, Lin Liguo était venu se lamenter auprès de sa sœur. Il lui dit qu'il regrettait beaucoup qu'elle ne fût pas un garçon parce que alors elle aurait pu assister personnellement à son imminente réussite politique et militaire, voire même participer aux activités de l'Escadre de l'Union. Ce jour-là, sur l'insistance de sa sœur, Lin Liguo reconnut qu'il ambitionnait de diriger la Chine et que en fait, il était sur le point de réaliser son ambition. Lin Liguo lui fit promettre de ne jamais en souffler mot à personne.

Elle rapporta que, plus récemment, Lin Liguo avait téléphoné à la maison pour parler à Ye Qun, qui était sortie, et il avait discuté un instant avec sa sœur. Ils évoquèrent d'abord ses projets de mariage. Puis, Lin Liheng lui demanda où il se trouvait et ce qu'il faisait. Lin Liguo éluda sa question, mais il reconnut que le jour qu'il attendait depuis longtemps était tout proche.

Zhou Enlai continua à interroger Lin Liheng et Yang Dingkun sur la famille Lin. Il s'intéressa à des points de détail tels que l'humeur de Lin Biao, son appétit, ses heures de sommeil et le nombre de coups de téléphone qu'il donnait et recevait pendant la journée.

Zhou s'intéressa particulièrement aussi aux récentes relations de Lin avec Huang Yongsheng, Wu Faxian et d'autres.

Revenant de Shanghai, après avoir passé sans dommage la deuxième embuscade avortée de Lin Liguo, le train de Mao se rapprochait de Tianjin lorsque le président reçut le dernier message de Zhou Enlai avant son arrivée à Beijing. Zhou y annonçait à Mao que les secrets de Lin Biao (que Zhou avait déjà devinés en partie) avaient été révélés par sa fille. Il annonçait également à Mao la nouvelle surprenante que Lin Biao avait brusquement décidé de quitter Beidaihe pour revenir à Beijing où, dès son arrivée, il devait tenir une réunion secrète avec ses partisans militaires.

En fin de télégramme, Zhou répondait à une question que Mao lui avait précédemment posée concernant sa sécurité pour son retour à Beijing : « J'ai déjà annoncé que le président arrivera à Beijing après-demain. En arrivant demain, votre sécurité sera totale. »

15.

Le 10 septembre au soir, alors que Lin Biao se trouvait encore à Beidaihe avec son fils, il téléphona au Premier ministre Zhou. Lin lui demanda quels étaient les derniers projets de voyage de Mao et la date de son retour à Beijing.

Zhou répondit qu'il ne savait pas exactement quand Mao rentrerait, mais que Wang Dongxing avait promis de prévenir Lin avant que Mao ne quittât le Sud pour prendre le chemin du retour.

Lin demanda à Zhou de faire le nécessaire pour qu'il pût accueillir Mao à son arrivée à Beijing.

Zhou déconseilla à Lin de rentrer de Beidaihe spéciale-ment pour le retour de Mao à Beijing : il valait mieux qu'il se reposât pour la cérémonie de la fête nationale.

Vers 23 heures, Lin rappela Zhou : il envisageait de rentrer immédiatement à Beijing pour accueillir le président comme il se devait.

Vers minuit, le commandant en chef de l'armée de l'air Wu Faxian annonça à Zhou que l'avion spécial de Lin arriverait à Beijing le 11 septembre vers 15 heures.

Lin avait téléphoné à Zhou avant son départ dans l'intention de montrer qu'il rentrait à Beijing par fidélité à Mao. En réalité, il retournait dans la capitale pour effectuer les ultimes préparatifs du coup d'État. Après environ un mois d'élaboration, le « Projet de la montagne de la tour de jade » semblait plus ou moins au point. Le retour imminent de Mao offrirait le moment opportun pour engager les hostilités avec l'Union soviétique.

Le 11 septembre à 8 h 10, alors que Lin Biao et Lin Liguo discutaient encore des plans du coup d'État, un Trident portant le numéro 256 décolla de l'aéroport de la banlieue ouest de Beijing pour aller chercher la famille Lin à l'aéroport de Shanhaiguan près de Beidaihe. Le commandant de bord, Pan Jingyin, était le meilleur pilote de la 34e division de l'armée de l'air. La cinquantaine, un peu bedonnant, c'était de surcroît le pilote préféré des plus hauts dirigeants chinois.

Alors que Lin Biao, Lin Liguo et Ye Qun se préparaient à partir pour l'aéroport, Lin Liguo reçut un coup de téléphone de l'Escadre de l'Union lui annonçant que Mao était sur le point de quitter Shanghai pour rentrer à Beijing. Le départ soudain de Mao surprit Lin Biao. Perplexe, il fit remarquer : « Un peu plus et j'arrivais après lui[1]. »

A peine quelques minutes plus tard, Wang Fei téléphona pour pousser Lin Liguo à donner l'ordre d'attaquer le train de Mao. Lin répondit qu'il avait décidé d'abandonner l'attaque par missiles. Il ordonna aux membres de l'Escadre de l'Union de rejoindre leurs postes à Beijing ou à Shanghai. Il donna des instructions à Wang Fei pour mettre un terme à l'opération de l'Escadre de l'Union.

A Beijing, Wu Faxian et Li Zuopeng furent les premiers arrivés à l'aéroport de la banlieue ouest pour accueillir Lin Biao. Huang Yongsheng et Qiu Huizuo arrivèrent un peu plus tard. Un grand calme régnait sur l'aéroport. Des gardes de sécurité patrouillaient en voiture ou à pied le long de la pelouse. Un peu après 14 heures, le Trident 256 atterrit.

Wu, Li, Huang et Qiu accueillirent le maréchal à sa descente d'avion. Personne ne dit grand-chose et ils se contentèrent tous de le suivre en silence jusqu'aux voitures.

Ils arrivèrent rapidement chez Lin Biao. Il habitait un édifice ressemblant à une forteresse qui avait jadis appartenu à Gao Gang et avait été rénové depuis. A présent, il était entouré d'un très haut mur gris surmonté de systèmes électroniques de protection. Ils se rassemblèrent dans la petite salle de réunion de Lin. Lin Biao et Huang s'assirent aux deux extrémités d'une grande table de conférence en bois, et Ye Qun, Li, Wu, Qiu, Lin Liguo, Yu Yunshen et Li Wenpu (secrétaire de Ye Qun) s'installèrent sur les côtés. Plus tard, Jiang Tengjiao, Zhou Yuchi, Liu Peifeng vinrent les rejoindre.

Parlant le premier, Huang Yongsheng aborda la question du moment de déclencher le conflit sino-soviétique. Avec l'accord de Lin, Huang s'était débrouillé pour obtenir du département du Renseignement de l'état-major général de faux renseignements devant être insérés dans ce qui fut appelé ultérieurement le « Document 1577 » ; il était destiné à mettre le feu aux poudres dans la région frontalière. Lin approuva la proposition de Huang de poursuivre la séance. Ils décidèrent d'augmenter les effectifs des troupes stratégiques prévues de six régiments frontaliers et de quatre divisions. Sous le prétexte de « reprendre » des territoires perdus au profit des Soviétiques, les unités encercleraient cinq zones de défense frontalière adverses et attaqueraient au canon, à la roquette et à l'explosif. En outre, près du port soviétique de Vladivostok, des sous-marins attaqueraient par surprise, contraignant les Soviétiques à riposter par les armes. Enfin, deux armées de campagne supplémentaires et des divisions de chars seraient opposées à la contre-offensive soviétique.

Le chef d'état-major pensait qu'au bout de deux ou trois semaines, les Soviétiques enverraient l'armée de l'air et la marine pour aider l'armée. La situation aurait atteint alors les proportions nécessaires et désirées. On annoncerait officiellement au président que les forces armées soviétiques, largement déployées dans les régions frontalières du nord de la Chine et de Mandchourie, s'apprêtaient à envahir le nord de la Chine.

Wu Faxian prit ensuite la parole. Il avait préparé des pochettes de documents essentiels pour sept des plus hauts dirigeants (dont Lin Biao). Elles comportaient les cartes des dispositifs de défense des garnisons ; des dossiers géographiques sur les principales régions militaires ; une liste de toutes les désignations militaires, des noms de code et des références ; une liste de cadres au niveau de l'armée de campagne et au-dessus ; une liste de cadres des troupes d'élite ; un manuel de codes secrets ; les adresses, numéros et codes secrets de tous les comptes ouverts dans les banques étrangères par la République populaire de Chine ; et un manuel sur les armes nucléaires à l'usage des officiers d'état-major.

Wu Faxian soumit également à Lin Biao une liste de référence, utilisée par le département Organisation du Bureau administratif du Comité central et la garnison de Beijing, du Comité central, de tous les dirigeants demeurant dans la zone de Beijing, avec leur numéro de téléphone, leur adresse, ainsi que l'effectif et l'affectation des militaires attachés à la protection de leur domicile.

Ensuite, Huang Yongsheng et Li Zuopeng décrivirent l'extérieur et l'intérieur des installations de la « montagne de la tour de jade », en expliquant, surtout pour Lin Liguo, les mesures tactiques et les consignes devant être adoptées pendant la période de préparation entre le 13 septembre et la date du coup d'État, le 25 septembre.

La séance fut interrompue par un coup de téléphone de Zhou Enlai. Zhou souhaitait venir voir Lin dans la soirée, s'il n'y voyait aucun inconvénient. Zhou annonça ensuite la nouvelle inattendue que Mao était sur le chemin du retour et qu'il arriverait à Beijing le lendemain. Il dit que Lin n'avait absolument pas besoin d'aller l'accueillir à la gare, mais que Mao souhaiterait certainement le rencontrer après son arrivée.

La séance reprit et on oublia un instant le projet du coup d'État pour s'interroger sur la signification exacte du coup de fil de Zhou. Lin était fort contrarié par les tentatives de Zhou de ne pas révéler l'heure exacte d'arrivée de Mao.

Le lendemain, 12 septembre, en apprenant que Mao était effectivement rentré à Beijing, Lin décida de lui faire une visite de politesse. Avec Ye Qun et deux gardes du corps apportant en présent quelques coquillages rapportés de Beidaihe, il se rendit à sa résidence de Zhongnanhai. Effort inutile car Lin ne put rencontrer le président. Wang Dongxing le reçut et lui dit que le président était allé se coucher et qu'il ne se lèverait pas avant quatre ou cinq heures. Wang lui parla alors de l'état de santé de Mao pendant le voyage. Près de vingt minutes plus tard, alors que Lin se levait pour prendre congé, Wang lui tendit, de la part du président, une invitation à dîner pour le soir même. Le banquet se tiendrait à la « montagne de la tour de jade » où le président avait l'intention de rester jusqu'à la fête nationale du 1er octobre. Wang suggéra à Lin d'arriver vers 20 heures et il lui dit qu'il avait prévu, sur la demande même de Mao, de lui apporter cette invitation plus tard. Il ajouta qu'il devait s'attendre à un coup de fil de l'épouse de Mao, Jiang Qing, pour ce même motif. Elle et Zhou Enlai étaient également invités à dîner.

Lin rentra à Maojiawan. Huang Yongsheng fut le premier à lui téléphoner. Puis Wu l'appela. Furieux, Lin leur raconta qu'il n'avait pas été reçu personnellement par le président Mao. Cela méritait discussion. Très vite, Huang, Wu, Li et Qiu arrivèrent à Maojiawan où les attendaient Ye Qun, Lin Liguo, Yu Yunshen et Li Wenpu.

Voici le rapport des événements du jour que fit Wu Faxian :

J'arrivai le dernier [des quatre]. Chez Lin, l'atmosphère était très tendue. Huang Yongsheng et Li Zuopeng ne disaient pas un mot. Qiu Huizuo était effondré. Ye Qun me regarda d'un air désespéré et dit : « Il faut trouver une solution. Mao complote sans doute quelque chose. »

Je trouvai curieux que Lin Biao ne fût pas là. Lin Liguo resta là un instant. Il paraissait très calme. Il nous regarda tous d'un air quelque peu agacé, s'en alla et revint plus tard avec Zhou Yuchi et Liu Peifeng. C'était la septième fois que je les rencontrais en réunion secrète et dans des circonstances aussi graves.

Ils me saluèrent sur un « commandant Wu » de pure forme et allèrent s'installer au fond de la pièce.

Appelé par Li Wenpu, son secrétaire, Ye Qun alla plusieurs fois répondre au téléphone dans une autre pièce. Un des appels était de sa fille. « Doudou est vraiment insupportable, dit-elle. Sans prévenir, elle et Yang Dingkun sont partis pour Tianjin afin d'y faire quelques achats pour le mariage et de commander des meubles d'importation. Ils sont déjà à Tianjin et elle m'appelle seulement maintenant. »

On discuta ensuite de la visite de Lin à Zhongnanhai.

Huang Yongsheng et moi pensions que le président n'avait pas rencontré Lin parce qu'il était effectivement fatigué et avait besoin de se reposer avant l'arrivée de ses invités au dîner du soir. A notre avis, c'était aussi simple que cela.

Mais Li Zuopeng n'était pas de cet avis. Il dit : « Si le président avait effectivement besoin de se reposer si longtemps, Wang Dongxing n'aurait aucune raison de rester chez Mao. Wang habite tout près et il lui est aisé de faire l'aller et retour. Pourquoi resterait-il là à attendre quatre ou cinq heures ? »

« Le Premier ministre Zhou n'a pas averti le chef Lin du retour de Mao à Beijing, ajouta-t-il. Il lui a même signifié qu'il était inutile d'aller l'accueillir à la gare. Vous ne trouvez pas ça bizarre ? Le président adore les cérémonies ! Alors comment se fait-il qu'il soit rentré à Beijing sans grand tralala ? Ce n'est pas normal. »

En entendant cela, Ye Qun fut encore plus inquiète. Huang Yongsheng et moi commençâmes à penser que nous avions peut-être pris la chose trop à la légère. Qiu Huizuo nous mit en garde qu'à force d'être si soupçonneux, nous risquions de faire un faux pas. Il suggéra à Li Zuopeng de se calmer et d'éviter de se mettre dans un tel état d'anxiété.

Li Zuopeng lui opposa un argument de poids. Il dit que les services de contrôle des communications et le réseau de surveillance de la Marine lui avaient annoncé que depuis trois jours le Comité central de Beijing utilisait un nouveau code secret pour ses communications. Ce nouveau code n'était enregistré dans aucun document, ce qui laissait supposer une mission d'espionnage ou des activités secrètes internes.

En consultant Wang Hongkun, il avait appris que le code secret ne servait pas à une mission d'espionnage, mais qu'effectivement c'était la première fois que le Comité central l'utilisait.

Li Zuopeng me demanda alors : « Alors, que dites-vous de ça ? »

J'étais déconcerté car la station de contrôle des communications de l'armée de l'air m'avait annoncé la même chose à propos de ce code. Cette nouvelle était insérée dans un « Bulletin quotidien spécial » établi par le chef d'état-major de l'armée de l'air, Liang Pu. Mais, jusqu'ici, contrairement à Li Zuopeng, je n'avais pas fait le rapprochement avec le président. A présent, je commençais à penser qu'il était fort possible que Mao ait eu des contacts secrets avec Beijing pendant son voyage.

C'était une situation tout à fait inhabituelle. Vraisemblablement, Mao complotait quelque chose contre certaines personnes de son propre entourage. Peut-être bien nous !

Qiu Huizuo semblait toujours intrigué. « Les personnes qu'il aurait secrètement contactées à Beijing devraient être des gens importants », dit-il. Il réfléchit un instant et demanda en hésitant : « Pourrait-il s'agir du Premier ministre ? »

Li Zuopeng opina vivement de la tête. « Oui. C'est exactement ce que je pensais. »

Huang Yongsheng demanda ensuite à Ye Qun : « Pensez-vous que tout cela soit possible ? Quel est le motif de ces contacts secrets ? Pourrions-nous être concernés ? »

Ce fut un silence lugubre. Lin Liguo, Zhou Yuchi et Liu Peifeng nous avaient écoutés sans rien dire.

Finalement, impatient, je demandai à Ye Qun : « Que fait donc le chef Lin ? Que pense-t-il de tout ça ? »

Ye Qun répondit : Il se repose et il ne veut pas être dérangé. Il vaut mieux ne pas l'importuner pour le moment. »

A peine avait-elle terminé sa phrase que Lin Biao entra dans la pièce. Son costume gris était froissé ; il avait une serviette autour de la tête et il ne portait aux pieds qu'une paire de grosses chaussettes en laine.

Il ne paraissait absolument pas contrarié et il resta solennel. Un petit sourire aux lèvres, il nous regarda l'un après l'autre. Ye Qun le rejoignit pour essayer de l'aider à marcher, mais il la repoussa. Il resta debout au milieu de la pièce, les mains dans le dos, l'air contemplatif, secouant continuellement la tête. Je ne sais pas combien de fois il essaya de parler ; chaque fois, sa voix s'enrouait et aucun son ne semblait vouloir sortir de sa bouche.

Finalement, il réussit à parler clairement : Liu Shaoqi et le vieux Deng [Deng Xiaoping] ont connu ça en 1966. Le vieil homme revenait du Lac de l'Ouest. Liu Shaoqi lui rendit visite à Zhonghanhai pour lui faire un rapport de son travail. Mao fit dire qu'il dormait et il ne le reçut pas. Que faisait-il en fait ? Il y avait chez lui sept ou huit personnes qui déblatéraient sur Liu Shaoqi. J'y étais. Le Premier ministre également. Il y avait aussi Jiang Qing, Kang Sheng, Zhang Chunqiao et Wang Dongxing. Mais c'était Mao qui nous avait tous entraînés dans ce complot, c'était lui le véritable semeur de zizanie.

« S'il ne dort pas vraiment en ce moment, alors il prépare un nouveau coup. J'ai l'intuition qu'il fomente un sale coup à huis clos. Je parie qu'en ce moment même il est avec des gens arrivés juste avant nous. »

A son intention, Ye Qun répéta ce que Li Zuopeng avait annoncé à propos du code secret. Lin Biao l'écouta attentivement mais il n'eut aucune réaction.

Il continua : « Cette invitation à dîner, ce soir... est-ce une occasion de nous réconcilier ou un piège qu'il veut me tendre? Qu'en dites-vous, messieurs? Que dois-je faire? »

Lin Biao s'assit sur le canapé.

Lin Liguo, qui jusqu'à présent n'avait pas pris part à notre conversation, dit : « Je crois qu'il faut absolument que nous agissions les premiers. Tout est très clair. Le vieux est bien plus fourbe que nous ne le pensions. Il paraît bien évident qu'il trame quelque chose. Que ferons-nous s'il agit le premier? »

Huang Yongsheng prit ensuite la parole. « Il faut effectivement modifier notre programme. Mais si nous voulons conserver le " Projet de la montagne de la tour de jade ", nous ne pouvons pas le déclencher avant plusieurs jours. » A son avis, rien ne justifiait d'abandonner totalement le « Projet de la montagne de la tour de jade » au profit d'un des plans d'urgence.

Selon Huang, le plus important était avant tout de savoir si oui ou non Lin devait se rendre chez le président Mao ce soir-là. Huang pensait que Lin ne devait pas y aller, à moins de déclencher immédiatement le coup d'Etat.

Ye Qun me demanda mon avis. Je n'avais pas d'opinion bien définie. Je pensais que nous n'avions aucune preuve solide pour suspecter Mao, mais je trouvais certains signes tout de même inquiétants.

Bien sûr, le coup d'État était prévu pour dans deux semaines, le 25 septembre! Huang Yongsheng avait fixé cette date parce que le Premier ministre Zhou avait dit que Mao rentrerait à cette époque-là. Ce brusque retour nous prenait au dépourvu : nous n'étions pas prêts pour une action immédiate. A mon avis, c'était très risqué pour Lin Biao de rencontrer le président ce soir-là; s'il arrivait quelque chose, nous n'aurions aucune position de repli. Mais, d'autre part, même en ne se rendant pas à cette invitation, Lin Biao ne pourrait guère repousser bien longtemps la visite à Mao. La seule solution serait peut-être de prétexter une brusque maladie. Je répondis à la question de Ye Qun : « Le chef Lin peut se faire excuser en disant qu'il est malade. »

Ye Qun intervint : « Il pourrait toujours prétendre qu'il a pris froid aux jambes et qu'il ne peut pas bouger. Cela lui est déjà arrivé en 1957 et j'étais morte d'inquiétude. Sinon, il pourrait trouver une autre excuse. »

Lin Biao n'appréciait guère l'idée de feindre d'être malade.

A nouveau, Qiu Huizuo insista : « A mon avis, nous devons surtout décider s'il doit aller ou non chez Mao. S'il y va, je crois que Lin Liguo a raison de dire que nous devons être les premiers à frapper!

— Il ne faut pas que le Président agisse le premier, dit Lin

156

Liguo. Notre seul espoir de réussir est de prendre l'offensive. S'il nous est impossible de mettre en œuvre le " Projet de la montagne de la tour de jade ", nous n'avons qu'à trouver quelque chose de plus direct. »

Huang Yongsheng fit remarquer que si Mao avait déjà préparé une action, nous aurions bien du mal à nous défendre. Le « Projet de la montagne de la tour de jade » pouvait au moins le dérouter et nous donner une chance de réussir.

Lin Biao ne disait toujours rien. Assis sur le canapé, les yeux fermés, il se contentait d'écouter.

Ye Qun lui demanda ce qu'il en pensait. Il secoua la tête et dit que lui et Lin Liguo n'avaient jamais mené de combat ensemble. Mais que tous les autres, nous avions dû lutter pour atteindre notre position actuelle. Il dit que nous devions donc savoir qu'il ne fallait pas engager une bataille sans la préparer. Il répéta sa maxime selon laquelle il ne fallait jamais engager un combat sans être absolument sûr de remporter la victoire.

Il dit que ce dîner à la « montagne de la tour de jade » lui offrirait une bonne occasion de comprendre ce qui se passait réellement et d'apprendre ce que le président complotait. Ensuite, il pourrait décider s'il était sage de conserver le « Projet de la montagne de la tour de jade » en rapprochant la date du coup d'État, ou dans le cas contraire si le projet valait la peine d'être mis à exécution à une date ultérieure. Il pourrait également connaître le programme du président pour les jours et les semaines à venir.

Il dit que Ye Qun devrait également venir dîner chez Mao, mais qu'au moins deux de nous quatre (Huang, Wu, Li et Qiu) devrions prendre nos fonctions aux installations « numéro 0 » des Collines de l'ouest afin de nous tenir prêts à une quelconque urgence.

Il fut décidé que Huang et moi irions aux Collines de l'ouest. Li Zuopeng, Qiu Huizuo et Lin Liguo resteraient en contact avec nous. Chacun aurait sa mission. Lin Liguo ne perdrait pas de vue Lin Biao et Ye Qun ; Li Zuopeng s'apprêterait à établir un poste de commandement en ville ; Qiu coordonnerait les actions de Huang et Li. Nous serions prêts à livrer bataille sous les ordres du commandant en chef, Huang Yongsheng.

Vers 15 heures ce jour-là, je reçus un coup de téléphone de ma femme, Chen Suiqi. J'allai prendre la communication dans l'autre pièce. Elle m'annonça que le Premier ministre Zhou m'avait téléphoné et qu'il me cherchait. Elle ne savait pas pourquoi. Il avait demandé à l'armée de l'air de me trouver et de me prier de le rappeler.

Il eût été stupide d'appeler de chez Lin Biao car je n'aurais pas pu dire où je me trouvais et Zhou aurait pu le découvrir en se renseignant auprès du standard. Pourtant, j'avais hâte de savoir ce qu'il me voulait. Je décidai d'aller au quartier général de l'armée de l'air pour lui téléphoner.

En retournant dans la salle de réunion, j'appris que Jiang Qing venait de téléphoner à Lin Biao pour l'inviter à dîner chez Mao. Elle avait également parlé un instant avec Ye Qun du mariage prochain de Lin Liheng. Jiang Qing s'était montrée très chaleureuse au téléphone et rien, dans son ton, ne permettait de penser que quelque chose n'allait pas.

Ye Qun dit qu'elle était soulagée. Elle demanda à son secrétaire, Li Wenpu, de faire préparer quelques cadeaux. Puis, elle fit prévoir un massage pour Lin Biao.

Je leur dis que je devais me rendre au quartier général de l'armée de l'air pour téléphoner au Premier ministre Zhou. Je promis à Ye Qun de l'appeler dès que je saurais ce qu'il me voulait.

Je fus le premier à partir. Tous les autres restèrent.

A peine arrivé au quartier général, j'appelai le Premier ministre Zhou. Je ne pus pas l'avoir. Je présume qu'il se trouvait chez le président Mao. Yang Dezhong, son secrétaire, me dit qu'il n'était pas dans son bureau et il me pria de patienter quelques instants au quartier général : Zhou m'y rappellerait. Effectivement, il me téléphona et me demanda si j'avais des projets pour la soirée. Il me dit qu'il voulait discuter avec moi de certaines choses : la production aéronautique du 3e ministère des Industries mécaniques et les avions que nous devions donner aux forces aériennes de certains pays du tiers monde. Nous décidâmes de nous contacter plus tard pour convenir d'un rendez-vous dans la soirée.

J'appelai Ye Qun pour la renseigner sur ce que le Premier ministre m'avait dit. Elle en toucha un mot à Lin Biao et ils décidèrent que je pouvais rencontrer le Premier ministre tout en remplissant normalement mes fonctions aux installations « numéro 0 ». Elle dit que vers 23 heures, nous saurions certainement si quelque chose ne tournait pas rond. S'il fallait quelqu'un aux installations « numéro 0 » après cette heure-là, Qiu Huizuo s'y rendrait. Elle m'annonça également que Huang Yongsheng et Qiu Huizuo étaient déjà partis et qu'il me faudrait les mettre au courant de mes projets.

J'arrivai aux installations « numéro 0 » vers 17 heures. Huang Yongsheng était déjà là. Nous inspectâmes le poste de commandement souterrain et celui de surface. Puis, nous ordonnâmes aux hommes en service aux postes de commandement de commencer l'exercice.

A 17 h 45, Liu Quanjue, du poste de commandement, nous

annonça qu'on avait déjà commencé les manœuvres aussi bien en surface qu'en souterrain.

A cette heure-là, Huang Yongsheng et moi prîmes le commandement des opérations. Nous utiliserions deux des codes secrets employés en période de guerre pour commander aux troupes de toutes les forces armées de se mettre en état d'urgence et de se préparer à la guerre. (Toutes les troupes, excepté l'Unité 8341 et le 7e corps technique, chargé de la mise en œuvre de la bombe à hydrogène, étaient sous nos ordres.)

Si Mao découvrait la nature de nos activités, il serait certainement amené à penser que nous préparions un coup d'État. J'étais très anxieux. Je rappelai à Huang Yongsheng que le secret des opérations était d'une importance vitale.

Il me dit de ne pas m'inquiéter. Il pouvait rédiger un document officiel exigeant qu'un exercice fût effectué aux installations ; tant que nous signions tous les cinq ce document, nous pouvions légitimement utiliser le poste de commandement sans éveiller les soupçons de Mao. (Les cinq personnes en question étant lui-même, Ye Qun, Li Zuopeng, Qiu Huizuo et moi.)

A 18 h 27, Ye Qun téléphona. Elle et Lin Biao venaient immédiatement aux Collines de l'ouest. Elle me pria de ne poser aucune question. Elle donnerait des explications plus tard.

Huang Yongsheng et moi fûmes effrayés. Nous ignorions totalement ce qui se passait. J'essayai de contacter Li Zuopeng et Qiu Huizo pour savoir s'ils étaient au courant de quelque chose. Pour une raison quelconque, Li Zuopeng ne se trouvait pas dans les bâtiments de la marine. La femme de Qiu Huizuo, Hu Min, me dit qu'il venait de partir pour les Collines de l'ouest.

Huang Yongsheng dit qu'il était fort possible que quelque chose ait mal tourné. Lin Biao avait peut-être changé d'avis et décidé d'agir tout de suite.

Je sortis pour attendre Lin Biao dans une voiture. J'étais très inquiet. Attendant les nouvelles, Huang Yongsheng resta dans la salle des officiers supérieurs.

Peu de temps après, je vis une « Drapeau rouge » se diriger rapidement vers moi. C'était Li Zuopeng. Je lui demandai ce qui se passait. Il dit que Lin Biao avait peut-être décidé de ne pas se rendre à la « montagne de la tour de jade ».

Je lui demandai : « Est-ce que ça veut dire qu'il est décidé à abandonner le projet ou simplement qu'il ne se rend pas à ce dîner ? »

Il répondit : « Peut-être les deux. »

Li entra dans le poste de commandement et vérifia les préparatifs.

Peu de temps après lui arriva Qiu Huizo. Il ne semblait guère mieux informé. Li Zuopeng lui avait demandé de venir.

Pendant que nous attendions tous les trois Lin Biao, Li Zuopeng dit : « Cette situation complique bien les choses. Il faudra peut-être agir plus tôt que prévu. Quel dommage que nous soyons pris par le temps ! »

Un cortège de trois voitures arriva amenant Lin Biao, Ye Qun, Lin Liguo, Yu Yunshen, Li Wenpu, Zhou Yuchi et Liu Peifeng.

Lin Biao sortit de sa voiture et regarda autour de lui. Le visage impassible, il ne fit pas cas de notre présence. Il se dirigea immédiatement vers le poste de commandement. Très agités, nous le suivîmes.

Dans le poste de commandement, par mesure de protection supplémentaire contre les écoutes, Huang Yongsheng et Liu Quanjue branchèrent le système de brouillage électronique.

Lin Biao pria Huang Yongsheng de lui énumérer les étapes du « Projet de la montagne de la tour de jade » et Li Zuopeng d'apporter les précisions nécessaires au fur et à mesure.

Ils étaient arrivés à peu près au milieu de leur exposé lorsque Lin Biao interrompit Huang Yongsheng pour demander : « Si je voulais attaquer l'Union soviétique maintenant, pourrais-je le faire ? Si j'en donnais l'ordre à l'instant, combien de minutes faudrait-il pour qu'il soit exécuté ? »

Huang Yongsheng ne sut pas quoi répondre. Il me regarda. Je ne m'attendais pas non plus à une telle question. Il regarda Li Zuopeng. Li Zuopeng dit : « Le " rapport secret 1577 " (les faux renseignements préparés par Huang pour justifier l'attaque de l'Union soviétique soi-disant téléphonés des régions frontalières au centre d'analyse des renseignements de l'état-major général) stipule que l'Union soviétique fait peser de graves menaces sur la défense de la Chine. Nous vous [Huang] téléphonons. Vous recommandez le combat, la conversation est enregistrée et votre nom est signé par procuration. Dans vingt ou trente minutes, peut-être moins, nous serons en mesure de soumettre au chef le document signé. »

Puis, Li Zuopeng dit à Huang Yongsheng : « Une fois l'ordre de riposter donné, je ne pense pas qu'il faudra plus d'une heure ou deux pour lancer le régiment à l'attaque. Dans les huit heures, nous pourrions lancer la division à l'attaque. Mais ce genre de procédé pourrait être aisément démasqué par la suite. Dans ce cas, vous n'auriez qu'à rejeter les responsabilités sur certaines personnes et les faire exécuter. »

Ensuite, Lin Biao demanda à voir le « rapport secret 1577 ».

Pendant que nous attendions, Huang Yongsheng et moi demandâmes à Lin Biao si la situation avait changé.

160

Lin Biao répondit que non. Il dit qu'après y avoir mûrement réfléchi, il avait décidé qu'il valait mieux agir immédiatement. Il y avait bien trop de risques à se rendre à la « montagne de la tour de jade ». Dans les dix minutes qu'il fallait pour aller là-bas, il pouvait tout perdre.

Lin Biao portait son uniforme et sa casquette militaires et, pour une raison quelconque, il avait enfilé une mitaine blanche à la main gauche. Il avait également une petite serviette en cuir contenant le nécessaire utilisé par les commandants en chef en cas d'urgence. Ye Qun, elle, portait une serviette noire. Les deux secrétaires avaient également des serviettes. Ses trois médecins consultants étaient venus eux aussi aux collines de l'ouest et ils attendaient les ordres chez Lin Biao.

Finalement, Liu Quanjue nous apporta le « rapport secret 1577 ». En haut du document, Huang Yongsheng avait inscrit : « A transmettre immédiatement à Faxian, Zuopeng et Huizuo pour vérification ; au directeur du bureau administratif, Ye ; au vice-président Lin pour ses instructions. »

Dans la colonne réservée aux commentaires du chef d'état-major, Huang écrivit : « Déclenchez immédiatement une contre-attaque du régiment. Préparez l'artillerie au niveau de l'armée et de la division[2]. Envoyez au minimum cinq régiments aux points les plus stratégiques. Dans les deux heures suivant la contre-attaque du régiment, mobilisez toutes les divisions. Envoyez au minimum quatre divisions. L'armée de l'air de Shenyang apportera son soutien aux opérations. Le plan des opérations sera examiné par Li Zuopeng et Yan Zhongchuan (chef d'état-major de la région militaire dc Canton).

Le « rapport secret 1577 » était prévu pour paraître entièrement authentique, simulant exactement une situation d'urgence. Il comportait une foule de détails, de noms, d'emplacements géographiques, de précisions numériques et d'autres données, et il avait été conçu de façon à rendre toute vérification difficile. Il suggérait de manière convaincante que Lin Biao avait bien vérifié les renseignements sur lesquels il fondait ses ordres, mais en même temps il empêchait le président Mao, le Premier ministre Zhou et les commandants de la région militaire de Shenyang de vérifier les faits ou enquêter sur le front.

Lin Biao insista pour que nous attaquions immédiatement la frontière soviétique. Mais nous n'avions pas encore pris nos dispositions avec l'état-major général et la région militaire de Shenyang. Nous n'aurions certainement pas le temps de le faire maintenant. Il serait bien hasardeux de poursuivre les opérations. A cet égard, Li Zuopeng fit preuve de désinvolture. Il ne semblait guère attacher

161

d'importance au fait de devoir sacrifier beaucoup de monde pour déclencher l'incident. Sur le moment, je ne fus pas capable de bien y réfléchir, mais je pensais tout de même qu'il était stupide d'entreprendre tout de suite le coup d'État.

Huang Yongsheng me tendit le « document 1577 ». Je ne le lus pas complètement, mais j'ajoutai néanmoins mon propre commentaire en haut de la page : « J'approuve les propositions du chef. Pour l'honneur de l'armée et de la nation, je suggère que nous nous battions avec nos unités aériennes offensives de l'armée de l'air de Shenyang et de la base de missiles de la " 2e artillerie[3] ". »

Puis, Li Zuopeng et Qiu Huizuo signèrent le document.

Ye Qun écrivit quelque chose dans le genre de « prière au vice-président Lin de relire ».

Lin Biao prit le document et le tapota du bout des doigts. « Quelle date mettons-nous ? »

Li Zupeng suggéra la date du jour ou celle du lendemain. Huang Yongsheng allait reprendre le document pour y inscrire la date lorsque Lin Biao dit : « Laissons ça de côté pour l'instant. »

Il réfléchit un instant, puis il griffonna quelques lignes en haut du document. « J'approuve les commentaires des chefs d'état-major Yongsheng, Faxian, Zuopeng et Huizuo. Si les révisionnistes soviétiques nous attaquent, sous la haute autorité du président, nous lutterons au mieux de nos forces. Nous n'accepterons aucune humiliation.

« Par la présente, j'ordonne au chef d'état-major de transmettre au commandement des opérations l'ordre de mobiliser la région militaire de Shenyang et de préparer le plan opérationnel contre l'Union soviétique.

« Cet ordre est impératif pour les commandants et les soldats à tous niveaux. Quiconque violera cet ordre sera sévèrement puni. Pour repousser l'envahisseur, aucun sacrifice n'est trop grand pour nous.

« Que les régions militaires de Beijing, du Xinjiang et de Lanzhou se préparent à la guerre.

« Pour assurer la sécurité de notre grand dirigeant et président Mao Zedong, nous devons nous battre jusqu'au bout, jusqu'à la victoire.

Chacun notre tour, nous lûmes les commentaires de Lin Biao. Ensuite, Huang Yongsheng dit qu'à présent il pouvait faire transmettre en code secret les ordres au poste de commandement. Ces ordres avaient été préparés à l'avance par Huang Yongsheng, Li Zuopeng et moi-même d'après le plan original du « Projet de la montagne de la tour de jade » élaboré par Li Zuopeng et approuvé par Lin Biao.

Alors, Lin Liguo insista vivement auprès de Lin Biao pour qu'il prît une décision. « Il est près de six heures. Il nous reste peu de temps. »

Huang Yongsheng appela Liu Quanjue au poste de commandement, par un poste portatif, pour le prier de venir. Liu Quanjue arriva avec le chef du bureau des Communications, l'officier de service du bureau de la Sécurité et le chef de la station de radiodiffusion. Ils attendirent dans une autre pièce séparée de la nôtre par une double porte de sécurité.

Soudain, Lin Biao cria : « Taisez-vous ! »

Il regarda sa montre, puis il reprit le document des ordres pour le relire. « Je transpire, dit-il, je transpire. »

Ye Qun et Yu Yunshen se précipitèrent immédiatement pour lui éponger le visage et l'aider à s'asseoir. Il fit un geste de la main et il cria, assez nerveusement : « Bon Dieu ! Que font tous ces gens ici ? Pour changer un peu, ça ne vous dérangerait pas de me laisser un instant de calme et de silence ? »

Lin Liguo et ses hommes se retirèrent dans le deuxième salon. Li Zuopeng, Qiu Huizuo et moi allâmes dans le salon des officiers supérieurs où Ye Qun et Huang Yongsheng nous rejoignirent plus tard.

Tous les cinq, nous n'avions pas grand-chose à nous dire. Que fallait-il faire ? Je n'en savais rien et les autres non plus. L'atmosphère était très tendue.

Lin Biao resta seul dans le poste des opérations pendant près d'une demi-heure. Dans l'autre pièce, nous attendîmes comme des imbéciles, sans rien dire.

Finalement, Lin Biao ouvrit la porte de notre pièce. Il avait retrouvé son calme et sa gentillesse.

Il commença par nous serrer la main à tous. Plein d'assurance, il dit : « Il ne faut pas devenir si méfiant. Nous ne devons pas dramatiser les choses à ce point. Depuis des années, nous employons chaque seconde de notre existence à édifier notre puissance. Nous ne devons pas dépenser toute notre énergie d'un seul coup. Il ne faut pas gâcher toute cette préparation méticuleuse. Rien ne prouve encore qu'il attend à la " montagne de la tour de jade " pour me poignarder dans le dos. Il est trop tôt pour en juger. Attendons un peu, jusqu'à ce que tout soit en ordre. Nous agirons le 17 ou le 18 du mois. »

Nous acceptâmes tous la proposition de Lin avec un soupir de soulagement.

En retournant au poste des opérations, nous vîmes des restes de papier brûlé dans le crachoir. Lin Biao montra les cendres du doigt et dit à Huang Yongsheng : « Nettoyez ça. J'ai brûlé le document. »

Il avait brûlé le « rapport secret 1577 » et rendu à Huang Yongsheng le message stipulant les ordres. Il dit alors : « Maintenant, messieurs, c'est à vous de trouver immédiatement un plan d'action si quelque chose m'arrive ce soir. Il faudra vous inspirer de la tactique et de la stratégie de notre " Projet de la montagne de la tour de jade ", en vous apprêtant simplement à agir plus tôt que prévu[4]. »

Wu Faxian et d'autres furent surtout troublés par le curieux comportement de Lin Biao durant les trois ou quatre dernières heures. Après une délibération longue et difficile, Lin Biao avait paru décidé à se rendre au dîner de Mao. Puis, il était venu aux installations « numéro 0 » avec l'intention d'exécuter immédiatement le « Projet de la montagne de la tour de jade ». Puis, il s'était complètement ravisé pour revenir à sa décision initiale.

Lin Biao avait brusquement changé d'avis en partie à cause de ses propres hésitations, mais surtout à cause des pressions exercées par son fils, Lin Liguo, lui-même influencé par les membres de l'Escadre de l'Union, en particulier son chef d'état-major, Zhou Yuchi.

Une fois l'Escadre de l'Union associée aux forces insurrectionnelles de Lin Biao, et surtout lorsque Lin Liguo annonça la fin de l'opération « missiles », Zhou Yuchi se sentit bien plus proche de ses camarades de l'Escadre de l'Union. Par contre, il se sentit écarté par Wu et d'autres personnes du camp de Lin Biao. Des différences d'âge, de position, de passé, de grade renforcèrent l'hostilité et l'antagonisme. Mais, ce qui fut peut-être encore plus important, Zhou avait acquis la conviction que l'Escadre de l'Union avait raison de vouloir agir directement contre Mao. Au début simplement « affecté » au projet, Zhou en était devenu un partisan convaincu à mesure que la rupture Lin-Mao s'était aggravée. En outre, les arguments de Jiang Tengjiao en faveur d'une action violente l'avaient beaucoup influencé.

Présent à Maojiawan alors que les chefs d'état-major discutaient de l'opportunité pour Lin d'aller dîner chez Mao,

Zhou Yuchi n'avait rien dit. Personne ne lui avait d'ailleurs demandé son avis.

Mais dès que Lin Biao décida d'aller à la réception de Mao, Zhou Yuchi, Yu Xinye et Liu Peifeng essayèrent de pousser Lin Liguo à agir.

Inquiet et désorienté par leur insistance, Lin Liguo demanda à Jiang Tengjiao et Wang Fei ce qu'ils en pensaient. Tous deux étaient résolument de l'avis de Zhou.

En fin de compte, plus déterminé que jamais, Lin Liguo alla revoir son père. Selon Yu Yunshen, « au début, Lin Biao et Ye Qun furent très affligés par son insistance. Ils firent venir Zhou Yuchi et Liu Peifeng pour les consulter. Alors, Lin Biao accepta de se rendre d'abord aux installations " numéro 0 " et de discuter plus tard de l'opportunité de se rendre chez le président Mao. Aux installations, Lin Biao, Lin Liguo et Ye Qun eurent une vive discussion. En fin de compte, Lin Liguo ne parvint pas à convaincre son père de ne pas aller chez Mao [5]. »

L'ultime décision de Lin Biao irrita et déçut Lin Liguo et les membres de l'Escadre de l'Union. A Yu Xinye incomba la corvée d'annoncer aux membres de l'Escadre se trouvant à Beijing que le « Projet 571 » était définitivement rejeté. Zhou Yuchi n'accepta finalement cette situation que lorsque Lin Liguo s'effondra quasi devant lui et dit : « Nous en avons débattu pendant plus d'une heure. Si je continue, mes nerfs vont me lâcher. Il ne veut rien entendre. Je présume qu'il faut s'en remettre à son expérience. »

Par mesure de précaution, Lin Liguo donna à sa mère une montre équipée d'un petit émetteur radio qu'elle porterait au dîner de Mao. La montre émettrait automatiquement une alarme radio si son pouls s'arrêtait. Ye Qun pourrait également utiliser la montre pour émettre un signal de danger et, si tout allait bien, un signal bien clair serait émis toutes les cinq minutes.

Les signaux seraient captés par deux patrouilles motorisées postées à 500 et 1 800 mètres du domicile de Mao et retransmis ensuite au poste de Lin Liguo. Pour ne pas être détecté par la station de surveillance radio de Beijing, Lin

Liguo décida d'utiliser la fréquence d'émission de l'armée de l'air.

Le 12 septembre 1971, vers 20 h 10, Lin Biao arriva chez Mao. Les gardes armés attendant les invités à la grille d'entrée saluèrent Lin Biao — maréchal, vice-président de la Chine, ministre de la Défense et successeur désigné de Mao — avec tout le respect dû à son rang.

16.

Les villas de la « montagne de la tour de jade » sont construites dans l'intimité d'une zone délimitée par le grand mur gris qui entoure la colline et les bois qui font un vaste espace de verdure au milieu duquel bien peu de toits sont visibles. Autrefois, Mao Zedong, Zhu De, Liu Shaoqi et Zhou Enlai y possédaient chacun leur villa.

En 1964, Lin Biao y acquit à son tour une villa et en 1967 il hérita de la plus belle de toutes, celle de Liu Shaoqi qui venait de tomber en disgrâce. Cependant, à peine sept mois plus tard, Lin Biao quitta cette demeure. Il était hanté par le destin tragique de Liu dont le combat désastreux avec Mao avait grandement contribué à plonger la nation dans la violence de la Révolution culturelle.

Lorsque Lin Biao déménagea, rayant son nom de la liste des ex-propriétaires, l'ancienne villa de Liu Shaoqi devint successivement la résidence provisoire de dirigeants de la Révolution culturelle tels que Jiang Qing, Kang Sheng, Zhang Chunqiao et Chen Boda. Mais les nouveaux propriétaires n'occupèrent jamais qu'une partie de la villa.

Jadis, Lin Biao avait vainement essayé de faire un échange de villas avec le président Mao. Entourée de grands arbres, de belles pelouses et d'un mur en briques, la demeure de Mao Zedong occupait la moitié du coin sud-est de la colline. A l'intérieur de la propriété, il y avait plusieurs cours, des jardins de fleurs et de bambous, d'anciennes fontaines et stèles en pierre, ainsi que des appartements, des bureaux et des salles de réception modernes et anciens.

Mao ne venait là que sporadiquement en été et en automne. Parfois, sur un lopin de terre d'une des cours, il semait lui-même quelques graines, souvent hors saison en un geste curieusement symbolique. A la moisson, il aimait montrer à ses amis quelques haricots verts ou des plantes aromatiques, triomphant gentiment de ses « engrais magiques ».

Au dîner du président Mao du 12 septembre, Lin Biao et Ye Qun n'avaient ménagé aucun effort pour apporter les meilleurs cadeaux. Par avion militaire, Wu Faxian fit venir du homard et du saumon vivants et une équipe itinérante récolta du ginseng sauvage dans les champs. Lin apporta également une lettre dans laquelle les habitants de Beidaihe présentaient au président tous leurs respects et leur marque de fidélité.

Lin Biao savait que le protocole lui interdisait d'amener au dîner des secrétaires ou des adjoints, mais son chef de la sécurité, Zhu Bingliang, prévit une quinzaine de personnes comprenant le personnel de sécurité, les chauffeurs et quatre gardes du corps pour l'accompagner jusque chez Mao.

Lorsque le cortège de voitures arriva à la grille d'entrée de la propriété de Mao, seule la limousine de Lin fut autorisée à pénétrer dans la cour intérieure. Les secrétaires et le personnel domestique de Mao Zedong accueillirent Lin Biao et Ye Qun à leur descente de voiture. Le chauffeur, Yang Zhengang, et le chef de la sécurité, Zhu Bingliang, confièrent aux domestiques les cadeaux de Lin Biao à Mao, puis ils allèrent garer la limousine près de la grille, à un endroit indiqué par les gardes de Mao.

Au bout de l'allée du jardin, Jiang Qing, Zhou Enlai, Kang Sheng et Wang Dongxing accueillirent Lin Biao et Ye Qun. Ils échangèrent des phrases courtoises et aimables. Lin Biao demanda des nouvelles de la santé du président et dit que lui-même avait bien profité de son séjour à Beidaihe.

Mao Zedong attendait ses invités dans le jardin de fleurs, devant sa salle de travail. L'air radieux, il serra la main à Lin Biao et à Ye Qun. En plaisantant, il dit que Lin Biao semblait avoir rajeuni de dix ans. Ye Qun avait eu raison de lui conseiller quelques jours de vacances à Beidaihe.

Pendant ce temps-là, à la station du quartier général du 34e régiment de l'armée de l'air à l'aéroport de la banlieue ouest de Beijing, Lin Liguo venait de recevoir le premier signal émis par la montre de Ye Qun indiquant que tout allait bien. Alors, il dit à ses compagnons, Zhou Yuchi et Liu Shiying : « J'espère seulement que ce dîner imprévu est une fausse alerte [1]. »

Parmi tous ceux qui, ce soir-là, furent témoins des événements, se trouvaient les participants directs, les membres de l'Unité 8341 et les gardes du corps de Mao. Wang Dongxing baptisa d'un nom charmant ce groupe sélect de soldats : « l'unité des spécialistes ».

C'est injuste d'appeler ces gens des soldats. Bien que revêtant l'uniforme militaire, ils n'étaient pas des soldats ordinaires mais les membres d'une élite intellectuelle bénéficiant en plus d'une excellente formation et discipline militaires. Courageux, affables, dynamiques, ils constituaient un groupe d'individus divers possédant de grandes qualités. Leur point commun : ils étaient aveuglément soumis et fidèles à Mao Zedong, faisant ainsi preuve d'une discrétion extrême et maladive quant à ses secrets. Paradoxalement, on leur demandait à la fois d'ignorer et de connaître parfaitement bien les affaires de leur chef.

La structure de l'Unité 8341 rappelait celle d'une division de l'Armée de libération populaire, mais avec un effectif bien supérieur. L'Unité comportait dix-huit bataillons comportant chacun 500 à 870 hommes. Chaque bataillon était subdivisé en quatre ou cinq escadrons, subdivisés eux-mêmes en sections. Les chefs de section rendaient directement compte à Wang Dongxing. Le peloton constituait la plus petite unité.

En plus de ces troupes, le corps comprenait d'autres bataillons chargés de missions d'urgence ou du remplacement d'unités en formation ou en déplacement provisoire, un important service de renseignements chargé de l'espionnage, un grand nombre de « bureaucrates », et une sorte de département de la Logistique, représentant près de la moitié de toute l'Unité 8341, chargé de l'équipement, de l'armement, des communications, des transports et du stockage des matériels.

Voici un extrait des mémoires de Zhao Yanji basé sur des conversations avec Wang Dongxing :

Wang Dongxing soupira en parlant de cette soirée du 12 septembre au cours de laquelle Lin Biao rencontra Mao Zedong pour la dernière fois. Il dit que le président et Lin Biao s'étaient rencontrés bien des fois sur une période de plusieurs dizaines d'années. Et le dernier soir qu'ils devaient passer ensemble, en dépit de son importance, fut marqué par une conversation d'une banalité inhabituelle.

Mao Zedong parla d'abord du Sud, d'où il revenait, et du plaisir de voyager. Puis il évoqua le rapport d'une enquête sur l'espérance de vie qu'il avait lu récemment. Ils discutèrent de l'espérance de vie en Chine, au Japon et dans d'autres pays.

De la salle de réception contiguë au bureau de Mao Zedong, ils se rendirent à la salle du banquet pour commencer ce que Zhou Enlai devait appeler par la suite « le dernier souper ».

Mao Zedong ouvrit le banquet en débouchant une bouteille de vin impérial datant de la dynastie Ming et conservé dans son récipient en porcelaine d'origine depuis 482 ans. Puis il brûla un peu d'encens.

Le dîner fut excellent : des holoturies et d'autres mets succulents de poisson ou de viande. Mao Zedong prit ses baguettes pour servir à Lin Biao de délicieux tendons de tigre (chassé récemment en Mandchourie). Lin Biao lui rendit la pareille. L'atmosphère du banquet était très chaleureuse.

Plus tard, Wang Dongxing commenta cette soirée en ces termes : « Je pensais que le dernier repas donné en l'honneur de Lin Biao serait plus tendu. Il se trouva que toutes les précautions prises furent superflues. Bien sûr, sous une apparente quiétude, nous cachions de tout autres sentiments. »

Vers dix heures, Mao Zedong invita tout le monde à passer dans une autre salle de banquet où étaient servis des fruits frais du sud de la Chine. A un certain moment, Ye Qun dit qu'il fallait peut-être laisser le président se reposer de la fatigue de son long voyage.

Lin Biao et le Premier ministre étaient d'accord avec elle. Mais sur l'insistance de Mao Zedong, ils restèrent encore trente minutes.

Le Premier ministre Zhou, Kang Sheng et Jiang Qing furent les premiers à prendre congé. Lin Biao et Ye Qun bavardèrent encore vingt minutes avec le président. A 10 h 54, ils partirent à leur tour. Wang Dongxing s'approcha de Mao Zedong pour les voir rejoindre leur voiture qui attendait à l'entrée de la salle de banquet.

A onze heures, le bruit d'explosions parvint jusqu'à la villa. En entendant cela, le président ne fit qu'un seul commentaire au Premier ministre Zhou et à Wang Dongxing : « Quant au coupable, peu importe ce qu'on dira. Je m'en moque éperdument. »

Le Premier ministre alla vérifier la mort de Lin Biao et Ye Qun. En revenant, il dit au président : « Depuis que nous sommes dans la capitale, c'est la première fois que nous avons dû agir de cette façon. Il faut trouver une explication adéquate et empêcher qu'il y gagne l'image d'un héros. »

Le président répondit : « Je vous fais confiance, vous saurez vous occuper de tout le reste[2]. »

Parmi les gardes de l'Unité 8341 présents à la villa de Mao Zedong le 12 septembre se trouvait un homme du nom de Tan Shu, spécialiste des transports. Au cours de son enquête sur l'affaire Lin Biao, Zhao Yanji se procura une copie des mémoires de Tan Shu. Nous citons ici sa description des préparatifs de l'opération.

Peu après le retour de Mao Zedong à Beijing, Wang Dongxing convoqua plusieurs membres de l'Unité 8341. Il voulait que nous lui fassions un plan en moins d'une heure. Notre objectif était simple. Nous devions détruire une voiture et tuer les passagers au tournant de la route goudronnée qui descend de la résidence du président Mao.

Spécialisé dans la sécurité des automobiles, il me fallut peu de temps pour trouver un moyen de détruire une voiture que je supposais être blindée et à l'épreuve des balles.

Je faisais partie d'un petit groupe de onze techniciens. Le chef en était Wang Rongyuan, expert en explosifs. J'étais son adjoint. Il y avait aussi un groupe opérationnel de soixante hommes. Nous fûmes prêts en temps voulu. Alors, Wang Dongxing ordonna à Wang Zigang de nous rassembler au bureau de la Sécurité à la grille est de Zhongnanhai où nous devions attendre d'autres instructions avant de nous rendre à la « montagne de la tour de jade ».

Une heure et demie plus tard, Wang Dongxing arriva. Il

rencontra d'abord les onze membres de notre groupe, puis ceux du groupe opérationnel. Hormis ma proposition de placer des mines sur le terrain même, pour plus de sûreté, il accepta mon plan. Alors, il nous donna l'ordre d'aller directement sur place et de préparer l'embuscade. Il dit qu'avant notre arrivée là-bas les gardes habituellement en service à la « montagne de la tour de jade » auraient été remplacés par des hommes de notre unité.

Le plan de l'embuscade était le suivant : une voiture serait garée en travers de la route goudronnée, juste au tournant sur la gauche. Lorsque la limousine-cible arriverait, nous serions prêts à agir avec deux sections de lance-roquettes, une en face de l'automobile et la seconde derrière. Selon mes estimations, une seule roquette de 40 millimètres suffirait pour tuer tous les occupants de la voiture. Mais, pour plus de sûreté, nous préparâmes quatre roquettes de 40 millimètres et trois roquettes antichars de 60 millimètres. Les postes de tir se trouvaient à 15 et 7 mètres de notre cible.

La plupart des membres du groupe opérationnel étaient postés un peu plus bas, des deux côtés de la route. D'autres membres du groupe opérationnel se trouvaient dans deux voitures ouvertes ; ils étaient armés de mitraillettes et de mitrailleuses et devaient couper la route à la limousine-cible si elle tentait de faire demi-tour.

La visibilité sur la route serait parfaite grâce aux lampadaires allumés. Situés très près de la cible, les tireurs n'auraient pas besoin de systèmes de visée.

Nous devions garder le contact par téléphone et postes portatifs. Wang Zigang se trouvait à mon poste avec son pistolet d'alarme.

Pendant que nous nous préparions, Wang Dongxing vint contrôler notre mise en place quatre fois. Vers 19 h 10, il vint me voir à mon poste. Il me montra l'emplacement du groupe opérationnel un peu plus bas sur la route. « Ne risquent-ils pas d'être blessés ? Ils sont si près. »

Je lui répondis : « Les roquettes de 60 millimètres sont très puissantes. Ces hommes sont à moins de 5 mètres de la cible. Il pourrait bien y avoir des morts ou des blessés. »

Wang Dongxing répondit avec empressement : « Il ne faut pas avoir peur de nous sacrifier. Nous nous dévouons pour le président Mao. Ce serait un honneur de mourir. Sachez-le bien ! »

Peu avant onze heures, le signal fut lancé. Nous entendîmes la voiture et vîmes ses phares. C'était notre cible. Nous nous préparâmes à tirer.

C'était une limousine « Drapeau rouge », du plus grand modèle. Elle roulait à environ 15 km/h. La carrosserie brillait sous les lumières de la route. Le véhicule s'engagea dans le tournant et s'arrêta brusquement à sept ou huit mètres du barrage. Alors, le signal fut donné de tirer les roquettes. J'entendis le bruit assourdissant des explosions et je vis un projectile atteindre l'arrière de la voiture. Elle prit feu aussitôt.

Une deuxième roquette fut tirée en plein milieu de la voiture, mais je ne pus distinguer son explosion de la première. Je fus ébloui par les flammes. La voiture vola en éclats. L'équipe chargée d'éteindre le feu entra en action.

Je me précipitai vers la carcasse de la limousine avec Wang Zigang et Wang Rongyuan. La carrosserie était complètement déformée, les portes étaient arrachées et les vitres brisées. Le produit chimique des extincteurs avait ravagé encore plus les quatre corps déjà méconnaissables.

Les deux passagers du siège avant étaient littéralement broyés alors que la femme assise sur la banquette arrière n'était plus qu'un tas de lambeaux de chair et d'os. L'homme installé près d'elle avait un côté du visage et du corps partiellement intact.

Les restes des cadavres ensanglantés furent transportés dans une pièce à air conditionné avant que Wang Dongxing et le Premier ministre Zhou ne vinssent les voir. Le Premier ministre demanda les noms de tous les membres de notre groupe présents dans la pièce. Il nous dit : « Vous avez très bien accompli votre devoir pour la protection du président Mao. Vous êtes tous des héros. »

Wang Dongxing montra du doigt les deux cadavres assis un instant plus tôt sur la banquette arrière de la limousine et il demanda : « Savez-vous qui sont ces personnes ? Lui, c'était Lin Biao, un traître qui a trompé le président ; et elle, c'était son horrible femme, Ye Oun. »

Ses mots nous donnèrent un coup de massue. La personne que nous venions de tuer était le successeur du Président Mao, Lin Biao [3].

Dans son bureau du service « enquêtes », Zhao Yanji possédait un dossier contenant les photographies des personnes tuées pendant l'affaire Lin Biao (parmi lesquelles plusieurs membres de l'unité technique et du groupe opérationnel). Selon Zhao, sur les photographies prises une fois le sang lavé de son visage, Lin Biao était reconnaissable par un œil droit (resté intact), ses sourcils (uniquement roussis) et par le tour de l'œil ouvert que couvraient d'épaisses rides.

Ces photographies diffèrent totalement des clichés montrés plus tard aux cadres de haut niveau du bureau des

Affaires générales du Comité central à l'hôtel Jingxi. Ces clichés furent soi-disant pris par le personnel de l'ambassade chinoise en Mongolie le matin du 13 septembre à l'endroit où un avion s'était écrasé. Inutile de préciser que les photographies de Lin Biao dans l'épave de l'appareil, ainsi que celles de Ye Qun et de Lin Liguo, étaient fausses.

17.

Le soir du 12 septembre, une fois Lin Biao finalement décidé à aller dîner chez le président Mao, Lin Liguo avait pris les dispositions suivantes :

— Wang Fei, Yu Xinye, Li Weixin, Wang Yongkui et d'autres se tenaient au Quartier général de l'armée de l'air, dans le bâtiment en forme d'Y, pour attendre les ordres de Lin Liguo. A la demande de Lin, Jiang Tengjiao restait chez lui pour garder le contact avec les quartiers généraux des régions militaires de l'armée de l'air de Shanghai, Hangzhou et Guangzhou. Une petite amie de Lin Liguo, nommée Wang Shuyan, actrice dans les services cinématographiques de l'armée de l'air, et Cheng Hongzhen restaient avec Lin.

— Lin Liguo, Zhou Yuchi, Liu Peifeng, Liu Shiying et d'autres allaient à l'aéroport de la banlieue ouest pour surveiller ce qui se passait à la « montagne de la tour de jade » ; ils restaient en contact permanent avec le groupe de Huang Yongsheng.

— Le chauffeur personnel de Lin Liguo était Wang Zhuo, chef adjoint du parc automobile du quartier général de l'armée de l'air ; il était également chargé de la répartition des véhicules.

— Si Lin Biao et Ye Qun avaient des ennuis, Huang Yongsheng devait déclencher immédiatement le coup d'État militaire en annonçant que les forces antirévolutionnaires avaient enlevé le président Mao, arrêté le vice-président Lin et levé une révolte armée. En tant que chef d'état-major des forces armées, il donnerait l'ordre de fermer complètement toutes les installations du poste de commandement des Collines de l'ouest. Ensuite, il commanderait aux régions militaires de Beijing et de Shenyang de faire encercler Beijing par certaines de leurs unités, en particulier la 38ᵉ armée.

— Le coup d'État serait annoncé à toutes les unités de Beijing et aux régions militaires de tout le pays. La garnison de Beijing recevrait l'ordre d'encercler l'Unité 8341 afin d'assurer l'obéissance aux ordres émanant du poste de commandement. Les troupes de la marine et de l'armée de l'air seraient déployées autour de la « montagne de la tour de jade », de la maison des hôtes du gouvernement et de Zhongnanhai. L'unité d'instruction de l'armée de l'air (le contingent de l'Escadre de l'Union), qui de Shanghai venait d'arriver à l'aéroport de la banlieue ouest, serait envoyée en équipe d'assaut pour délivrer Lin Biao et Ye Qun, et tuer Mao Zedong, Wang Dongxing et d'autres membres importants de l'entourage de Mao.

— Dans les quatre heures, la 3ᵉ division des troupes aéroportées de l'armée de l'air serait envoyée à Beijing pour apporter leur renfort aux forces anti-Mao.

Une fois ces dispositions nécessaires prises, Lin Liguo concentra toute son attention sur les signaux émis par la montre de Ye Qun. Le système avait fonctionné à la perfection et voilà que, soudain, il ne transmettait plus rien. Il pensa que quelque chose s'était détraqué. Il ne comprenait pas encore que l'émetteur avait été détruit par les roquettes juste quand sa mère fut tuée.

Alors qu'il s'interrogeait sur l'interruption des signaux, Lin Liguo reçut un rapport des patrouilles automobiles postées à la « montagne de la tour de jade » : on avait entendu deux curieuses explosions, mais aucun coup de feu ou autre chose d'inquiétant. Cela suffisait pour convaincre Lin Liguo et ses collègues de l'Escadre de l'Union que Lin Biao était tombé dans une embuscade.

Lin Liguo appela Huang Yongsheng pour lui annoncer la nouvelle. Huang mit en doute la fiabilité du système émetteur de la montre de Ye Qun. Lin insista pour qu'il donnât l'ordre de déclencher le « Projet de la montagne de la tour de jade », mais Huang répondit que déclencher le coup d'État en se fondant sur une vague hypothèse mettrait en danger la vie de Lin Biao et de Ye Qun.

Zhou Yuchi se trouvait avec Lin Liguo; il surprit la conversation. La passivité de Huang l'irrita. Il était persuadé que tout était perdu.

Sans consulter personne, Zhou se leva tout à coup pour téléphoner à Pan Jingyin et lui demander de préparer un jet Trident pour un long vol. Il appela également son instructeur de pilotage d'hélicoptère, Chen Shiyin, à l'académie de l'armée de l'air, pour le prier de se tenir prêt à effectuer à tout moment une mission d'urgence.

Par la suite, dans ses confessions, Liu Shiying, membre de l'Escadre de l'Union, décrivit ainsi les événements de la journée :

Lin Liguo sortit de la pièce et dit au chef du groupe de Shanghai de l'unité d'instruction de l'armée de l'air d'attendre les ordres. Zhou Yuchi se rendit dans une autre pièce. Je le suivis et le trouvai au téléphone avec Pan Jingyin.

Puis, Zhou Yuchi me dit : « Dépêchez-vous de dire à Li Weixin de ranger mes affaires dans le bureau et de les mettre dans une valise. J'ai l'impression que ce soir il faut brûler tous les ponts derrière nous. Si on perd, il faut fuir avant qu'ils ne vous tombent dessus ! »

Zhou Yuchi me demanda de rester calme. Je ne devais révéler à personne que nous fuyions. Il dit que si Lin Liguo refusait de partir au moment voulu, nous serions obligés de l'amener de force dans l'avion. « Nous ne pouvons pas le laisser ici affronter la mort », dit Zhou.

Lin Liguo téléphona chez lui à Maojiawan. Yu Yunshen lui répondit. Yu ne répondit à aucune des questions que Lin Liguo lui posa. Au contraire, il répondit en posant lui-même des questions : était-il encore à l'aéroport de la banlieue ouest ? Comment allait Lin Biao ? Que faisait Huang Yongsheng ?

Le comportement de Yu Yunshen paraissait très étrange. Lin Liguo pensa qu'il ne pouvait pas s'exprimer librement au télé-

177

phone. Zhou Yuchi et d'autres personnes se trouvant là furent également surpris par son attitude.

En fin de compte, Lin Liguo lui demanda si quelque chose n'allait pas. La ligne fut soudain coupée.

Lin Liguo le rappela. Personne ne répondit. Il recomposa le numéro plusieurs fois. Toujours rien.

Zhou Yuchi s'écria soudain : « Bon sang ! Ils ont dû occuper Maojiawan. Yu Yunshen est probablement menacé d'une arme. »

Après l'intervention de Zhou Yuchi, tous eurent peur. Alors, Huang Yongsheng téléphona. Il dit qu'il avait prétexté une urgence pour appeler Lin Biao chez Mao. Zhou Enlai avait répondu au téléphone et lui avait dit que Lin était en pleine conversation avec le président. Zhou dit qu'ils demanderaient peut-être à Huang Yongsheng de les rejoindre plus tard pour venir bavarder avec eux.

Huang dit que les choses n'étaient peut-être pas aussi graves que Lin Liguo l'avait imaginé.

Lin Liguo lui dit que quelque chose ne tournait pas rond à Maojiawan. Lin Liguo demanda à Huang d'ordonner immédiatement une révolte. Huang Yongsheng dit qu'il allait consulter Wu Faxian, Li Zuopeng et Qiu Huizuo par téléphone. Après avoir raccroché, Lin Liguo jura et dit : « Je regrette vraiment de ne pas pouvoir mettre mon revolver contre leurs vieilles caboches et les obliger à m'écouter. »

Quelqu'un me dit que Yu Xinye avait tenu un jour les mêmes propos.

Environ dix minutes plus tard, Huang Yonsheng rappela et dit qu'il devait se rendre à la « montagne de la tour de jade ». Il contacterait Wu Faxian à une heure bien précise. S'il ne le faisait pas, les autres pourraient en déduire qu'il y avait un problème. Wu Faxian, Li Zuopeng et Qiu Huizuo prendraient alors le commandement du coup d'État.

Lin Liguo n'approuva guère la proposition de Huang Yongsheng, mais il n'avait aucun moyen de le faire changer d'avis. Il me dit : « Que peut-on faire ? Les vieux chefs sont complètement idiots. »

Puis il dit : « Venez tous avec moi au poste de commandement de la banlieue ouest. Nous allons ramener Huang Yongsheng ici pour lui faire entendre raison. Si nous ne parvenons pas à le faire changer d'avis, nous mettrons un revolver sur la tempe de Wu Faxian pour le contraindre à agir. »

Tout le monde approuva, Zhou Yuchi en tête. A ce moment-là, l'équipe d'un des véhicules de patrouille annonça qu'en retournant à l'aéroport de la banlieue ouest, un véhicule militaire les avait doublés. Il pouvait fort bien s'agir de troupes armées s'apprêtant à occuper l'aéroport en question.

Au même instant, la seconde patrouille motorisée annonça qu'un véhicule militaire barrait la route menant à l'aéroport de la banlieue ouest. Apparemment, toutes les routes de l'aéroport étaient gardées.

Zhou Yuchi dit : « Ils arrivent. Il nous ont encerclés [1]. »

Dans d'autres confessions, Liu Shiyin décrivit en détail ce qui se passa plus tard ce même jour :

Lin Liguo, celui de nous qui avait pris le commandement suprême des opérations dès le début, se sentit soudain perdu.

Zhou Yuchi voulait que l'unité d'instruction de la 4e armée aérienne se mît en position de défense pour se préparer au combat.

Il demanda à Pan Jingyin de monter dans un avion avec un équipage, puis il appela l'aéroport pour donner l'ordre, au nom du chef de l'armée de l'air, Wu Faxian, de lancer immédiatement les moteurs du Trident en vue d'un décollage imminent.

Lin Liguo lui demanda ce qu'il faisait.

Il répondit qu'ils étaient encerclés comme l'était également le poste de commandement des Collines de l'ouest. Ils avaient juste le temps de fuir. S'ils tardaient trop, tout était perdu.

Lin Liguo voulut savoir où ils pourraient fuir.

En Union soviétique, répondit Zhou.

Lin Liguo nous regarda tous et nous demanda : « Qu'en pensez-vous ? »

Nous pensions tous que les vieux chefs étaient inutiles. Nous ne serions soutenus par aucune des régions militaires et nous n'avions aucun pouvoir pour les commander. La seule issue possible semblait bien être la fuite à l'étranger.

Zhou Yuchi demanda à Liu Peifeng et à moi d'accompagner Lin Liguo à bord de l'avion. Lui, il contacterait Wang Fei et d'autres membres de l'armée de l'air pour effectuer les opérations de dernière minute et il nous rejoindrait aussitôt après.

Dans une voiture pilotée par Wang Zhuo, nous accompagnâmes Lin Liguo jusqu'à la piste d'envol de l'aéroport.

Le Trident était prêt à décoller. Je ne me souviens pas de son numéro exact.

A bord, Pan Jingyin nous annonça que tout l'équipage était au poste de pilotage. Le plein de carburant avait été fait et, en plaisantant, il dit que nous pourrions rester en vol pratiquement sans jamais avoir à nous poser. Il ne savait pas à quel point il était près de la réalité.

Je me souviens qu'il y avait sept membres d'équipage. Un des officiers de transmissions était une auxiliaire féminine âgée d'une quarantaine d'années ; tous les autres étaient des hommes : deux pilotes (Pan Jingyin y compris), un navigateur, un chef mécanicien et deux assistants mécaniciens.

De l'avion, nous contactâmes Zhou Yuchi. Pan Jingyin lui dit que la tour de contrôle n'avait pas encore été informée du plan de vol. Zhou Yuchi dit qu'il avait déjà parlé au chef d'état-major adjoint Wang Fei et que tout était en ordre. Il demanda à Pan Jingyin d'écouter simplement les ordres du chef adjoint Lin.

Au téléphone, Zhou Yuchi annonça à Lin Liguo qu'il viendrait à l'aéroport avec une centaine d'hommes avec lesquels il monterait à bord dans quelques minutes. Il dit à Lin qu'il fallait que je [Liu Shiying] vienne les aider pour leur montrer le chemin.

Je débarquai. Wang Zhuo me demanda alors de l'aider à monter dans l'avion des mitraillettes se trouvant dans sa voiture.

Une échelle était prévue pour ce travail. J'eus le malheur de tomber et je me fis très mal à une jambe. Lin Liguo me demanda si j'allais bien et il vint avec Pan Jingyin voir ce que j'avais.

C'est alors que Pan Jingyin lui demanda à voix basse où nous allions.

Lin Liguo dit : « Êtes-vous sûr que l'équipage vous obéira ? »

Pan Jingyin répondit : « Le chef adjoint présent, il ne devrait y avoir aucun problème. »

Lin Liguo dit : « Si quelqu'un refuse d'obéir aux ordres ce soir, il aura ça. » Joignant le geste à la parole, il tapota sur l'étui du revolver de Pan Jingyin.

Wang Zhuo et moi partîmes rejoindre Zhou Yuchi en voiture. En dépassant la tour de contrôle, nous entendîmes le grondement du moteur de plusieurs voitures. Avant d'arriver au poste de commandement de l'Escadre de l'Union, nous vîmes toute une colonne de véhicules : des soldats armés mettaient pied à terre.

Wang Zhuo dit : « Bon sang ! Nous ne passerons pas. »

Puis, nous vîmes trois jeeps quitter le poste de commandement et se diriger vers l'aéroport. Pensant que Zhou Yuchi se trouvait dans l'une d'elles, je dis à Wang Zhuo de la rattraper. En nous rapprochant, nous vîmes qu'il s'agissait de véhicules militaires. Les hommes mirent pied à terre et pointèrent leurs armes vers nous ; ils nous intimèrent de nous arrêter.

Nous fîmes demi-tour pour retourner vers la piste. Wang Zhuo hurla encore : « Bon sang ! »

Je vis aussi des projecteurs de la tour de contrôle balayer la piste d'envol. Des soldats se précipitaient vers le Trident, mais l'avion avait déjà pris de la vitesse pour décoller.

180

Zhuo essaya de rattraper l'avion alors que je lui hurlais de faire demi-tour. Il m'écouta enfin. Nous fîmes un crochet par une zone de casernements et quittâmes l'aéroport par une sortie latérale. Puis, nous nous dirigeâmes vers l'académie de l'armée de l'air pour y trouver refuge[2].

Une fois Lin Liguo à bord de l'avion, Zhou Yuchi dit à Wang Fei de rassembler tout le monde et d'échafauder une seule et même version des faits. Ils se mirent d'accord pour répondre tous la même chose aux enquêteurs et faire semblant d'ignorer les affaires de Lin Liguo et de l'Escadre de l'Union.

Zhou demanda à Wang Fei et à Li Weixin de contacter tous les membres de l'Escadre de l'Union aux postes de commandement pour leur donner l'ordre de brûler tous les documents, de détruire toute autre preuve de leur présence et de préserver leurs forces.

Il dit : « Nous avons essuyé un échec mais nous ne sommes pas encore vaincus. La victoire appartiendra en fin de compte à l'Escadre de l'Union. »

Alors que Liu Shiying essayait de rejoindre Zhou Yuchi, ce dernier apprit que des troupes armées avaient investi l'aéroport et s'approchaient du Trident. De leur position, les membres de l'unité d'instruction pouvaient voir les troupes en question.

Zhou Yuchi comprit qu'il n'avait plus aucune chance de monter dans l'avion. Il contacta Lin Liguo par radio et lui enjoignit de décoller immédiatement.

Dans ses confessions, l'officier des communications de l'Escadre de l'Union, Xu Limin, écrivit :

Zhou Yuchi dit à Lin Liguo de ne pas attendre une seconde de plus. En décollant, il trouvait son salut. Il conseilla à Lin Liguo d'utiliser sa mitraillette pour désarmer l'équipage, y compris Pan Jingyin.

Lin Liguo lui demanda ce qu'il allait faire. Zhou lui répondit qu'il allait fuir en hélicoptère. Ils se retrouveraient à l'endroit convenu. Pour terminer, il cria deux slogans : « Vive Lin Biao ! Vive Lin Liguo ! »

Sans prévenir d'abord l'unité d'instruction, il nous entraîna, moi, le chauffeur Lin Jianping, le secrétaire Xu Xiuxu et deux gardes du refuge secret de l'académie de l'armée de l'air, Lu Yang et Qi Yaofang, jusqu'à un véhicule électrique se trouvant dans le hangar d'entretien de l'aéroport. De là, traversant les pistes, il nous conduisit jusqu'à une petite route, puis il emprunta un chemin détourné pour rejoindre le refuge secret de l'académie de l'armée de l'air.

Chen Shiyin attendait là.

Zhou Yuchi nous donna l'ordre de recueillir tous les documents écrits et de les séparer en deux parties : une partie à mettre dans des valises et l'autre à brûler.

Je m'occupai de certains documents que j'imbibai d'alcool avant de les enflammer dans une bassine, dans la salle de bains. Peu de temps après, Liu Shiying et Wang Zhuo arrivèrent [3].

Dans ses confessions, le membre de l'Escadre de l'Union Li Weixin décrivit les activités de Zhou Yuchi :

J'arrivai au refuge secret de l'académie de l'armée de l'air vers une heure du matin le 13 septembre. Venu en voiture, j'avais avec moi deux valises pleines de documents sélectionnés par Zhou Yuchi. Les documents étaient surtout d'importants dossiers constitués par l'Escadre de l'Union. Il y avait des documents top secret, des livres, des cartes, des bandes magnétiques et des microfilms que Lin Biao avait donnés à Lin Liguo. Certains documents étaient des originaux et d'autres simplement des copies. Il s'agissait de documents classifiés concernant l'armée et la sécurité nationale. En plus, il y avait 30 000 dollars américains, des documents de renseignement sur l'Union soviétique, des cartes aériennes, des médicaments, de la drogue et un pistolet d'alarme.

A la demande de Zhou Yuchi, avant de quitter les installations de l'armée de l'air, j'allai voir sa famille. Employant un code secret, je leur annonçai qu'il allait faire un « vol d'essai ».

Zhou Yuchi examina ce que j'avais emporté. Il demanda des nouvelles de Wang Fei, Jiang Tengjiao et d'autres personnes, puis il demanda à tous ceux qui se trouvaient là de calquer leur version des faits sur celle de Wang Fei.

Il dit : « Shanghai (autrement dit le groupe de Shanghai) a beaucoup souffert. » Il me demanda d'appeler le groupe de Shanghai et de dire à ses membres d'organiser leur propre défensive suivant les nécessités.

Sans cesse, il maudissait Huang Yongsheng, en le traitant d'idiot et de criminel. S'il en avait un jour l'occasion, il le tuerait pour soulager sa haine. Il dit que l'Histoire était tombée dans les mains d'un groupe d'individus incapables et pourris. Si l'Escadre de l'Union avait agi selon ses propres plans, la situation serait totalement différente.

Zhou Yuchi contacta les refuges secrets de l'Escadre de l'Union à l'Institut technique, 5, rue Fandi, et aux installations de l'armée de l'air. Il ordonna la dispersion de tous les hommes excepté quelques-uns qui resteraient en arrière. A la fin de la conversation téléphonique, il dit un mot en code secret pour indiquer l'interruption définitive des communications.

Alors que nous étions sur le point de partir, Yu Xinye, Liu Shiying et Wang Zhuo arrivèrent. Zhou Yuchi entra dans une fureur extrême et se mit à jurer. Nous étions tous au bord des larmes. Nous suivîmes Zhou Yuchi. A intervalles réguliers, il frappait son revolver contre la table et les murs en récitant le serment de fidélité de l'Escadre de l'Union.

Nous quittâmes l'académie de l'armée de l'air probablement vers deux heures. Alors, Zhou Yuchi, Yu Xinye, Liu Shiying, Wang Zhuo, Chen Shiyin et moi, nous nous rendîmes en voiture au terrain de l'héliport de Shahe, au sud de Pékin.

En chemin, nous eûmes une panne. Il fallut réparer. Aussi, je ne me souviens pas exactement quand nous arrivâmes. Sans doute aux environs de quatre ou cinq heures.

Nous arrivâmes au 101ᵉ régiment de la 34ᵉ division. Sur l'ordre de Zhou Yuchi, Chen Shiyin avait fait venir le pilote d'hélicoptère Chen Xiuwen. Zhou Yuchi et moi annonçâmes à Chen Xiuwen que nous devions effectuer une mission d'urgence.

Chen Xiuwen nous demanda s'il pouvait prévenir sa famille. Liu Shiying répondit que tout serait terminé le lendemain et qu'il n'avait pas besoin de prévenir chez lui.

Une fois dans la voiture, Chen Xiuwen demanda le plan de vol. Zhou Yuchi lui dit qu'ils allaient chercher quelqu'un à la frontière sino-soviétique. Il dit qu'un membre de nos services secrets et un délégué d'une organisation soviétique anti-Brezhnev nous attendaient juste de l'autre côté de la frontière.

Chen Xiuwen ayant déjà accompli de pareilles missions, il ne se méfia pas. Il se contenta de demander l'itinéraire. Zhou Yuchi dit qu'il lui donnerait ses ordres pendant le vol. Il ne voulait pas entrer dans les détails maintenant.

Zhou Yuchi demanda au chauffeur d'accompagner d'abord Chen Xiuwen, Chen Shiyin et Liu Shiying au terrain d'aviation. Lui, Yu Xinye et moi retournâmes chercher un camion avec un générateur. Lorsque nous arrivâmes au poste de l'unité de service au sol de l'aéroport de Shahe, Chen Shiyin alla réveiller le chef du groupe.

Zhou Yuchi lui demanda : « Es-tu dévoué au vice-président Lin ? »

Le chef de l'unité ne répondit pas tout de suite et il alla chercher quelque chose dans son bureau. Pensant qu'il pouvait s'agir d'une arme, Liu Shiying et moi pointâmes nos revolvers sur lui.

Il sortit son petit livre rouge des citations du président Mao et, se mettant au garde-à-vous, le brandit en l'air en criant : « Au vice-président Lin ! Qu'il soit toujours en bonne santé ! »

Le chef de l'unité s'étant mis au volant du camion avec le générateur, nous repartîmes vers la piste. Je tendis au garde les documents nous autorisant à utiliser l'hélicoptère 3685 que j'avais préparés au quartier général de l'armée de l'air.

Les gardes dirent qu'il nous fallait l'accord du chef du 101ᵉ régiment ou du commandant de la base.

Zhou Yuchi se mit en colère et admonesta les deux gardes. Ils ne dirent plus rien.

Plus tard, je vis un des gardes se diriger vers le corps de garde à 150 mètres de là. Il allait probablement passer un coup de fil.

Nous nous hâtâmes de préparer l'hélicoptère. Il fut bientôt prêt.

Le garde sortit du bureau et se mit à courir vers nous. Liu Shiying et Wang Zhuo sautèrent de l'hélicoptère et partirent en voiture.

Nous décollâmes immédiatement. Zhou Yuchi donna l'ordre au pilote de voler en direction du nord-ouest, tous feux de position éteints.

Après environ vingt minutes de vol, nous vîmes un petit avion rapide passer en diagonale sur notre droite. Yu Xinye et moi pensâmes qu'il s'agissait d'un chasseur.

Je dis à Zhou Yuchi : « Nous sommes peut-être suivis par un avion. »

Zhou Yuchi répondit : « Taisez-vous. »

Sans utiliser l'interphone du bord, Yu Xinye me rappela : « Ils peuvent vous entendre. »

Zhou Yuchi demanda à Chen Xiuwen : « Avez-vous entendu quelque chose ? »

Chen Xiuwen dit : « Je n'ai absolument rien entendu. »

Alors, Zhou Yuchi dit : « N'ayez pas peur. Il [autrement dit moi] ne se trompe pas, n'est-ce pas ? Un avion veut nous intercepter. Il faut voler un peu plus bas, au ras de cette montagne. Pour l'instant, nous jouons avec le feu. Nous serons en sécurité si nous pouvons passer la frontière.

— Ne sommes-nous pas en mission ? Pourquoi devrait-on nous

intercepter ? Je ne comprends pas. » Chen Xiuwen était vraiment déconcerté.

Finalement, Zhou Yuchi lui dit la vérité sur notre fuite. Il demanda à Chen ce qu'il en pensait. Chen répondit : « J'ai vécu pour le vice-président Lin. Je mourrais aussi pour le vice-président Lin. »

Zhou Yuchi le félicita chaleureusement.

Après cette conversation, je ne remis pas mes écouteurs. Je ne savais absolument plus ce qui se passait à l'avant de la cabine.

Nous volions sans doute depuis près d'une heure lorsque l'hélicoptère devint instable. Alors, je remis mes écouteurs. J'entendis Zhou Yuchi hurler à Chen Xiuwen qu'il faussait les instruments de navigation pour essayer de le duper.

J'étais très inquiet et je demandai à Yu Xinye ce qui s'était passé[4].

Dans ses confessions, Chen Shiyin donna cette version des faits :

En découvrant que l'hélicoptère n'allait pas dans la bonne direction, je n'osai pas dire quoi que ce soit immédiatement par peur de déclencher une bataille. J'étais conscient qu'en arrivant en Union soviétique, je ne saurais pas quand je pourrais revoir ma famille ou remettre les pieds dans mon pays natal. Je me demandais que faire.

Zhou Yuchi avait quelque expérience du pilotage d'un hélicoptère. Il avait appris avec moi sur une Alouette. Il se rendit compte que nous volions dans la mauvaise direction en voyant les lumières de tout un pâté de maisons. Nous aurions dû survoler des régions plutôt désertes. En regardant le tableau de bord, il pensa que l'indicateur du cap était cassé. Alors, il s'assit derrière Chen Xiuwen et moi, une arme à la main.

Il interrogea Chen Xiuwen en lui montrant les lumières au sol. « Ce n'est pas Beijing ? Vous ne faites que tourner en rond, n'est-ce pas ? »

Chen Xiuwen dit que les instruments de navigation étaient peut-être détraqués. Il tripota les boutons du compas électrique et du compas magnétique, puis il fit semblant de réparer un interrupteur électrique derrière lui (interrupteur inexistant à cet endroit-là).

Zhou Yuchi me cria de prendre les commandes de l'hélicoptère. Juste à ce moment, d'une main, Chen Xiuwen s'empara de la mitraillette de Zhou Yuchi pour la jeter de côté, et, de l'autre main, il saisit le revolver de Zhou. Il donna un coup de tête au menton de

185

Zhou et le fit basculer en arrière. Zhou essaya de retrouver son équilibre. Ils se battirent quelques instants.

Chen Xiuwen ayant toujours ses pieds contre les commandes, l'hélicoptère se balança dangereusement. J'essayai de le stabiliser, mais je n'osai rien faire d'autre.

Zhou Yuchi me cria de l'aider à maîtriser Chen Xiuwen. J'intercédai auprès de Chen : « Si quelque chose ne va pas, il faut en discuter. Mais ne vous battez pas. »

Chen Xiuwen hurla : « Qui croyez-vous duper ? Vous pensiez pouvoir me rouler. Vous vouliez que je vous suive les yeux fermés et que je devienne un traître comme vous tous. »

Il me postillonna au visage. Alors, je sentis la colère monter en moi.

A nouveau, Zhou Yuchi se mit à me crier : « Chen Shiyin, espèce d'imbécile, avez-vous envie de mourir ? Pourquoi restez-vous là comme un crétin ? Prenez une arme et faites-lui sauter la cervelle. »

Je n'avais pas de revolver. Je saisis une des mains de Chen Xiuwen et l'obligeai à lâcher sa prise. Zhou Yuchi se libéra une main et repoussa Chen Xiuwen avant de le cogner contre la paroi de la cabine. Finalement, il récupéra sa mitraillette et fit feu. Chen Xiuwen tomba raide mort.

Quelques secondes avant de mourir, Chen Xiuwen réussit à couper l'arrivée de carburant, éteindre le circuit électrique et appuyer sur le bouton d'avertisseur d'incendie. Le moteur de l'hélicoptère s'étouffa et l'engin resta suspendu en l'air avant de descendre peu à peu.

Je fis de mon mieux pour effectuer un atterrissage forcé.

Derrière moi, j'entendis successivement deux coups de feu. Les balles pénétrèrent les parois de la cabine et une d'elles toucha Zhou Yuchi au bras, déchirant son vêtement et le blessant. Il jura. Tout en sortant de l'hélicoptère, il me demanda qui avait tiré.

Alors je vis Li Weixin courir en boitant à travers champs. Zhou Yuchi l'appela, mais il ne se retourna pas. Zhou demanda à Yu Xinye ce que faisait Li Weixin. Yu Xinye secoua la tête et dit qu'il n'en savait rien. Mais il ajouta que Li Weixin avait dit qu'étant forcés à atterrir, tout était perdu pour nous.

Peu de temps après, Li Weixin disparut dans les champs.

Zhou Yuchi me demanda ensuite s'il était possible de faire repartir l'hélicoptère. Il dit que nous pouvions utiliser les batteries d'accumulateurs qui se trouvaient dans l'engin.

Je remontai dans la cabine. Je constatai que le système de contrôle d'incendie avait déjà fonctionné et que le moteur était complètement arrêté. Je savais qu'on ne pouvait plus faire décoller l'hélicoptère. Je vis ensuite le corps ensanglanté de Chen Xiuwen et je me sentis profondément coupable.

Depuis longtemps, Chen Xiuwen était mon supérieur, mon collègue et mon instructeur. Il m'avait toujours bien traité.

A présent, il semblait bien que nous n'arriverions même pas en Union soviétique. Si je ne me suicidais pas, je serais probablement descendu par Zhou Yuchi ou je finirais mes jours en prison comme criminel.

Je n'avais guère envie de me suicider et encore moins de me faire tuer par quelqu'un d'autre. Si j'étais fait prisonnier, je pourrais peut-être racheter mes crimes aux travaux forcés. Mais avec Zhou Yuchi près de moi, je devrais probablement mourir pour prouver ma fidélité à Lin Biao.

En examinant l'hélicoptère, je pris une décision. Je dis qu'on pouvait faire démarrer le moteur. Je demandai à Zhou Yuchi et Yu Xinye de m'aider à sortir le corps de Chen Xiuwen de l'appareil. Pendant qu'ils s'occupaient du cadavre, je me plaçai derrière eux, une arme cachée dans le dos. Lorsque Yu Xinye se redressa, je lui logeai une balle en plein milieu du front. Il s'effondra sur Zhou Yuchi.

Zhou eut le réflexe d'amortir la chute de Yu. Avant qu'il ne comprît ce qui se passait, je le tuai de quatre balles dans la nuque.

En m'éloignant de l'hélicoptère, j'avais l'intention de tuer également Li Weixin, mais je ne parvins pas à le trouver.

Ce matin, en faisant mes confessions, j'ai menti en disant que j'avais tué trois personnes, Zhou Yuchi, Chen Xiuwen et Yu Xinye. Li Weixin, traître lui aussi, s'était enfui.

Plus tard, en apprenant que Li Weixin avait été arrêté et serait lui aussi interrogé, je décidai de dire toute la vérité. En fait, je n'ai tué que deux personnes [5].

Les deux survivants de l'hélicoptère furent pris et arrêtés dans une lointaine banlieue de Beijing par la milice et des soldats de la région.

Le département de la Sécurité publique récupéra l'épave de l'hélicoptère Zhi-5 [6] pour l'apporter comme preuve supplémentaire des crimes de Lin Biao, Lin Liguo et l'Escadre de l'Union. Le chef de la Sécurité publique, Li Zhen, son épouse et ses plus proches collaborateurs passèrent toute une nuit à trier ce qu'on avait trouvé à bord de l'hélicoptère.

Parmi les documents retrouvés, il n'y avait pas seulement des papiers ultra-confidentiels concernant la sécurité nationale, mais également des renseignements sur les activités diffamatoires clandestines d'individus comme Mao Zedong, Zhou Enlai, Jiang Qing, Zhang Chunqiao, Kang Sheng, Wang Dongxing, Xie Fuzhi et d'autres, dont Li Zhen.

18.

Au dernier moment, Zhou Enlai manœuvra les autres membres du clan de Lin Biao, démontrant à nouveau son expérience et son habileté.

Lorsque Huang Yongsheng arriva à la « montagne de la tour de jade », Zhou Enlai voulut avoir avec lui une discussion « franche ». Zhou lui dit que Lin Biao avait déjà avoué ses activités dissidentes clandestines et avait accepté d'y mettre fin. Lin se soumettrait aux ordres et accepterait d'être interrogé.

Zhou Enlai attendait une réponse de Huang Yongsheng. Ce dernier savait qu'il était coincé. Si Lin Biao s'était rendu, il devait en faire autant.

Par la suite, Zhou Enlai fit escorter Huang Yongsheng jusqu'aux installations des collines de l'ouest où il fut placé en résidence surveillée.

Avant de le faire emporter, Zhou ordonna à Huang de téléphoner à Wu Faxian, Li Zuopeng et Qiu Huizuo pour les prévenir qu'il venait de faire ses aveux. Zhou Enlai en profita pour leur parler au téléphone. Son message fut simple et direct ; il obtint les réponses qu'il escomptait. Sachant que Lin Biao et Huang s'étaient rendus, ils ne pouvaient qu'admettre leur propre culpabilité et accepter de coopérer.

Tout le monde fut surpris, y compris Mao Zedong, qu'aucun des conspirateurs ne tentât de se suicider. Par

189

contre, avant d'être arrêtés, ils détruisirent un maximum de pièces à conviction.

Pour sa part, Wu Faxian se précipita aux installations de l'armée de l'air où il ordonna à son secrétaire de rassembler tous les documents et toutes les lettres se trouvant dans son bureau pour les apporter chez lui, dans sa salle de travail. Wu, son secrétaire, et son épouse, Chen Suiqi, se mirent alors à brûler tous les documents concernant ses activités clandestines avec Lin Biao, Lin Liguo, Ye Qun, Huang Yongsheng, Li Zuopeng et Qiu Huizuo.

Dans ses confessions, Wu Faxian décrit ces dernières heures :

Tout en brûlant les documents et autres papiers, je téléphonai à Li Zuopeng et à Qiu Huizuo. Li Zuopeng me dit qu'il avait déjà contacté, par télégramme secret ou par téléphone, nos compagnons des régions militaires de Shenyang, du Xinjiang et du Beijing pour leur dire de détruire tout ce qui avait rapport à notre projet de déclenchement d'un conflit sino-soviétique.

Il ajouta que tout était vraiment fini. On ne se relèverait jamais plus de cet échec. Il avait l'air maussade, pour ne pas dire plus.

Qiu Huizuo dit qu'il allait prendre des somnifères pour s'offrir un très long sommeil.

Je lui demandai s'il avait l'intention de se suicider. Il me répondit que non, mais qu'il voulait être assez groggy pour ne pas pouvoir parler. Sa femme, Hu Min, lui avait conseillé de faire croire qu'il ne savait absolument rien de ce qui s'était passé dans la nuit.

Qiu Huizuo dit aussi qu'il n'aurait jamais cru que Lin Biao se rendrait aussi facilement. Il ne parvenait pas à arrêter les idées de tourner dans sa tête. Il dit que nous serions certainement tous dégradés et mis en prison.

Nous essayâmes de nous protéger en rendant nos explications logiques. Nous nous promîmes de ne révéler que le strict nécessaire.

Vers minuit, le centre de commandement de l'armée de l'air m'annonça qu'un avion avait décollé de Beijing sans donner son plan de vol ni répondre aux appels de la station de contrôle aérien. Je leur donnai l'ordre d'essayer encore d'établir le contact et de se renseigner pour savoir de quel type d'appareil il s'agissait et de quel aéroport il était parti.

Très rapidement, le centre de commandement me répondit qu'il s'agissait du Trident 256, piloté par Pan Jingyin, et qu'il avait décollé en toute hâte de l'aéroport de la banlieue ouest.

Bien sûr, j'étais absolument certain que Lin Liguo était à bord. En fait, je me doutais que tous les passagers de cet avion étaient des personnes impliquées dans la tentative de coup d'État.

Je demandai au centre de commandement de dire à mon chef d'état-major, Liang Pu, de me contacter au centre et de donner comme instruction au commandant de l'armée de l'air de la région militaire de Beijing, Li Jitai, de rejoindre immédiatement son quartier général. En pleine nuit, Liang Pu était introuvable. Plus tard, sa famille put le retrouver quelque part près de Tiananmen.

En arrivant au centre de commandement, j'appelai immédiatement le Premier ministre Zhou pour lui parler de cet événement. Le Premier ministre Zhou me demanda de donner ordre à toutes les régions militaires et tous les postes de commandement de l'armée de l'air d'interdire décollages et atterrissages sur les aéroports de tout le pays, sauf en cas d'ordres spéciaux.

Le Premier ministre Zhou me demanda si je pouvais contraindre l'avion à se poser. Je lui répondis que je ne pouvais rien garantir, mais que j'avais déjà envoyé un autre avion pour l'intercepter.

Sur mon ordre, Li Jitai fit partir quatre avions de type Jian-7 [1] de l'aéroport de Yangcun. Ils rattrapèrent le Trident en Mongolie-Intérieure *. Les chasseurs enjoignirent au Trident de se poser. Il refusa et continua à voler vers le nord, virant ensuite vers l'ouest.

Je donnai l'ordre à la D.C.A. de l'armée de l'air de Beijing et aux unités de missiles sol-air de se préparer à entrer en action, puis j'annonçai au Premier ministre que le Trident avait peut-être l'intention de traverser la frontière chinoise.

Le Premier ministre me demanda ce qu'à mon avis il fallait faire. Je conseillai d'abattre l'avion.

D'accord avec moi, le Premier ministre me demanda de me charger de cette mission.

L'avion volant près de la frontière, je craignais que nos chasseurs ne violassent accidentellement l'espace aérien de Mongolie. Aussi, je donnai l'ordre à Li Jitai d'abattre l'avion avec des missiles sol-air.

Li Jitai ordonna à trois bataillons des unités de missiles situées dans les secteurs de défense aérienne 10457 et 11959 d'entrer en action.

Lorsque le jet Trident entra en République populaire de Mongolie, il disparut de l'écran du radar. Je contactai tout de suite le Premier ministre.

Le Premier ministre me demanda si l'avion avait déjà été

---

* La Mongolie-Intérieure fait partie de la Chine. (N.D.T.)

abattu. Je lui répondis que nous avions déjà tiré deux fois trois missiles. Je pensais que nous avions abattu notre cible.

Alors, le Premier ministre dit : « Vous avez très bien accompli votre devoir, ce soir. Le président Mao en sera informé. »

Je laissai Liang Pu au centre de commandement et rentrai chez moi. Chen Suiqi et moi parlâmes de ce que nous ferions si nous étions séparés. Nous brûlâmes d'autres documents. Chen Suiqi voulait téléphoner à notre fils, Wu Xinchao, qui, délégué de l'armée de l'air, se trouvait justement à l'usine aéronautique de Shenyang. Craignant de l'inquiéter, j'empêchai ma femme de l'appeler.

Jiang Tengjiao, puis Wang Fei téléphonèrent. Chen Suiqi leur répondit. Ils demandèrent de mes nouvelles. Elle dit que j'allais très bien et que je venais de rendre un très grand service au président. Elle leur rappela qu'en toute circonstance ils devraient protéger le commandant Wu.

Au téléphone, Jiang Tengjiao dit : « Sans le commandant Wu, il n'y aurait pas de Jiang Tengjiao. » Wang Fei exprima également sa loyauté envers moi.

Vers quatre heures du matin, Liang Pu m'annonça que, violant les ordres en vigueur, un hélicoptère avait décollé de l'héliport de Shahe (à Beijing). L'appareil faisait route au nord-ouest de Beijing. Il pensait qu'il se dirigeait vers la Mongolie-Intérieure ou la République populaire de Mongolie. L'hélicoptère refusait de répondre aux appels radio de la station de contrôle aérien.

Je rapportai cet incident au Premier ministre Zhou. Il avait déjà quitté la « montagne de la tour de jade » pour revenir à Zhongnanhai. Il me demanda de trouver un moyen d'obliger l'hélicoptère à se poser. Mais, ajouta-t-il, cette fois, il voulait les passagers vivants.

Je consultai Chen Suiqi. Elle pensait que tous les passagers de l'hélicoptère étaient des membres de l'Escadre de l'Union. C'était peut-être à bord de cet appareil que se trouvaient Lin Liguo et Zhou Yuchi.

J'avais peur d'une chose : si les passagers survivaient à un atterrissage forcé, leurs témoignages me nuiraient. Chen Suiqi me demanda si j'avais d'autres solutions. Je dis : « Je vais l'abattre ! »

J'appelai Liang Pu au centre de commandement de l'armée de l'air et je lui demandai de s'assurer que l'hélicoptère serait bien abattu. Je dis : « S'ils vivent, vous et moi aurons de sérieux ennuis. Nous sommes leurs supérieurs hiérarchiques, n'est-ce pas ? »

Liang Pu était très tendu. Il ne comprenait pas exactement ce que je voulais dire et il souhaitait plus de détails. Je lui dis qu'il comprendrait en temps voulu.

Le Premier ministre Zhou me téléphona au moins une douzaine de fois. Il continua à insister qu'il les voulait vivants.

Mais je persistai à enjoindre Liang Pu d'ordonner à Li Jitai d'utiliser l'artillerie et les missiles de la région militaire de Beijing pour abattre l'hélicoptère. Je donnai également ordre aux divisions d'artillerie sol-air de l'armée de l'air de participer à l'attaque.

Deux chasseurs, un Jian-6 et un Jian-5, décollèrent en tout quatorze fois de l'aéroport de Yangcun pour partir à la recherche de l'hélicoptère [2]. Mais l'engin n'ayant pas suivi un itinéraire normal, les recherches furent vaines.

Le poste de D.C.A. de Beikanzi repéra l'hélicoptère, mais ne parvint pas à le toucher. Il volait à basse altitude dans une région montagneuse.

Liang Pu et moi persistâmes à faire pression sur Li Jitai. Ce dernier dit : « J'ai fait ce que j'ai pu. Si l'hélicoptère ne se pose pas, nous pouvons l'abattre sans hésitation. »

Entre-temps, le Premier ministre Zhou téléphona pour prévenir qu'il nous envoyait de l'aide. Peu de temps après, Yang Dezhong, Li Desheng et d'autres arrivèrent au centre de commandement de l'armée de l'air.

Dès leur arrivée, Liang Pu et moi changeâmes nos ordres : il fallait forcer l'hélicoptère à se poser.

Peu de temps après, l'hélicoptère disparut de l'écran du radar.

Yang Dezhong me demanda de l'accompagner au bâtiment du Congrès du Peuple où j'allais rencontrer le Premier ministre Zhou. Li Desheng et Liang Pu restèrent au centre de commandement [3].

Le Trident n° 256 s'écrasa sur le territoire de la République populaire de Mongolic, dans une région déserte située à l'est d'Ulan Bator, près d'Öndörhaan, à plusieurs centaines de kilomètres au nord de la frontière chinoise. On ne connaît pas les causes exactes de l'accident. Mais, dans les milieux militaires chinois, on émit l'hypothèse que la première salve de missiles avait endommagé l'avion et que le pilote, Pan Jingyin, un homme très compétent, avait tout de suite réduit l'altitude pour échapper au radar. Cela expliquerait pourquoi l'avion disparut alors de l'écran du radar. Le Trident continua probablement à voler en direction du nord avant de finalement s'écraser.

Après l'accident, l'ambassade chinoise d'Ulan Bator fit une enquête sur place. Le rapport secret que l'ambassade télégraphia au ministère des Affaires étrangères de Beijing était intitulé « Document top secret n° 81029 » et adressé au Premier ministre Zhou Enlai. Le document stipulait que selon le personnel de l'ambassade chinoise en Mongolie, les passagers de l'avion s'étant écrasé au sol étaient âgés environ de vingt à cinquante ans.

Zhou Enlai ordonna d'archiver le document au bureau de la Sécurité du Comité central. Au ministère des Affaires étrangères, il mit exceptionnellement peu de temps à lire ce document : quarante-cinq minutes seulement.

Le personnel de l'ambassade chinoise s'efforça de prendre toutes les dispositions pour faire rapatrier en Chine les corps dégagés de l'épave. Ce fut seulement plus tard que l'ambassade reçut l'ordre — émanant en fait directement de Mao Zedong — de faire enterrer les corps sur le lieu même de l'accident.

Selon de bonnes sources, l'Union soviétique et la République populaire de Mongolie avaient envoyé des spécialistes pour autopsier les corps enterrés et pour essayer de connaître l'âge et l'identité des victimes. Quelques membres au moins de l'équipe soviétique pensaient que Lin Biao ne comptait pas parmi ces victimes [4].

19.

Le chapitre final de ce livre utilise à nouveau des extraits des mémoires de Zhao Yanji, l'homme cité au début de cet ouvrage.

Malgré la foule de documents que j'avais réunis sur l'affaire Lin Biao, j'étais incapable de les coordonner pour constituer un ensemble cohérent et compréhensible. Pourtant, je pouvais émettre de solides hypothèses sur les événements et donner des explications paraissant à la fois tenir debout et ne pas contredire mes renseignements. Voilà pourquoi j'espérais bien avoir un jour l'occasion de parler à Wang Dongxing en personne, pour clarifier certains points imprécis et apprendre peut-être des choses que j'ignorais encore.

Finalement, cette occasion se présenta un jour de 1973 : Wang Dongxing m'invita chez lui à Zhongnanhai. Je pensai qu'il avait peut-être envie de me voir pour discuter d'une affaire dont je m'occupais à l'époque concernant un cadre de l'Unité 8341 du nom de Xu Shiguang. Xu avait été condamné à perpétuité pour le meurtre de sa femme. Il faisait appel. Son dossier se trouvait sur mon bureau parce qu'il faisait partie des personnes impliquées dans l'assassinat de Lin Biao.

Wang Dongxing s'intéressait à l'affaire Xu parce qu'il craignait de voir d'autres participants aux événements du 12 septembre attirer également l'attention sur eux en sollicitant un traitement spécial ou la clémence. Wang m'avait demandé d'écarter de telles possibilités. La plupart du temps, le « traitement spécial » qu'obtenaient Xu et d'autres était une mort soudaine et inexplicable.

En arrivant à la somptueuse résidence de Wang près du lac de Zhongnanhai, je découvris que la raison de ma visite était tout autre. Wang venait de se faire opérer d'une hémorroïde et il était inconfortablement installé sur un siège spécial dans son salon. Mao Yuanxin était avec lui.

Mao Yuanxin était un neveu du président qui, de toute évidence, le destinait à devenir un personnage clé de la Chine future. Le problème de sa succession tracassait Mao depuis qu'il avait fait tuer Lin Biao, et bien qu'il n'annonçât jamais officiellement le remplacement de Lin par Mao Yuanxin, beaucoup savaient parfaitement bien qu'il y pensait. En tout cas, Wang Dongxing et moi traitions Mao Yuanxin comme un prince héritier.

Cela bien sûr avant que Jiang Qing ne réussît à se le concilier par la « force » et par la « douceur ». En tant que haut dirigeant dans la région militaire de Shenyang, Mao Yuanxin était lui-même un personnage très puissant, mais il désirait néanmoins rentrer dans les bonnes grâces de la « Bande des Quatre » en pleine ascension. Il s'engagea à fond dans le mouvement révolutionnaire dirigé par Jiang Qing et Zhang Chunqiao et, à la fin, il abandonna sa position de successeur potentiel de Mao pour devenir un membre clé du groupe de la Révolution culturelle.

Manifestement, Mao Yuanxin était venu voir Wang Dongxing sur le conseil du président. Le président avait dit qu'il fallait que Mao Yuanxin comprît clairement la « pratique de la violence par le prolétariat », et il lui avait suggéré de se faire expliquer par Wang Dongxing comment le problème Lin Biao avait été résolu.

J'eus le sentiment d'avoir été convoqué pour raconter la belle victoire de Mao sur Lin Biao parce que, étant très occupé, Wang n'avait guère le temps d'entrer dans le détail. Mais il se trouva que Wang mena la majeure partie de l'exposé alors que Mao et moi, nous l'écoutions. J'abordai parfois certaines questions qui le relancèrent dans des explications plus complètes et plus approfondies que toutes celles qu'il avait bien voulu donner auparavant. Des détails qui jusque-là m'avaient échappé s'éclaircirent enfin. Mon enquête sur l'affaire Lin Biao m'avait permis bien sûr de comprendre les événements plus clairement et plus objectivement que beaucoup de ceux qui les avaient vécus. Ainsi, personne n'aurait probablement pu m'apporter les réponses que je cherchais excepté Mao Zedong, Zhou Enlai, Wang Dongxing et Yang Dezhong.

Wang Dongxing avait une excellente mémoire. Quand je soulignai certains détails qu'il avait omis ou qu'il n'avait pas évoqués avec précision, il put fournir des explications complètes qui n'étaient, à ma connaissance, ni exagérées, ni inventées.

Lorsque Wang parlait de l'affaire Lin Biao, c'était toujours comme s'il n'avait pas été lui-même directement impliqué. Dans le passé, j'avais déjà remarqué plusieurs fois cet étrange comportement. Wang semblait se considérer comme un observateur omniscient, à la fois anonyme et objectif. Il mentionnait rarement son propre rôle ou ses opinions. C'était comme s'il se moquait de passer dans les annales de l'histoire de la Chine. Ironiqucment, depuis que Mao avait pris le pouvoir, Wang n'avait jamais été tenu à l'écart d'aucun grand combat politique ni d'aucune importante décision d'État. Il fut au centre de tout. Pourtant, il parlait rarement de ce qu'il savait.

Sa discrétion était certainement due à son absolue fidélité à Mao. Face à n'importe quelle situation, il cherchait toujours mille façons de la tourner à l'avantage de Mao Zedong. C'était pour lui presque une seconde nature, semblait-il. Probablement était-ce le résultat d'une formation à la fois volontaire et involontaire. Après une enfance miséreuse, Wang était entré au service de Mao pour devenir finalement son garde et son politicien militaire de confiance. Ainsi, Wang était un pur produit de la pensée et du style de Mao.

Par certains côtés, Wang ressemblait en fait à Mao. Tous deux possédaient un remarquable talent oratoire, une facilité à exposer les faits, parfois en les transformant, de manière à présenter Mao sous un jour favorable. Les descriptions des actions de Mao étaient souvent rationalisées et ponctuées d'expressions théoriques du genre de « nécessité historique », « l'importance de l'époque » et « la cause de la révolution ».

Cependant, lorsque nous abordâmes les événéments tragiques du 12 septembre, Wang parla d'un ton sec, avec précision et sans rien embellir.

Il dit que Mao se trouvait à Hangzhou lorsqu'il reçut les renseignements fournis par Lin Yamei espionnant son amant, Lin Liguo, et le rapport des confessions de Lin Liheng sur son frère et sa mère. Ce rapport confirma d'autres renseignements que Mao avait reçus à propos des activités de l'Escadre de l'Union, de la tentative de Lin Biao de négocier secrètement avec l'Union soviétique et de son projet de coup d'État. Mao fut alors persuadé qu'une action immédiate s'imposait.

Il donna trois directives à Wang Dongxing. Premièrement, Wang devait télégraphier au Premier ministre Zhou de continuer à se renseigner sur cette affaire et d'agir comme bon lui semblait. Mao voulait également savoir du Premier ministre s'il pouvait revenir à Beijing en toute sécurité et quand. Deuxièmement, il fallait que Wang trouvât un bon moyen de se débarrasser de Lin Biao. Et, troisièmement, Wang devait préparer un départ immédiat du Sud. Mao exigea que les mesures de sécurité spéciales normalement adoptées dans toutes les gares ferroviaires durant ses voyages en train ne fussent pas respectées cette fois-ci. D'ordinaire, ces mesures étaient confidentielles, mais il y avait toujours des gens qui, par leurs fonctions locales, étaient mis au courant du programme de Mao. Dans ce cas, Mao préféra se passer des mesures spéciales de protection au profit d'une discrétion absolue.

Wang dit que ce système fonctionna parfaitement bien. En dehors des gardes postés sur le court trajet du boulevard Changan entre la gare de Beijing et la résidence de Mao à Shongnanhai, aucune autre mesure spéciale de sécurité n'avait été prise pour l'arrivée du président.

Wang parla ensuite de la conversation qui avait eu lieu dans le train. Mao avait dormi de Nanjing à la province de Henan. Une fois dans la province de Henan, il demanda à Wang et à Ji Zechun, un officier supérieur de l'Unité 8341, de venir le voir dans son wagon. Il souhaitait discuter avec eux de son plan contre Lin Biao.

Mao demanda à Wang ce qui devait être fait selon lui. Wang suggéra d'arrêter Lin Biao pour ensuite le supprimer secrètement, mais rapidement. Wang dit qu'il avait déjà prévu les choses en détail.

Mao Zedong secoua la tête sans rien dire. Il pencha simplement la tête en arrière et continua à fumer cigarette sur cigarette.

Ji Zechun précisa ensuite que le problème était compliqué par le fait que Lin Biao était le successeur officiel du président.

Ce commentaire poussa Mao à exposer clairement son point de vue : « Mon successeur... si je peux le désigner, pourquoi ne pourrais-je pas le limoger ? Si je peux le limoger, qu'est-ce qui m'empêche de le tuer ? Si l'on veut me le reprocher, qu'on le fasse. Cela m'est totalement égal ! »

Mao poursuivit : « Zhong Kui était un homme détestable, mais il était capable de tuer le diable[1]. Il y a une leçon à tirer de cet homme. Une veuve ne peut pas se comporter comme une jeune épouse si elle a peur que son défunt mari sorte de sa tombe. Il y a dans ce monde des tas de situations qui doivent être prises en main par des gens implacables comme moi.

« En expliquant l'affaire Lin Biao, n'ayez pas peur de ceux qui critiqueront mes méthodes. N'écoutez pas ce qui se dira dans notre dos. Nous devons nous débarrasser de lui, et nous le ferons par n'importe quel moyen. »

Mao demanda à Wang Dongxing : « Quel est le meilleur moyen de vaincre un puissant général ? » Wang Dongxing ne répondit pas. Mao répondit à sa place : « Le meilleur moyen, c'est de faire tomber sa tête le plus rapidement possible. »

Mao poursuivit en racontant l'histoire de Liu Bang, le fondateur de la dynastie des Han de l'Ouest. Avec l'aide de l'impératrice Lü, Liu Bang se débarrassa de Han Xin et d'autres puissants généraux. Mao aimait bien citer cet épisode de l'Histoire.

D'après Wang, le train roulait à une vitesse d'environ 110-120 km/h. Sur le trajet Tianjin-Beijing, Mao lui révéla son plan.

Il n'était guère compliqué. Mao voulait simplement que Lin fût tué sur-le-champ. Il insista également pour participer à l'action.

Wang dit qu'il demanda à Mao le nombre d'hommes qu'il lui fallait. Mao lui demanda de deviner. Wang donna un chiffre : 1 600 hommes, peut-être. Deux bataillons pour encercler le secteur et un troisième pour donner l'assaut.

Le président sourit, leva un doigt et demanda : « Mon chiffre est-il supérieur ou inférieur au vôtre ? » Wang dit : « Inférieur. » Mao lui demanda : « Inférieur de combien ? » Wang répondit d'un millier.

Le président dit alors qu'il n'avait besoin que d'une centaine d'hommes. « Y compris moi et vous. En fait, je n'ai même pas besoin de cent hommes. »

Wang expliqua que ni lui ni Mao n'eurent besoin de préciser d'où viendraient les hommes.

Wang laissa de côté les événements du 12 septembre pour nous parler de la création et du rôle de la célèbre Unité 8341. Il dit qu'après la libération Mao lui avait confié : « Je n'ai pas besoin des frères de sang qu'avait Yong Zheng[2]. Il me faut seulement des soldats qui me soient fidèles en toute circonstance. »

Wang fit remarquer : « Peu importe s'il s'agit d'un illettré sortant de sa campagne. S'il sait se servir d'une arme, il est qualifié pour entrer dans l'Unité 8341. »

Quant à la riposte de Mao, Wang dit qu'il fut en désaccord avec le président sur un seul point : le lieu des opérations. Mao Zedong avait insisté pour engager la dernière bataille de son conflit avec Lin à l'endroit même que Lin avait choisi pour déclencher son coup d'État. Il pensait que c'était justice.

Wang craignait que Lin n'ait eu assez de temps pour tendre ses propres pièges. Sans compter que rien que l'invitation à la « montagne de la tour de jade » pouvait éveiller ses soupçons. En vain, Wang essaya de persuader Mao de choisir un autre endroit.

A mon avis, l'insistance quasi perverse de Mao Zedong à lancer sa riposte à la « montagne de la tour de jade » était le reflet de son caractère féodal et superstitieux. Sur le point de prendre une grave décision ou d'engager une action très importante, Mao comptait souvent sur la divination avec *suan-gua* ou *zhan bu* dans le *Yi Jing (I Ching)*. Un jour, je lui sortis moi-même des morceaux de bambou de son cylindre divinatoire pendant la guerre de libération. Ses collègues Chen Yi et Xu Kiangqian possédaient également leurs cylindres divinatoires, mais ils ne semblaient pas y attacher autant d'importance que Mao. Ils les utilisaient surtout pour le jeu.

Mao était également superstitieux dans ses habitudes de sommeil. Peu importe où il dormait, son lit devait être placé dans la direction est-ouest. Il disait souvent que son nom comportait le mot *dong*, « est » ; aussi, il devait dormir la tête tournée vers l'est et les pieds vers l'ouest.

Ses rapports avec les femmes étaient également très influencés par la superstition. Il pensait que les plus jeunes femmes avaient le pouvoir de lui prolonger l'existence. Mais il attachait encore plus d'importance à leurs anniversaires. Si une jeune femme était née un mauvais jour, elle pouvait être très belle, il refusait tout rapport avec elle.

Wang Dongxing fut d'accord avec moi pour reconnaître que Mao était un être très superstitieux. Mais il ne dit rien d'autre.

Longtemps, je me demandai comment un homme écrivant avec tant de talent sur la théorie du matérialisme et préconisant de « chercher la vérité à partir des faits » pouvait vivre une existence fondée sur le féodalisme et l'idéalisme. Cela devait certainement en faire un personnage complexe, étrange et imprévisible[3].

ÉPILOGUE

Une des suites de l'affaire Lin Biao fut la disgrâce publique de Lin Biao qui, à bien des égards, ressembla au destin de bon nombre d'autres ennemis politiques de Mao Zedong après leur chute. Une violente campagne anti-Lin fut lancée et ses partisans finirent tous en prison.

La mort de Lin Biao eut des conséquences politiques plus importantes encore car, en liaison avec la campagne anti-Lin, Mme Mao (Jiang Qing) et sa « Bande des Quatre » purent trouver un soutien pour lutter contre leurs adversaires et étendre leur influence. La triple lutte pour le pouvoir prédominant au début de la Révolution culturelle en 1966 — qui vit s'opposer Jiang Qing, Lin Biao et Zhou Enlai — devint une lutte bilatérale. Épaulée par Mao, Jiang Qing pouvait se permettre une action agressive. Zhou Enlai était sur la défensive. Lorsque la santé de Mao déclina, Jiang Qing se sentit tout à fait prête à diriger la Chine après la mort du président.

Au début de 1976, Zhou Enlai mourut d'un cancer. Le 5 avril de cette même année, 100 000 personnes se rassemblèrent spontanément sur la place Tiananmen pour exprimer un double message : le Premier ministre Zhou était bon, la Bande des Quatre était mauvaise. Mao réprima la manifestation et sa popularité en souffrit.

A l'automne 1976, Mao mourut à son tour. Avec l'aide de

Wang Dongxing, le Premier ministre par intérim Hua Guofeng fit très rapidement arrêter la « Bande des Quatre ». Hua essaya ensuite de renforcer son autorité sur la Chine.

Mais, Deng Xiaoping, tombé deux fois en disgrâce, devint le nouveau dirigeant. Hua Guofeng et Wang Dongxing en subirent les conséquences. En 1980, le parti dirigeant de Deng se mit à dénoncer la Révolution culturelle en organisant un tribunal spécial pour juger les clans de Jiang Qing et Lin Biao. En ce qui concerne les hommes de Lin Biao, le résultat du jugement fut le suivant :

Huang Yongsheng, dix-huit ans de prison.
Wu Faxian, dix-sept ans de prison.
Li Zuopeng, dix-sept ans de prison.
Qiu Huizuo, seize ans de prison.
Jiang Tengjiao, dix-huit ans de prison.

Dans tous les cas, la période de détention précédant la condamnation devait être déduite.

Incarcérés depuis la fin de l'affaire Lin Biao, les membres de l'Escadre de l'Union furent également condamnés à des peines de durée indéterminée. La législation chinoise autorise les détenus à reprendre une existence normale après leur libération. L'auteur pense que ces hommes seront toujours étroitement surveillés : ils connaissent certains secrets du parti et de l'armée et ils continueront donc à être dangereux.

En 1982, Huang, Wu, Li et Qiu furent libérés de la prison de Qincheng et autorisés à vivre dans des conditions plus confortables, bien que séparés les uns des autres ainsi que de leur famille, et tenus sous haute surveillance. En 1981, commença la construction de nouvelles installations pénitentiaires pour les quatre hommes. La décision de les libérer fut prise en raison de l'aggravation de l'état de santé de Huang et de Li. Le gouvernement désirait également faire une distinction entre ceux qui acceptèrent de confesser leurs crimes, se soumettant ainsi aux ordres du Comité central, et ceux (comme Jiang Qing et Zhang Chunqiao) qui refusèrent de le faire.

Plusieurs innocents entraînés dans l'affaire Lin Biao en

subirent également de graves conséquences. Par exemple, la fille de Lin, Lin Liheng, fut contrainte de prendre un pseudonyme ; elle vit et travaille actuellement dans des conditions imposées par les organes de sécurité du Département de l'organisation du Comité central. Bien que bénéficiant de conditions de vie relativement privilégiées, elle est malheureuse.

Les femmes qui firent autrefois partie des « anges » de Lin Liguo furent également emprisonnées ; mais, après plusieurs années d'enquête, elles purent reprendre une vie sociale sous de nouveaux noms. On leur a fait prêter serment de ne pas révéler ce qu'elles savent, et la plupart mènent à présent l'existence ordinaire et discrète d'épouses et de mères.

Les épouses de Huang Yongsheng, Wu Faxian, Li Zuopeng, Qiu Huizuo et Jiang Tengjiao vivent retirées du monde et séparées de leurs maris qui, pour la plupart, sont en mauvaise santé. En majorité, leurs enfants essaient de mener une existence normale sans contraintes particulières, excepté la honte.

Bien qu'étant reconnu comme ayant contribué à anéantir la Bande des Quatre, le principal conspirateur de Mao, Wang Dongxing, fut impliqué dans trop de crimes de l'époque de la Révolution culturelle pour conserver sa réputation intacte. Depuis que Deng Xiaoping l'a contraint à quitter la scène politique, il est autorisé à vivre à Beijing, dans des conditions restreignant ses activités. Néanmoins, il collabore avec le Comité central en rédigeant ses mémoires ; plus que tout autre, il est en mesure de contribuer à l'enquête sur Mao et son œuvre.

Réflexion faite, tous les grands chefs de parti de la Révolution culturelle ont été désormais éliminés d'une façon ou d'une autre. Mao Zedong, Lin Biao, Zhou Enlai et Kang Sheng sont morts. Les clans de Lin Biao et Jiang Qing sont démantelés, certains membres étant en prison et d'autres totalement isolés. Ils vivent très près les uns des autres mais ils n'ont pas le droit de communiquer entre eux.

Le chef de la révolution communiste chinoise pendant plus de quarante ans s'est efforcé d'édifier une légende. Pas une seule fois, avant ou après sa mort, il n'a été vaincu par un adversaire politique. Même Lin Biao, qui avait toute la puissance de l'armée derrière lui, n'y parvint pas. Bien qu'ayant pu briser la conspiration de son successeur officiel, Mao ne réussit tout de même pas à contrôler sa succession. Aujourd'hui, la Chine a pris une voie qu'il n'avait pas tracée. Peut-être est-ce une chance qu'il en soit ainsi.

NOTES

1.

Comme il est précisé dans le texte, les Mémoires inédits de Zhao Yanji sont la source de ce chapitre. L'auteur ne peut pas révéler comment il a obtenu ce document.

1. « 8341 » fait référence aux troupes de sécurité du Comité central du Parti dirigées par Wang Dongxing. Lorsque Wang perdit son pouvoir politique en 1980, la désignation militaire 8341 fut supprimée et l'Unité fut réorganisée sous une nouvelle direction.
2. Le sanatorium Baqi à Dalian (Dairen), jadis un édifice appartenant à des étrangers, accueille aujourd'hui des officiers supérieurs de l'armée. Il est sous l'autorité de la région militaire de Shenyang.
3. La 34e division de l'armée de l'air s'occupe des transports et possède différents types d'appareils, y compris des hélicoptères. Une de ses fonctions consiste à se charger des déplacements aériens des officiels chinois de haut niveau. L'unité est cantonnée sur l'aéroport de la banlieue ouest de Beijing.
4. Avant 1949, dans l'Armée rouge, il n'y avait pas de grade. Ils furent créés à partir de 1954-1955 dans l'Armée de libération populaire. A cette époque, l'Armée de libération populaire établit un système par lequel la commission des Affaires militaires du Comité central du Parti et le ministère de la Défense attribuaient conjointement les grades aux officiers des diverses unités de l'armée. Ce système fut aboli en 1965 par Mao Zedong et le ministre de la Défense Lin Biao.
5. En plus de Wang Liangen, les deux autres directeurs du Bureau spécial furent Li Zhen et Yu Sang.
6. Les « trois portes » sont un des principaux édifices abritant la commission des Affaires militaires. C'est un beau bâtiment ancien, très bien gardé, situé avenue Jingshan à Beijing.

2.

Il est difficile de décrire la vie privée « palpitante » de Lin Liguo avec la certitude que tous les détails sont exacts. Des rumeurs en tous genres, y compris certaines tout à fait invraisemblables, ont circulé en Chine ces dix dernières années, surtout parmi les jeunes militaires chinois. Les rapports cités ici ont été tirés de documents classifiés de première catégorie contenant les confessions orales de divers membres de l'Escadre de l'Union. Ces rapports ont été complétés par des renseignements tirés d'autres documents classifiés de première catégorie et d'interviews réalisées par l'auteur, sur des sujets tels que l'intérêt croissant de Lin Liguo pour la politique, ses relations avec Lu Min et le rôle de sa mère, Ye Qun.
1. « Rapport sur les activités illégales de Xi Zhuxian, Zhou Deyun et Zu Fuguang et de leur groupe de recherche. »
2. « Témoignage de Qi Shijing. »

3.

Ce chapitre est constitué en majeure partie d'extraits du document classifié intitulé « Rapport du Bureau spécial du département de la Sécurité au Comité central du Parti sur le clan antiparti de Lin Biao, à l'attention du camarade Wang Dongxing », 5e section, « contenant le résumé et le texte original de la confession en sept volumes du partisan irréductible de Lin Biao, Wu Faxian, écrites du 7 octobre au 11 décembre 1971 », et cité ci-dessous sous le titre « Confessions de Wu Faxian ». D'autres documents classés permirent de fournir des renseignements complémentaires.
1. « Mémoires de Chen Suiqi. »
2. « Confessions de Wu Faxian. »
3. Désormais appelé la « conférence de Lushan ».
4. « Rapport d'enquête sur l'affaire Ding Siqi. » D'après les documents confidentiels du Comité central du Parti sur l'affaire Ding Siqi.
5. « Confessions de Wu Faxian. »

4.

Ce chapitre s'appuie largement sur les confessions de Wu Faxian et les Mémoires de Yu Yunshen, tout à fait inédits et contenant la transcription détaillée de conversations. Aucun détail de l'histoire racontée ici — par exemple, la conversation entre Wu et Lin, ainsi que la réflexion et la réponse de Wu — n'a été retouché dans les documents officiels.
1. Le groupe administratif de la commission des Affaires militaires était le plus important organisme de l'armée chinoise pendant la Révolution

culturelle. Il se composait de Huang Yongsheng, Wu Faxian, Ye Qun, Li Zuopeng, Qiu Huizuo, Li Xuefeng et d'autres.

2. Le « mélange des divers grains de sable » était une expression inventée par Mao Zedong. Cela signifie l'infiltration du camp ennemi par ses propres hommes, pour obtenir des renseignements, s'immiscer dans les activités de l'adversaire et les perturber, provoquer enfin son anéantissement.

3. « Mémoires de Chen Suiqi. »

4. « J'étais le secrétaire de Lin Biao », de Yu Yunshen.

5. « Confessions de Wu Faxian », « Confessions de Wu Faxian sur ses conversations secrètes avec Lin Biao », « Recueil de notes de Ye Qun », « J'étais le secrétaire de Lin Biao », de Yun Yunshen, « Confessions de Huang Yongsheng sur la préparation secrète d'un complot », et autres sources.

6. Babaoshan, autrement dit la « montagne aux huit joyaux », est le cimetière réservé à la plus haute élite chinoise. Il est situé dans la banlieue ouest de Beijing.

7. La politique des « trois en un » est une expression inventée par Mao.

8. Dans ses confessions, Yu Yunshen cite les paroles de Lin Biao : « Il [Mao] part et me laisse à Beijing pour connaître mon prochain coup. Mais je ne me laisserai pas prendre au piège. Je vais partir moi aussi en vacances pour lui faire croire que Lin Biao est incapable de faire quoi que ce soit à Beijing, que " tout va bien à l'ouest ". »

5.

Hormis les documents historiques et biographiques présentés ici, généralement connus, ce chapitre utilise divers documents classifiés. L'auteur s'est également servi de conversations personnelles avec des gens connaissant bien les relations entre les membres de la famille Lin et le « clan antiparti » de Lin Biao.

1. « Rapport sur le travail de Ye Qun », « J'étais le secrétaire de Lin Biao », de Yu Yunshen.

2. « Confessions de Wu Faxian », « Extraits des confessions de Wu Faxian, 1972-1973. »

3. « J'étais le secrétaire de Lin Biao », de Yu Yunshen.

4. « Recueil des confessions de Li Zuopeng sur le projet de la " montagne de la tour de jade ". »

6.

Ce que l'auteur appelle ici le « Projet de la montagne de la tour de jade », la tentative de Lin Biao d'utiliser son pouvoir militaire pour effectuer un coup d'État contre Mao Zedong, et la cause fondamentale de sa propre mort, n'est jamais cité dans les documents officiels. Manifestement, dévoiler au public que les plus grands dirigeants de l'armée chinoise étaient pleinement mêlés au complot aurait mis bien trop en évidence l'impuissance de Mao qui, en tant que président de la commission des Affaires militaires du Comité central du Parti, était chef des forces armées chinoises. En outre, la riposte de Mao contre Lin était directement liée à la « montagne de la tour de jade » et Mao voulait également taire ces événements. Ainsi, Mao décida de mettre l'accent sur les activités du fils de Lin Biao, Lin Liguo, et de son Escadre de l'Union, pour caractériser l'affaire Lin Biao.

Les documents originaux des confessions de membres du clan de Lin Biao, exigées par Wang Dongxing après l'affaire Lin Biao, fournissent tous les détails du complot raté de Lin. L'auteur n'étant malheureusement pas en mesure de citer directement le texte de ces confessions, la conversation entre Lin Biao et Huang Yongsheng ne peut pas être considérée comme étant celle qu'ont tenue ces deux personnages, mais la signification et le ton des sources originales sont conservés, et les détails secondaires peuvent être tenus pour précis. Les dates exactes de certains documents ne sont pas connues.

1. « J'étais le secrétaire de Lin Biao », de Yu Yunshen, « Recueil de confessions de Li Zuopeng ».
2. « Documents originaux du " complot de (la montagne de la tour de jade) ". »
3. « Confessions orales de Huang Yongsheng sur les activités criminelles de Wu Faxian et de Li Zuofeng. »
4. « Conversations secrètes entre Lin Biao et Huang Yongsheng, le 4 juillet 1971. »

7.

Le nom de Wu Zonghan (un pseudonyme) n'apparaît dans aucun des documents décrivant l'affaire Lin Biao transmis aux cadres chinois de haut niveau. Pourtant, il est déterminant de connaître le rôle de cet homme pour comprendre comment Zhou Enlai a pu découvrir — et contrecarrer — la tentative de Lin Biao d'engager des négociations secrètes avec l'Union soviétique.

L'histoire relatée dans ce chapitre est tirée de certains documents classifiés, dont les titres ne peuvent pas être révélés, en raison de leur caractère particulièrement confidentiel. Les titres de divers documents importants sont cités ci-dessous.

1. « Rapport du 5e service des enquêtes du Conseil de l'État au Premier ministre Zhou sur l'affaire Wu Zonghan. »
2. « Rapport du Bureau administratif... sur... la cause de la mort de Li Zhen », « Mémoires du camarade Yang Dezhong sur les actions du Premier ministre Zhou, avant et après l'incident du 13 septembre. »
3. « Notes de Yu Sang sur deux pièces du dossier de l'affaire Li Zhen. »

8.

Le fait que Lin Biao fournit de faux rapports médicaux sur sa santé à Mao, et qu'il fut découvert, fut omis dans les documents transmis aux cadres de haut niveau. La découverte de cette imposture et la tentative de Lin d'engager des négociations secrètes avec l'Union soviétique révélée par Zhou Enlai poussèrent immédiatement Zhou, puis Mao, à agir contre Lin.

En plus des documents cités ci-dessous, ce chapitre trouve ses sources dans certains documents originaux dont les titres ne peuvent pas être donnés pour des raisons de sécurité.

1. *Une lettre du camarade Gong Peng* à l'Académie des sciences militaires de l'Armée de libération populaire (1963), un document officiel archivé à la commission des Affaires militaires qui ne fut pas mis en circulation mais vu par quelques hauts dirigeants de l'armée. Gong Peng était secrétaire de Zhou Enlai. Vers la fin de la Révolution culturelle, elle épousa le ministre des Affaires étrangères de l'époque, Qiao Guanhua. Elle mourut plus tard des suites d'une maladie.

2. « Mémoires du camarade Yang Dezhong sur les actions du Premier ministre Zhou, avant et après l'incident du 13 septembre. », « Propos importants du camarade Zhou Enlai... sur l'affaire Lin Biao », et d'autres documents classifiés évoquant les actions du Premier ministre Zhou.

   Dans un texte de feu Zhou Rongxin, autrefois secrétaire de Zhou Enlai et ministre de l'Éducation (texte conservé aujourd'hui comme dossier top secret dans le bureau de la Sécurité du Comité central), l'auteur décrit de façon très détaillée ses conversations privées avec le Premier ministre à propos d'actions engagées pendant l'affaire Lin Biao.

3. « Mémoires du camarade Yang Dezhong sur les actions du Premier ministre Zhou. »

4. « Rapport du 5ᵉ service des enquêtes du Conseil de l'État au Premier ministre Zhou sur l'affaire Wu Zonghan. »

9.

Dans les documents officiellement mis en circulation, Lin Yamei n'apparaît que comme une des nombreuses maîtresses de Lin Liguo. Son véritable rôle dans l'histoire de Lin Liguo et de son père est cité ici pour la première fois. Cela étant basé sur un renseignement particulièrement secret — seules quelques personnes savent exactement comment Wang Dongxing put utiliser ce qu'il connaissait de la vie sexuelle de Lin Liguo pour le démasquer —, l'auteur ne peut pas divulguer ses principales sources.

1. L'académie militaire de Whampoa à Guangzhou (Canton) était une célèbre institution créée en 1924 par le Guomindang, peu avant le début de l'expédition du Nord. Certains de ses élèves devinrent plus tard des dirigeants du Parti communiste.
2. « Rapport du Département général politique de l'ALP sur les confessions de... Cheng Hongzhen, 8 juin 1972-1er septembre 1972. »
3. *Ibid.*, « Rapport sur le travail de la camarade Lin Yamei. »

10.

Les documents officiels comportent des descriptions très détaillées des activités de l'Escadre de l'Union. Le plan de l'attaque du train de Mao prévu dans le « Projet 571 » est exposé avec précision. Il semble qu'on ait insisté sur ce point pour une double raison : pour impliquer Lin Biao dans le complot tout en détournant l'attention des propres activités de Lin... et de celles de Mao.

Les descriptions générales des réunions de l'Escadre de l'Union en vue de préparer le « Projet 571 » ainsi que le résumé du projet lui-même sont tirés de documents transmis aux cadres. Les renseignements fournis ici correspondent à ceux apportés par les documents classifiés authentiques. Cependant, ces derniers documents peuvent apporter des précisions sur certaines réunions et discussions.

1. « Confessions orales de Wang Fei. » Le premier département était le secrétariat des Opérations militaires, le second département était le bureau administratif des Affaires générales, et le troisième département était le bureau du Parti.
2. « Confessions orales de membres de l'Escadre de l'Union. »
3. *Preuves des crimes du clan antiparti de Lin Biao*. Une transcription complète du « Projet 571 » y est incluse.
4. Zhu Tiesheng, Li Weixin, Cheng Hongzhen et Wang Yongkui furent tous arrêtés et mis en prison après l'affaire Lin Biao.
5. « Confessions de mes activités criminelles dans la participation au complot visant à atteindre notre grand dirigeant, le président Mao », par Jiang Tengjiao.
6. En réalité, les bases de missiles de Shanghai et Hangzhou tombaient sous la juridiction du quartier général de l'armée de l'air de la région militaire de Nanjing.

11.

Bien que les plans de l'Escadre de l'Union pour attaquer le train de Mao furent plusieurs fois évoqués dans les documents secrets fournis par le gouvernement pour être transmis aux cadres de haut niveau, les détails de ces plans n'ont jamais été divulgués. En utilisant les confessions, jamais encore publiées, d'un participant, ce chapitre étaye considérablement l'histoire. L'auteur n'a pas pu apprendre le nom de l'homme dont le témoignage est cité ici ; n'étant pas un membre important de l'Escadre de l'Union, il est difficile de déduire son identité. Le document est cité textuellement.

1. « Confessions orales de membres de l'Escadre de l'Union. »
2. « Rapport secret du Deuxième Bureau spécial politique des affaires générales... (documents supplémentaires : Confessions de membres importants de l'Escadre de l'Union). »

12.

L'échec de l'attaque du train de Mao par l'Escadre de l'Union est bien connu, mais la cause de cet échec n'a jamais été expliquée. Jusqu'ici, on ne savait pas non plus que ce fut Lin Biao qui, avec l'aide de Wu Faxian, contrecarra les plans de son fils.

Les documents officiels citent plusieurs exemples de contacts entre Lin Liguo et Lin Biao, mais ils sont utilisés pour soutenir l'argument que Lin Liguo agissait sous les ordres de son père plutôt qu'en opposition avec lui.

Les sources de ce chapitre sont complétées principalement par les rapports publiés sur les activités des membres de l'Escadre de l'Union, documents classifiés (les « confessions » de Wu Faxian et les mémoires de Yu Yunshen).

1. « Confessions orales de membres de l'Escadre de l'Union. »
2. « J'étais le secrétaire de Lin Biao », de Yu Yunshen.
3. « Mes activités criminelles pour révéler les activités secrètes de Lin Liguo à Lin Biao et Ye Qun », par Wu Faxian.
4. « J'étais le secrétaire de Lin Biao », de Yu Yunshen.

13.

Les documents officiels transmis aux cadres ne mentionnaient pas ce qui est appelé ici le « Projet de la montagne de la tour de jade » élaboré par Lin Biao. La description de ce plan que donne l'auteur, tirée de diverses sources qui ne peuvent pas être révélées pour des raisons de sécurité, ne prétend pas être exhaustive, car on pense qu'une explication plus détaillée pourrait encore mettre en péril la défense nationale.

14.

Selon le rapport officiel, Lin Liheng, la fille de Lin Biao, dénonça à Zhou Enlai les activités de son père. Ce qu'elle lui a réellement dit n'est jamais précisé. Comme ce chapitre l'expose, les documents classifiés révèlent que Zhou Enlai contraignit Lin Liheng à lui dévoiler ce qu'elle savait des activités des différents membres de sa famille. Manifestement, ce fait fut passé sous silence à cause de ce qu'il révélait sur les missions d'espionnage et de renseignements de Zhou.

Les principales sources de ce chapitre sont les documents classifiés dans lesquels sont exposées en détail les activités de Zhou Enlai, comme lui-même en parla lors de conversations qu'il eut plus tard avec divers de ses collaborateurs. Yang Dezhong était le secrétaire de Zhou depuis longtemps. Les conversations avec Deng Xiaoping eurent manifestement lieu juste avant la mort de Zhou en 1972, alors que Deng était en résidence surveillée. Qi Zujia n'est pas connu de l'auteur.

1. « Mémoires du camarade Yang Dezhong sur les actions du Premier ministre Zhou », « Propos importants du camarade Zhou Enlai sur... l'affaire Lin Biao. » Les documents comprennent les enseignements tirés par Zhou Enlai de l'affaire Lin Liheng et qu'il divise de la façon suivante :
   1. L'effet de l'échec de Lin Biao sur Lin Liheng.
   2. Le travail effectué par Zhou Enlai et d'autres concernant Lin Liheng.
   3. Tout sur Yang Dingkun.
   4. L'importance des « relations transparentes » dans les luttes intérieures du Parti.
   5. Une bonne concrétisation de la méthode du renseignement secret dans les luttes intérieures du Parti.

15.

Une grande partie de ce chapitre est extraite des confessions de Wu Faxian, documents classifiés. Contrairement à la version officielle exposée dans les documents publiés, Lin Biao y est placé à Beijing, et non à Beidaihe, à la fin de sa vie, et la portée de ses projets contre Mao y est clairement définie. Ce chapitre souligne également l'importance du conflit existant entre l'Escadre de l'Union et le camp de Lin Biao.

1. « J'étais le secrétaire de Lin Biao », de Yu Yunshen.
2. Par « artillerie de l'armée », on entend l'armement habituellement utilisé par les troupes d'artillerie : l'artillerie lourde et les roquettes.
3. La base de missiles de la 2ᵉ artillerie : il s'agit du quartier général des unités de la 2ᵉ artillerie, dont les armements sont des roquettes et des missiles.
4. « Comment Lin Biao prit ses toutes dernières décisions », de Wu Faxian.
5. « J'étais le secrétaire de Lin Biao », de Yu Yunshen.

16.

Ce chapitre, qui décrit ce qui se passa à Beijing le dernier jour de la vie de Lin Biao, est en majeure partie directement extrait des Mémoires jamais encore publiés de l'enquêteur Zhao Yanji. Il est en contradiction évidente avec la fausse version officielle de la mort de Lin Biao qui le plaçait à bord du jet Trident décollant de Beidaihe et s'écrasant en Mongolie.

L'auteur ne sait pas si le nom du spécialiste des transports Tan Shu, dont les Mémoires mentionnés par Zhao Yanji sont cités ici, est son véritable nom ou un pseudonyme. Beaucoup de noms utilisés dans les documents classifiés sont des pseudonymes et l'auteur ne connaît pas celui-ci.

1. « Mes activités criminelles dans l'incident du 13 septembre », de Liu Shiying.
2. « Mémoires de Zhao Yanji. »
3. *Ibid.*

17.

Les sources officielles expliquant en détail le vol du jet Trident 256 et le vol de l'hélicoptère 3685. En ce qui concerne le jet, on donne une fausse description du lieu de départ et des passagers, et on omet la raison de l'accident. En ce qui concerne l'hélicoptère, l'essentiel de la version officielle est vrai : il est vraiment parti de l'aéroport de Shahe près de Beijing ; il y avait effectivement à bord Zhou Yuchi, Yu Xinye, Li Weixin et les pilotes Chen Xiuwen (tué par Zhou Yuchi) et Chen Shiyin ; il contenait bien une vaste quantité de documents, des armes et beaucoup d'argent ; et il fut contraint d'atterrir.

Dans ce chapitre sont utilisés les témoignages personnels de participants aux événements, extraits de documents classifiés, pour clarifier bon nombre de lacunes et d'invraisemblances de la version officielle.

1. « Mes activités criminelles dans l'incident du 13 septembre », de Liu Shiying.
2. *Ibid.*
3. « Confessions de Xu Limin. »
4. « Confessions orales de Li Weixin. »
5. « Rapport d'enquête sur la fuite en hélicoptère », 4ᵉ partie, « confessions orales. »
6. L'hélicoptère Zhi-5 est de fabrication chinoise, c'est une copie du Mig-4 soviétique.

18.

Le récit concernant le Trident 256 donné dans les documents officiels est bien différent du récit fait ici, à la fois sur les personnes se trouvant à bord et sur la cause de l'accident en Mongolie. Selon la version officielle, Lin Biao et son épouse périrent dans l'accident, mais on ne révèle pas que l'avion avait été la cible des batteries de missiles chinoises commandées par Wu Faxian, lui-même obéissant aux ordres de Zhou Enlai.

213

En ce qui concerne l'hélicoptère, la version officielle se rapproche davantage du récit présenté ici, bien que ne précisant pas la tentative de Wu Faxian d'abattre l'appareil.

A nouveau, ce chapitre trouve sa source principalement dans les Mémoires de Wu Faxian, un document classifié inédit. Il utilise également le rapport secret 81029, détails de l'enquête menée par les hauts fonctionnaires de l'ambassade chinoise sur l'avion s'étant écrasé en Mongolie.

1. Le Jian-7 est un chasseur de fabrication chinoise. C'est une copie du Mig-21 soviétique.
2. S'inspirant du Mig-19 soviétique, le Jian-6 Jia est un chasseur de nuit, de fabrication chinoise. C'est une copie du Mig-17 soviétique.
3. « Confessions de Wu Faxian. »
4. La réponse soviétique à la radio chinoise.

19.

Ce chapitre trouve à nouveau sa source dans les Mémoires inédits de Zhao Yanji. Une grande partie est complétée par divers documents classifiés. Bien sûr, les rapports officiels de l'affaire Lin Biao transmis aux cadres passèrent tout cela sous silence ; la révélation de n'importe quel épisode de cette histoire, de l'utilisation de l'Unité 8341 jusqu'au rôle de Mao lui-même, aurait eu de graves conséquences politiques.

1. Zhong Kui était un personnage de légende capable de supprimer les mauvais esprits. Les Chinois accrochent volontiers son portrait à leur porte pour repousser les mauvais esprits.
2. Yong Zheng, le deuxième empereur de la dynastie Qing, créa un des plus importants réseaux de services secrets de l'histoire de la Chine. Vers la fin de sa vie, les activités de ses agents, les « frères de sang », soulevèrent la colère et la réprobation populaires.
3. « Mémoires de Zhao Yanji. »

BIBLIOGRAPHIE

Le principal rapport officiel de l'affaire Lin Biao se trouve dans les documents suivants, largement diffusés et publiés, du moins en partie, en Chine :

Preuves criminelles du coup d'État contre-révolutionnaire préparé par le clan antiparti de Lin Biao (document du Comité central du Parti, 26 juin 1972).
Documents criminels du clan antiparti de Lin Biao, 1re, 2e et 3e partie (document du Comité central du Parti, 3 septembre 1972).

Les documents suivants n'ont été diffusés que dans certains milieux officiels :

Lettre du camarade Gong Peng à l'Académie des sciences militaires de l'Armée de libération populaire (document classifié, 1963).
« La réponse soviétique à la radio chinoise », tirée du « Rapport quotidien des chefs d'état-major sur les sujets fondamentaux » (document classifié, 1971-1972).

Les documents et textes suivants, tous marqués « classifiés », n'ont jamais été diffusés en Chine ou ailleurs :

« Recueil de confessions de Li Zuopeng concernant le complot de (la montagne de la tour de jade) » (document classifié, 17 septembre 1972).
« Recueil de notes de Ye Qun », tome 17 (documents classifiés, novembre 1973).

« Explication du camarade Wang Dongxing sur l'arrestation des neuf chefs criminels impliqués dans l'affaire Lin Biao » (document classifié, février 1980).

« Confessions de Huang Yongsheng concernant la discussion entre Lin Biao et Wu Faxian du 10 juillet 1971 à propos de la préparation secrète d'un complot » (document classifié, février 1972).

« Confessions de Wu Faxian sur les conversations secrètes avec Lin Biao le 10 juillet 1971 » (document classifié, 18 avril 1972).

« Confessions de Xi Zhuxian, Zhou Deyun et Zu Fuguang sur leurs activités illégales au sein du " groupe de recherche " » (document classifié, 1972).

« Confessions de mes activités criminelles dans la participation au complot visant à atteindre notre grand dirigeant, le président Mao », de Jiang Tengjiao (documents classifiés, janvier 1972).

« Confessions de Wu Faxian : reconnaissant ses crimes envers le peuple » (document classifié, novembre 1974).

« Confessions de Xu Limin » (document classifié, 1972).

« Documents sur les crimes du partisan irréductible de Lin Biao, Huang Yongsheng » (documents complémentaires : confessions de Huang Yongsheng sur ses activités du 12 et 13 septembre); confessions de Huang Yongsheng concernant le complot de la « montagne de la tour de jade »; confessions de Huang Yongsheng concernant Wu Faxian et Li Zuopeng; Mémoires de Huang Yongsheng sur ses conversations avec Lin Biao et Ye Qun à Maojiawan le 24 août 1971 » (document classifié, mars 1972).

« Décision de récompense et de promotion pour ceux qui contribuèrent à anéantir le clan antiparti de Lin Biao : propos du camarade Wang Dongxing sur l'importance d'assurer le sceau du secret pour les événements rattachés à l'affaire Lin Biao » (document classifié, 20 septembre 1971).

« Directives du camarade Wang Dongxing à ceux qui participèrent à la lutte pour anéantir le clan antiparti de Lin Biao concernant la confirmation du secret » (document classifié, avril 1972).

« Documents concernant les vingt-quatre directives du camarade Wang Dongxing depuis 1971 pour la confiscation des biens de Lin Biao et de sa famille » (documents complémentaires : deux lettres de la camarade Lin Liheng réclamant que lui soient restitués tous les biens de la famille Lin Biao : rôle de la camarade Lin Liheng dans l'affaire Lin Biao » (document classifié, avril 1980).

« Comment Lin Biao prit ses dernières décisions », de Wu Faxian (document classifié, avril 1972).

« J'étais le secrétaire de Lin Biao », de Yu Yunshen (document classifié 1972).

« Propos importants du camarade Zhou Enlai à Deng Xiaoping et Qi Zujia concernant l'affaire Lin Biao » (document classifié, 7 janvier 1975).

« Rapport d'enquête du sous-groupe n° 2 concernant l'enquête sur les causes de l'accident du Trident 256, concernant la cible des missiles lancés

de la base de missiles de Xiao Shanzi* à 0 h 14 le 13 septembre 1971 »
(document classifié, février 1972).

« Rapport d'enquête sur l'affaire Ding Siqi ; témoignages et confessions orales des personnes impliquées dans l'affaire Ding Siqi ; dossier sur le personnel de l'armée de l'air tué secrètement par le clan antiparti de Lin Biao » (document classifié, 1972).

« Rapport d'enquête sur la fuite à bord de l'hélicoptère », 4e partie, « confessions orales » (documents classifiés, 1973).

« Lettre du camarade Wang Dongxing aux camarades Hua Guofeng et Deng Xiaoping » (documents complémentaires : documents sur l'introduction faite par le camarade Wang Dongxing sur l'incident du 13 septembre et ses quinze suggestions concernant le procès du clan antiparti de Lin Biao (documents classifiés, 15 février 1980).

« Lettres de la camarade Lin Liheng au Comité central » (document classifié, 28 septembre 1972).

« Mémoires de Chen Suiqi » (document classifié, mai 1972).

« Mémoires du camarade Yang Dezhong concernant certaines actions engagées par le Premier ministre Zhou avant et après l'incident du 13 septembre » (document classifié, décembre 1976).

« Mémoires de Zhao Yanji » (document classifié, 1974).

« Mes activités criminelles dans la révélation à Lin Biao et Ye Qun des activités secrètes de Lin Liguo », de Wu Faxian (document classifié, 4 août 1972).

« Mes activités criminelles dans l'incident du 13 septembre », de Liu Shiying (document classifié, 18 octobre 1971).

« Ma dénonciation des activités criminelles du partisan irréductible de Lin Biao, Zhou Yuchi », de Wang Fei, et « Confessions de mes activités criminelles », de Li Weixin, 17e partie des « activités criminelles du contre-révolutionnaire Zhou Yuchi » (documents classifiés, 1973).

« Confessions orales de membres de l'Escadre de l'Union », 7e partie des « crimes du clan contre-révolutionnaire de Lin Biao dans son complot visant à assassiner le président Mao » (document classifié, 1973).

« Confessions orales de Li Weixin » tirées des documents complémentaires du rapport d'enquête secret du deuxième Bureau spécial politique des Affaires générales sur les interrogatoires des onze partisans irréductibles de Lin Biao appartenant à l'armée de l'air » (document classifié, 18 février 1980).

« Confessions orales de Wang Fei » tirées des documents complémentaires du rapport d'enquête secret du deuxième Bureau spécial politique des Affaires générales sur les interrogatoires des onze partisans irréductibles de Lin Biao appartenant à l'armée de l'air » (document classifié, 18 février 1980).

« Documents originaux du complot de (la montagne de la tour de jade),

---

* Xiao Shanzi se trouve près de la frontière de la province de Hebei et de la Mongolie-Intérieure.

projet de coup d'État militaire du clan antiparti de Lin Biao » (document classifié, 20 octobre 1971).

« Document du Comité central du Parti concernant les méthodes pour imposer le secret sur les confessions des membres du clan antiparti de Lin Biao » (document classifié, janvier 1972).

« Documents illustrés de la mort du chef criminel contre-révolutionnaire Lin Biao » (document classifié, août 1974).

« Recommandations du camarade Wang Dongxing au vice-Premier ministre Deng Xiaoping » (document classifié, août 1980). (Note : Wang Dongxing pensait que la prudence s'imposait dans l'affaire Lin Biao pour préserver la réputation du président Mao et du Parti.)

« Rapport du Bureau administratif du Comité central du Parti sur plusieurs analyses de la cause du décès de Li Zhen », 101e partie (document classifié, 1973).

« Rapport du département des Industries mécaniques de l'armée de l'air concernant l'enquête sur l'accident du Trident 256 » (document classifié, 15 mai 1972).

« Rapport du 5e service des enquêtes du Conseil de l'État concernant la prise en charge des corps de Lin Biao et Ye Qun » (document classifié, 28 septembre 1971).

« Rapport du 5e service des enquêtes du Conseil de l'État à l'attention du Premier ministre Zhou concernant la sixième partie des preuves circonstanciées pour l'affaire Wu Zonghan : la prise en charge de l'affaire par Li Zhen concernant les relations illicites entre l'état-major général et l'étranger » (document classifié, 7 juin 1972).

« Rapport du département général politique de l'Armée de libération populaire sur les confessions du partisan irréductible de Lin Biao, Cheng Hongzhen, du 8 juin 1972 au 1er septembre 1972 » (document classifié, 1972).

« Rapport du bureau de la Sécurité au Comité central du Parti à l'attention du président Mao et du camarade Wang Dongxing concernant le problème de la constitution d'un dossier des enregistrements des conversations entre le président Mao et Lin Biao pendant l'incident du 13 septembre » (documents complémentaires : transcriptions des enregistrements) (document classifié, décembre 1971).

« Rapport de la section sécurité du Bureau spécial chargé de l'affaire du clan antiparti de Lin Biao auprès du Comité central du Parti, confié au camarade Wang Dongxing », 5e partie contenant le « résumé et texte original de la septième partie des confessions du partisan irréductible de Lin Biao, Wu Faxian, écrites du 7 octobre au 11 décembre 1971 » (document classifié, 20 décembre 1972).

« Rapport sur le travail de la camarade Lin Yamei » (document classifié, février 1973).

« Rapport sur la mort de Lin Biao, de Ye Qun et de Lin Liguo » (document classifié, décembre 1979).

« Rapport sur la demande d'instructions faite par le bureau de la

Sécurité auprès du Comité central du Parti concernant le problème du classement sous secret des enregistrements des quatre discours du président Mao sur l'affaire Lin Biao », dossier n° 7 (documents complémentaires : transcription intégrale des quatre discours de Mao) (document classifié, décembre 1979).

« Conversations secrètes entre Lin Biao et Huang Yongsheng le 4 juillet 1971 » (documents classifiés, 1972).

« Rapport d'enquête secret du deuxième Bureau spécial * politique des Affaires générales sur les interrogatoires des onze partisans irréductibles de Lin Biao appartenant à l'armée de l'air » (documents complémentaires) : explication des ordres de Wu Faxian et Liang Pu d'intercepter les deux appareils (le Trident 256 et l'hélicoptère Zhi-5) donnée par l'ancien commandant de l'armée de l'air de Beijing, Li Jitai ; enregistrement des communications du poste de commandement de l'armée de l'air de Beijing de 23 heures le 12 septembre 1971 à 5 h 55 le 13 septembre 1971 ; confessions de l'ancien chef d'état-major de l'armée de l'air Liang Pu concernant l'affaire de l'avion en fuite, 13 septembre 1971 ; confessions de membres importants de l'Escadre de l'Union : Wang Fei, Li Weixin, Jiang Guozhang et dix autres personnes » (document classifié, 18 février 1980).

« Choix de confessions de Wu Faxian, 1972-1973 » (document classifié, 23 avril 1975).

« Témoignage de Qi Zhijing », 3ᵉ partie (documents classifiés, 1972).

« Document top secret n° 81024 du ministère des Affaires étrangères » (document classifié, 19 septembre 1971). (Note : rapport de l'ambassade chinoise en République populaire de Mongolie concernant l'enquête et la prise en charge des corps trouvés à l'endroit où l'avion 256 s'écrasa).

« Agenda de travail de Ye Qun » (documents classifiés, 1972).

« Notes de Yu Sang concernant deux renseignements sur l'affaire Li Zhen » (document classifié, 1973).

---

* Le deuxième bureau spécial fut chargé des affaires de Lin Biao et de la Bande des Quatre. Son nom date de 1976.

RÉPERTOIRE DES NOMS

BAI CHONGSHAN 白崇善
Commandant de la 5ᵉ armée aérienne.

BI JI 毕　纪
Chef d'état-major du régiment des forces de missiles de l'armée de l'air à Shanghai.

CAO LIHUAI 曹里怀
Premier commandant adjoint de l'armée de l'air chinoise.

CAO YI-OU 曹轶欧
Épouse de Kang Sheng; membre du Comité central du Parti communiste.

CHEN BODA 陈伯达
Membre du Comité permanent du Politburo; un des principaux idéologues et polémistes maoïstes; ancien rédacteur en chef de la revue *Drapeau rouge*; en 1966, nommé chef du groupe de la Révolution culturelle; attaqué au cours du second plénum du IXᵉ Congrès du Parti. Arrêté et condamné à dix-huit ans de prison. Partisans au cours des procès 1980-81.

CHEN DAYU 陈达昱
Officier de la section s'occupant à l'état-major général des renseignements militaires sur l'Union soviétique.

CHEN LIYUN 陈励耘
Commissaire politique de la 5ᵉ armée aérienne chinoise; chef important dans la province du Zhejiang; mis en prison à la suite de l'affaire Lin Biao.

CHEN LUNHE 陈伦和
Traducteur angliciste au département du Renseignement de l'armée de l'air; membre de l'Escadre de l'Union.

CHEN SHIYIN 陈士印
Commandant du 101ᵉ régiment de la 34ᵉ division de l'armée de l'air.

CHEN SHOU 陈 授
Vrai père de Yang Dingkun; propriétaire sous le Guomindang, chef de la police et juge du tribunal de première instance pendant la période nationaliste.

CHEN SUIQI 陈绥圻
Épouse de Wu Faxian; directrice adjointe du Bureau général du Comité du Parti de l'armée de l'air; actuellement souvent en résidence surveillée.

CHEN XILIAN 陈锡联
Membre du Politburo; membre de la commission des Affaires militaires; vice-Premier ministre du Conseil de l'État; commandant de la région militaire de Shenyang et, plus tard, de la région militaire de Beijing; chef militaire important pendant la Révolution culturelle; partisan de Huo Guofeng après l'arrestation de la Bande des Quatre.

CHEN XIUWEN 陈修文
Lieutenant-colonel du 101ᵉ régiment de la 34ᵉ division de l'armée de l'air; pilote remarqué de l'armée de l'air; participa à de nombreux vols lors des conflits frontaliers sino-soviétiques; spécialiste des longs vols et des vols de nuit.

CHEN YI 陈 毅
Membre du Politburo; un des dix maréchaux chinois; ministre des Affaires étrangères; cible principale des Gardes rouges au début de la Révolution culturelle; mort en 1972 des suites de tortures physiques et morales.

CHENG HONGZHEN 程洪珍
Membre de l'Escadre de l'Union; secrétaire du Bureau général du Comité du Parti de l'armée de l'air; arrêté pendant l'affaire Lin Biao.

CHI YUTANG 池玉堂
Cadre dans l'Unité 8341.

CHIANG CHING-KUO (JIANG JING-GUO) 蒋经国
Fils de Chiang Kai-shek; chef actuel du Parti nationaliste et président de la République de Taiwan.

CHIANG KAI-SHEK (JIANG JIE-SHI) 蒋介石
Président de la République de Chine sur le continent chinois jusqu'en 1949; après la création de la République populaire de Chine, gouverna Taiwan jusqu'à sa mort en 1975.

DENG XIAOPING 邓小平
Secrétaire général du Parti communiste chinois; vice-président du Politburo; vice-Premier ministre du Conseil de l'État; chef d'état-major des Forces armées; arrêté deux fois, réhabilité en 1977 et certainement le numéro un chinois.

DI XIN 狄 辛
Un des petits amis de Lin Liheng.

DING SIQI 丁思奇
Officier subalterne de l'armée de l'air dans la région militaire de Nanjing

qui essaya de dénoncer les activités de l'Escadre de l'Union à Wu Faxian, en conséquence de quoi il fut assassiné.

FENG YINJIE 冯银洁
Cadre à la station des communications de l'armée de l'air.

GAO GANG 高 岗
Membre du Politburo; président de la commission du Plan de l'État; commandant adjoint et commissaire politique adjoint de la région militaire du nord-est à la fin des années 1940; exclu du Parti en 1955.

GU TONGZHOU 顾同舟
Chef d'état-major de l'armée de l'air dans la région militaire de Guangzhou.

GUO YUFENG 郭玉峰
Ministre du département de l'Organisation du Comité central.

HAN HONGKUI 韩洪奎
Secrétaire de Wang Weiguo.

HE LONG 贺 龙
Un des dix maréchaux chinois; directeur du Comité national pour l'éducation physique; arrêté par Mao et mort en prison pendant la Révolution culturelle.

HOU TINGFANG 侯廷芳
Chef d'un régiment des forces de missiles de l'armée de l'air de Shanghai.

HU MIN 胡 敏
Épouse de Qiu Huizuo.

HU PING 胡 萍
Commandant de la 34e division de l'armée de l'air; chef d'état-major adjoint de l'armée de l'air.

HU XIAODONG 胡小冬
Un des petits amis de Lin Liheng.

HUA GUOFENG 华国锋
Secrétaire du Parti pour la province de Hunan avant la Révolution culturelle; membre du Politburo et Premier ministre par intérim durant la Révolution culturelle; responsable de l'arrestation de la Bande des Quatre alors qu'il était président du Parti et Premier ministre; perdit ces deux postes en 1980-81.

HUANG YONGSHENG 黄永胜
Membre du Comité permanent du Politburo; chef d'état-major de l'Armée de libération populaire; membre important du clan des « irréductibles » de Lin Biao; arrêté pendant l'affaire Lin Biao et condamné à dix-huit ans de prison.

JI ZECHUN 吉泽春
Commandant de l'Unité 8341.

JIANG GUOZHANG 蒋国璋
Directeur du bureau des Affaires militaires de la 4ᵉ armée aérienne; membre important de l'Escadre de l'Union.

JIANG QING 江 青
Membre du Politburo; quatrième et dernière épouse de Mao Zedong; chef de la Bande des Quatre; arrêtée en 1976 et condamnée à mort; peine suspendue.

JIANG TENGJIAO 江腾蛟
Commissaire politique de la 4ᵉ armée aérienne; commissaire politique de l'armée de l'air de la région militaire de Nanjing; membre important de l'Escadre de l'Union; arrêté pendant l'affaire Lin Biao et condamné à dix-huit ans de prison.

KANG SHENG 康 生
Vice-président du Comité permanent du Politburo; chef de mission d'espionnage et d'enquêtes.

KE QINGSHI 柯庆施
Membre du Comité permanent du Politburo; premier secrétaire du Bureau du Parti communiste chinois pour la Chine de l'Est; maire de Shanghai; cadre d'extrême gauche et ami de Mao.

LI DESHENG 李德生
Membre du Politburo; commandant actuel de la région militaire de Shenyang.

LI JITAI 李际泰
Commandant de l'armée de l'air de la région militaire de Beijing.

LI KENONG 李克农
Officier supérieur chargé des renseignements et des enquêtes au Parti communiste chinois.

LI WEIXIN 李伟信
Directeur adjoint du secrétariat de la 4ᵉ armée aérienne à Shanghai; arrêté pendant l'affaire Lin Biao.

LI WENPU 李文普
Secrétaire de Ye Qun.

LI XUEFENG 李雪峰
Membre du Politburo; premier secrétaire du Parti pour la région militaire de Beijing; perdit toutes ses fonctions au cours de la seconde session plénière du IXᵉ Congrès du Parti.

LI ZHEN 李 震
Chef de la commission militaire du ministère de la Sécurité publique; ministre suppléant au ministère de la Sécurité publique; mort dans des circonstances suspectes.

LI ZUOPENG 李作鹏
Membre du Comité permanent du Politburo; premier commissaire politi-

que de la marine ; chef d'état-major adjoint de l'armée de libération populaire ; membre important du clan des « irréductibles » de Lin Biao ; arrêté pendant l'affaire Lin Biao et condamné à dix-sept ans de prison.

LIANG JUN 梁 军
Commissaire politique du Second Institut technique de l'armée de l'air.

LIANG PU 梁 璞
Chef d'état-major de l'armée de l'air ; accusé de vols illégaux hors du pays pendant l'affaire Lin Biao ; destitué pendant l'affaire Lin Biao et arrêté par la suite.

LIN BIAO 林 彪
Le troisième parmi les dix maréchaux chinois ; ministre de la Défense ; vice-président du Parti communiste ; successeur désigné de Mao ; mort le 12 septembre 1971.

LIN JIANPING 林建平
Chauffeur à l'académie de l'armée de l'air.

LIN LIGUO 林立果
Fils de Lin Biao et Ye Qun ; chef adjoint du département des Opérations de l'armée de l'air et chef de l'Escadre de l'Union ; mort pendant l'affaire Lin Biao.

LIN LIHENG (surnommée **LIN DOUDOU**) 林立衡
Fille de Lin Biao ; rédactrice adjointe du journal de l'armée de l'air.

LIN YAMEI 林雅妹
Soldat de l'armée de l'air ; choisie pour devenir la maîtresse de Lin Liguo ; en 1972, elle fut transférée hors de l'armée de l'air et fit changer son nom.

LIU JINPING 刘锦平
Chef du bureau de l'Aviation civile chinoise.

LIU PEIFENG 刘沛丰
Directeur adjoint du bureau des Affaires générales du Comité du Parti de l'armée de l'air ; membre important de l'Escadre de l'Union ; mort pendant l'affaire Lin Biao.

LIU QUANJUE 刘荃觉
Cadre au poste de commandement des installations « numéro 0 ».

LIU SHAOQI 刘少奇
Président de la République populaire de Chine ; vice-président du Comité permanent du Politburo ; exclu au début de la Révolution culturelle ; mort en 1967.

LIU SHIYING 刘世英
Directeur adjoint du bureau des Affaires générales du Comité du Parti de l'armée de l'air ; membre important de l'Escadre de l'Union.

LIU YALOU 刘亚楼
Chef d'état-major général de la 4e armée de campagne ; premier commandant de l'armée de l'air chinoise ; mort en 1965.

225

LU MIN 鲁 珉
Chef du département des Opérations de l'armée de l'air; arrêté en septembre 1971.

LU YANG 鲁 杨
Garde de l'académie de l'armée de l'air.

LUO RUIQING 罗瑞卿
Ministre de la Sécurité publique; chef d'état-major général; arrêté et mis en prison pendant la Révolution culturelle; après la Révolution culturelle, nommé secrétaire général de la commission des Affaires militaires.

MAO YUANXIN 毛远新
Neveu de Mao Zedong; ouvrier technique dans les unités de missiles de l'armée de l'air; pendant la Révolution culturelle, devint commissaire politique de la région militaire de Shenyang et commissaire politique de l'armée de l'air dans la région militaire de Shenyang; arrêté et châtié par Hua Guofeng.

MAO ZEDONG 毛泽东
Président du Parti communiste chinois; président de la commission des Affaires militaires; mort en 1976.

PAN JINGYIN 潘景寅
Commissaire politique adjoint de la 34ᵉ division de l'armée de l'air; pilote expérimenté très apprécié des dirigeants chinois.

PENG DEHUAI 彭德怀
Membre du Politburo; ministre de la Défense; au deuxième rang des dix maréchaux chinois; attaqué par Mao à la conférence de Lushan en 1959; arrêté et passé en jugement public en 1966.

QI SHIJING 戚士经
Une fiancée « possible » pour Lin Liguo.

QIU HUIZUO 祁智静
Membre du Comité permanent du Politburo; chef du département de la Logistique; membre important du clan des « irréductibles » de Lin Biao; arrêté et mis en prison pendant l'affaire Lin Biao et condamné à seize ans de prison.

QI YAOFANG 齐杳方
Garde de l'académie de l'armée de l'air.

RAO SHUSHI 饶漱石
Directeur du Bureau du Parti communiste chinois pour le Nord-Est; attaqué par Mao, en même temps que Gao Gang, dans les années cinquante.

SHI NIANTANG 时念堂
Directeur du bureau général du Dispatching de l'armée de l'air.

SU QUANDE 苏荃德
Cadre dans l'Unité 8341.

TAN SHU 潭 述
Expert des transports dans les services secrets de l'Unité 8341.

WANG BINGZHANG 王秉璋
Commandant adjoint de l'armée de l'air ; ministre au 7ᵉ ministère des Industries mécaniques.

WANG DONGXING 汪东兴
Vice-président du Politburo ; directeur du bureau des Affaires générales du Comité central du Parti ; collaborateur le plus sûr de Mao Zedong chargé de la sécurité ; chef de l'Unité 8341 ; perdit ses fonctions en 1979.

WANG FEI 王 飞
Chef d'état-major adjoint de l'armée de l'air ; membre important de l'Escadre de l'Union ; arrêté et mis en prison pendant l'affaire Lin Biao.

WANG HONGKUN 王宏坤
Commissaire politique adjoint de la marine ; placé en résidence surveillée en 1980 pour sa complicité dans l'affaire Lin Biao.

WANG HINGWEN 王洪文
Membre du Comité permanent du Politburo ; vice-président du Parti ; membre de la Bande des Quatre ; le plus influent leader de manifestations populaires pendant la Révolution culturelle ; arrêté en 1976 et condamné à perpétuité.

WANG LIANGEN 王良恩
Directeur adjoint du bureau des Affaires générales du Comité central du Parti ; adjoint de Wang Dongxing.

WANG MING 王 明
Secrétaire général du Comité central du Parti dans les années trente ; remplacé par Mao devenu le numéro un en 1935 ; perdit ses pouvoirs à Yanan au début des années quarante ; partit en Union soviétique.

WANG PU 王 璞
Commandant de l'armée de l'air de la région militaire de Guangzhou.

WANG RONGYUAN 汪荣元
Officier des services secrets de l'Unité 8341.

WANG SHAOYUAN 王绍渊
Commandant de l'armée de l'air dans la région militaire de Lanzhou.

WANG SHUYUAN 王淑媛
Actrice de la troupe culturelle du département politique de l'armée de l'air et une des maîtresses de Lin Liguo.

WANG WEIGUO 王维国
Commissaire politique de la 4ᵉ armée aérienne dans la région militaire de Nanjing ; directeur de la commission de Contrôle des affaires militaires de Shanghai ; membre important de l'Escadre de l'Union ; arrêté et mis en prison pendant l'affaire Lin Biao.

227

WANG YONGKUI 王永奎
Directeur du Bureau administratif de l'armée de l'air ; arrêté et mis en prison pendant l'affaire Lin Biao.

WANG YUANYUAN 王圆圆
Un des petits amis de Lin Liheng.

WANG ZHUO 王 琢
Directeur adjoint du service des transports de l'armée de l'air ; chauffeur personnel de Lin Liguo.

WANG ZIGANG 汪子刚
Officier des services secrets de l'Unité 8341.

WU DAYUN 吴达云
Membre du personnel confidentiel du bureau du Comité du Parti de l'armée de l'air.

WU DEFENG 吴德峰
Membre du réseau des services secrets chinois ayant travaillé avec Kang Sheng.

WU FAXIAN 吴法宪
Membre du Comité permanent du Politburo ; commandant en chef de l'armée de l'air ; chef d'état-major adjoint de l'Armée de libération populaire ; membre important du clan des « irréductibles » de Lin Biao ; arrêté pendant l'affaire Lin Biao et condamné à seize ans de prison.

WU XINCHAO 吴新潮
Fils de Wu Faxian ; délégué de l'armée de l'air à l'usine de constructions aéronautiques de Shonyang.

WU ZONGHAN (Pseudonyme) 吴宗汉
Ingénieur dans l'armée ; espion pour l'Union soviétique ; agent secret pour l'état-major général de l'Armée de libération populaire.

XI ZHUXIAN 席著业
Commissaire politique adjoint de la 8e division d'artillerie de la 4e armée aérienne ; membre important de l'Escadre de l'Union à Shanghai.

XIAO JINGUANG 肖劲光
Commandant de la marine ; vice-ministre de la Défense.

XIAO KE 肖 克
Directeur de l'Académie militaire et politique.

XIAO QUANFU 肖全夫
Commandant de division de la 9e colonne dans l'armée de campagne de Lin Biao ; commandant adjoint de la région militaire de Shenyang ; commandant de la région militaire de Urumqi.

XIE FUZHI 谢富治
Membre du Comité permanent du Politburo ; ministre de la Sécurité

228

publique; commandant des unités de la Sécurité publique; vice-Premier ministre du Conseil de l'État; un des chefs de la Révolution culturelle et partisan de la Bande des Quatre.

XU LIMIN 徐立敏
Officier des communications dans l'armée de l'air.

XU SHIGUANG 许士光
Cadre de l'Unité 8341.

XU SHIYOU 许世友
Commandant de la région militaire de Nanjing.

XU XIANGQIAN 徐向前
Membre du Politburo; un des dix maréchaux chinois.

XU XIUXU 许秀绪
Secrétaire du bureau des Affaires générales du Comité du Parti de l'armée de l'air.

YAN ZHONGCHUAN 阎仲川
Commandant de la 43e armée de la 4e armée de campagne; chef d'état-major adjoint de l'Armée de libération populaire.

YANG CHENGWU 杨成武
Remplaça Luo Ruiqing comme chef d'état-major général au début de la Révolution culturelle; exclu par la suite; actuellement commandant de la région militaire de Fuzhou.

YANG DEZHONG 杨德中
Secrétaire de haut niveau auprès de Zhou Enlai chargé de la sécurité.

YANG DINGKUN 杨定坤
Officier à l'hôpital militaire et médecin consultant de Lin Biao; fiancé de Lin Liheng.

YANG JIDA 杨继达
Beau-père de Yang Dingkun; officier au niveau divisionnaire.

YANG ZHENGANG 杨振刚
Chauffeur personnel de Lin Biao.

YAO WENYUAN 姚文元
Membre du Politburo; secrétaire du Comité du Parti à Shanghai; important homme de lettres et théoricien durant la Révolution culturelle; membre de la Bande des Quatre; arrêté en 1976 et condamné à vingt ans de prison.

YE JIANYING 叶钊英
Le dixième des dix maréchaux chinois; vice-président du Politburo; ministre de la Défense; président du Congrès national populaire; vice-président du Parti.

YE QUN 叶 群
Membre du Politburo; épouse de Lin Biao; directrice du bureau des

Affaires générales de Lin Biao; membre du groupe administratif de la commission des Affaires militaires.

YU BOKE 遇波克
Un des petits amis de Lin Liheng.

YU SANG 于桑
Vice-ministre de la Sécurité publique.

YU YUNSHEN 于运深
Premier secrétaire de Lin Biao.

ZENG GUOHUA 曾国华
Commandant adjoint de l'armée de l'air.

ZHANG CHUNQIAO 张春桥
Membre du Comité permanent du Politburo; vice-Premier ministre du Conseil de l'État; premier secrétaire du Comité du Parti à Shanghai; directeur du département politique des Affaires générales; membre de la Bande des Quatre; chef important pendant la Révolution culturelle; arrêté en 1976 et condamné à mort.

ZHANG TINGFA 张廷发
Membre du Politburo; chef du bureau des Opérations dans la 2ᵉ armée de campagne de Liu Bocheng et Deng Xiaoping; commandant adjoint de l'armée de l'air; exclu pendant la Révolution culturelle; commandant de l'armée de l'air.

ZHANG YONGGENG 张雍耿
Commissaire politique de l'armée de l'air dans la région militaire de Shenyang.

ZHAO SHANGTIAN 赵尚田
Directeur du bureau politique du régiment de missiles de l'armée de l'air à Shanghai.

ZHAO YANJI (pseudonyme) 赵研极
Cadre de haut niveau au bureau spécial chargé de l'affaire Lin Biao; directeur de la division des enquêtes spéciales du bureau des Affaires générales sur l'affaire Lin Biao.

ZHOU DEYUN 周德润
Cadre de la 4ᵉ armée aérienne; membre de l'Escadre de l'Union à Shanghai chargé de la formation de l'unité d'instruction.

ZHOU ENLAI 周恩来
Vice-président du Parti; Premier ministre du Conseil de l'État.

ZHOU XIHAN 同希汉
Commandant adjoint de la marine.

ZHOU YUCHI 周宇驰
Directeur adjoint du bureau des Affaires générales du Comité du Parti dans l'armée de l'air; membre important de l'Escadre de l'Union; mort pendant l'affaire Lin Biao.

ZHU BINGLIANG 朱炳亮
Chef des forces de sécurité de Lin Biao.

ZHU DE 朱 德
Premier des dix maréchaux chinois; vice-président du Comité central du Parti; vice-président de la commission des Affaires militaires; vice-président de l'État; président du Congrès national populaire.

ZHU TIESHENG 朱钦笙
Directeur du second département du Comité du Parti dans l'armée de l'air; membre de l'Escadre de l'Union; arrêté et mis en prison pendant l'affaire Lin Biao.

ZU FUGUANG 祖付光
Officier de l'armée de l'air dans la région militaire de Nanjing; membre de l'Escadre de l'Union.

Achevé d'imprimer le 3 mai 1983
sur presse CAMERON,
dans les ateliers de la S.E.P.C.
à Saint-Amand-Montrond (Cher)
pour le compte des éditions Robert Laffont

Dépôt légal : mai 1983
Nº d'Éditeur : K 203. Nº d'Impression : 721/514.